I0730710

TABLE DES LIVRES ET DES CHAPITRES

Contenus dans ce VIII. & dernier Tome.

SECONDE PARTIE.

Avant-Propos,   Page 1

LIVRE VII.

Explication de quelques Fables particulieres qui se rencontrent dans les Mythologies,   3

CHAP. I. *Histoire de Terée, de Pandion, de Progné, de Philomele, des Filles de Pandarée, & de celles d'Erecthée.*   5

CHAP. II. *Histoire de Lycaon,* 14

CHAP. III. *Histoire de Narcisse, d'Echo, de Pyrame & de Thisbé,*   18

a

TABLE DES LIVRES

CHAP. IV. *Histoire des Pygmées, & de Pygas leur Reine ; de leurs Combats avec les Grues & les Perdrix ; & où l'on examine ce que c'étoient que les Pygmées dont parle le Prophéte Ezechiel,* 24

CHAP. V. *Histoire de Céphale & de Procris,* 40

CHAP. VI. *Histoire de Ceyx & d'Alcyone, de Philammon, d'Autolicus, de Kioné, & de Thamiras,* 43

CHAP. VII. *Histoire d'Orion.* 52

CHAP. VIII. *Explication des Fables de Biblis & de Caunus, d'Iphis & de Ianté, d'Anaxarete, d'Arion, &c.* 60

CHAP. IX. *Suite des Fables tirées d'Ovide,* 70

CHAP. X. *Des Fables recueillies par Conon, & par Antoninus Liberalis,* 81

CHAP. XI. *Fables tirées d'Hygin,* 83

ET DES CHAPITRES.

LIVRE VIII.

DES JEUX DES GRECS, 92

CHAP. I. *Motifs de l'inftitution de ces Jeux, & de leurs différentes efpéces*, 98

CHAP. II. *Des Infituteurs de ces Jeux*, 101

CHAP. III. *Où l'on explique ce que c'étoit que la Gymnaftique*, 106

CHAP. IV. *Des Lieux deftinés à la Célébration des Jeux, & des Villes principales qui en donnoient les repréfentations*, 114

CHAP V. *Des Jeux Olympiques*, 119

CHAP. VI. *Des Jeux Pythiques*, 133

CHAP. VII. *Des Jeux Neméens*, 138

CHAP. VIII. *Des Jeux Ifthmiques*, 141

CHAP. IX. *Des Jeux Scéniques : des Prix propofés pour les Poëtes Tragiques dans les Jeux de la Grece*, 143

CHAP. X. *Suite du méme sujet.*
Jeux adoptés ou renouvellés par les Romains, 151
Du Jeu Troyen, ou de la Jeuneſſe, 152
Les Jeux d'Auguſte, 155
Des Jeux Capitolins, 156
Les Jeux de Cerès, 157
Les Jeux Actiaques, 159
Les Jeux Agonaux; des Jeux Aſtyces, 160
Des Jeux célébrés dans les Champs, 161
Des Jeux de Caſtor & Pollux, Ibid.
Des Jeux Mégaléſiens célébrés en l'honneur de Cybele & des autres grands Dieux, 163
Des Jeux Floraux, 164
CHAP. XI. *De quelques autres Jeux,* 166
Des Jeux du Cirque, 167
Des Jeux des Carrefours ou Compitales, & de quelques autres, 169
Jeux Séculaires, 172

LA MYTHOLOGIE

L A

MYTHOLOGIE
ET LES FABLES
EXPLIQUÉES
PAR L'HISTOIRE.

SECONDE PARTIE.

P OUR rendre cette Mythologie complette, j'ai encore deux articles à traiter. Le premier regarde quelques Fables particulieres qui n'ont aucune liaison avec les événemens de l'Histoire fabuleuse , qui ont fourni la matiere des Volumes précédents ; car je n'ai gueremanqué de rappeller celles qui y avoient quelque rapport.

Le second concerne les Jeux des Grecs ; non ces Jeux d'amusement dont Meursius & quelques autres nous ont

Tome VIII.   A

donné l'Hiſtoire ; mais ces exercices publics qui faiſoient partie de leur Religion,
& qui la plupart avoit été inſtitués dans
les temps héroïques. Ces deux Articles
feront la matiere des deux Livres ſuivants.

LIVRE · SEPTIEME.

Explication de quelques Fables particulieres qui se rencontrent dans les Mythologues.

CES Fables n'ont rapport qu'aux faits particuliers qui les firent inventer. C'étoit ordinairement quelque mariage de Prince, ou la naissance de quelque enfant célebre, ou le désespoir amoureux de quelque Princesse; car dans ces occasions, les beaux esprits du temps ne manquoient guere de composer quelque Epitalame & quelque Elégie, où s'abandonnant aux saillies de leur génie, ils faisoient presque toujours intervenir les Dieux dans ces aventures; mêlant ainsi le surnaturel & le sublime, à des faits qui souvent ne le méritoient pas.

On trouve de ces sortes de fables dans Apollodore, Hygin, Antoninus Libe-

ralis, Conon , Nicandre de Colophon ,
Placiade Lactance , & dans quelques autres, principalement dans Ovide , qui
eſt de tous les Anciens celui qui en a
fait le recueil le plus ample ; & je dois
avouer , par rapport à ce dernier , que
les ayant expliquées à la ſuite de ſes Mé-
tamorphoſes , je ſerai ſouvent obligé de
me copier. Car comme elles ne font la
plupart qu'alluſion à un fait particulier,
on n'a rien ou peu de choſe à ajouter,
quand une fois on l'a recueilli. Mais des
perſonnes éclairées m'on fait entendre
que je ne devois m'en faire aucun ſcru-
pule ; qu'une Mythologie , telle que
celle que je préſente aujourd'hui au Public , devoit tout contenir, que les Lecteurs étoient en droit de l'exiger , & que
ſouvent ils n'avoient ni la volonté , ni le
pouvoir de conſulter d'autres Ouvrages.

CHAPITRE I.

Histoire de Terée, de Pandion, de Progné, de Philomele, des filles de Pandarée, & celles d'Erech-thée.

OVIDE (1) & Hygin (2) racontent fort au long, quoiqu'avec quelque différence, cette Histoire : je l'appelle ainsi parce que Strabon, Pausanias, & plusieurs autres Anciens, conviennent que l'événement qui donna lieu aux fictions dont on l'a ornée, est véritable.

(1) Liv. 6.
(2) Fab 45.

Pandion, second du nom, Roi d'A-thenes, avoit deux filles extrêmement belles nommées Philomele & Progné. Comme il n'avoit point d'enfans mâles, il chercha un gendre qui fût puissant, & voisin de ses Etats. Terée, Roi d'un petit Royaume peu éloigné de l'Atti-que, fut celui qu'il choisit, & il lui fit épouser Progné, espérant d'en tirer quelque secours dans la guerre qu'il avoit contre les Thébains : mais la bru-talité de son gendre lui causa tant de chagrin, qu'il en mourut. En effet, quel-

A iij

ques années après son mariage, soit que Progné fût morte, comme le veut Hygin ; ou que ce fût à la sollicitation de cette Princesse qui désiroit de voir sa sœur, comme le raconte Ovide, Terée alla à Athenes la demander à son pere, dans le dessein de l'emmener en Thrace, où sa sœur l'attendoit avec impatience. Pandion refusa long-temps de répondre à l'empressement de son gendre, comme si véritablement il eût prévu que ce voyage devoit être funeste à sa fille ; mais enfin il la lui accorda, en donnant de Gardes à la jeune Princesse pour veiller à sa conduite. Aussi-tôt que Térée se vit en possession de cette beauté, qu'il aimoit éperduement, il ne songea plus qu'à satisfaire sa passion ; & dès qu'il put prendre terre, il fit mourir les Gardes que Pandion avoit fait embarquer avec lui, & ayant conduit Philomele, ou sur une montagne, comme le dit Hygin, ou dans un vieux Château qui lui appartenoit, ainsi que le prétend Ovide, il lui fit violence ; & désespéré de reproches sanglants qu'elle lui fit, il lui coupa la langue & la laissa enfermée dans le Château sous la garde de quelques personnes affidées.

Cependant Philomele par le moyen

d'un morceau de point d'éguille qu'elle
traça, fit connoître à fa fœur le malheur
qui lui étoit arrivé, laquelle profitant
d'une des Fêtes de Bacchus, pendant
laquelle il étoit permis aux femmes de
courir à travers les champs, elle alla au
Château où étoit fa fœur, l'emmena avec
elle, l'enferma fecrétement dans le Palais, tua fon fils Itys (*a*), le mit en pieces, & l'ayant fait cuire, le fit fervir
dans le feftin qu'elle donnoit à fon mari
à l'occafion de la Fête dont ont vient de
parler. Philomele paroiffant à la fin du
repas, jetta fur la table la tête de cet enfant. Le Roi outré de rage & de fureur,
mit l'épée à la main pour tuer fa femme
& fa belle-fœur; mais ces deux Princeffes
étant montées fur un vaiffeau qu'elles
avoient fait préparer à ce deffein, arriverent à Athenes avant qu'il eût pu les
atteindre.

Jufques-là tout eft naturel ; mais les
Poëtes ne manquent guere d'ajouter à
de pareils événemens l'intervention des
Dieux : on publia que Progné avoit été
changé en Hirondelle, Philomele en
Roffignol, Itys en Faifan ou en Char-
donneret, & Terée en Hupe. Les My-

Heros
ou demi-
Dieux.
L. VII. C. I.

(*a*) Paufanias met ce meurtre fur le compte des femmes
de Thrace, ce qui eft plus vraifemblable.

A iv

thologues trouvent des raifons conve-
nables à ces Métamorphofes : on a voulu , difent-ils, par ces changemens fym-
boliques peindre le caractere de ces
différentes perfonnes. Comme la Hupe
eft un oifeau qui aime le fumier & l'ordure, on a prétendu nous marquer par-là
les mœurs impures de Terée ; parce que
le vol de cet oifeau eft fort lent, on fait
voir en même temps , qu'il ne put point
attraper les Princeffes, fon vaiffeau étant
moins bon voilier que le leur. Un vers
d'Ariftophane , dans le premier Acte de
fa Comédie des Oifeaux, où Terée pour
diminuer l'étonnement d'Eulpis , furpris
de voir ce Prince fous une figure fi hi-
deufe, nous donne affez à entendre que
c'étoient les Poëtes Tragiques qui fouvent avoient inventé , ou du moins donné cours aux anciennes fictions , & nom-
mement à celle-ci , puifque Terée dit :
*ainfi a-t-il plu à Sophocle de me défigurer
de la forte* (a). Le Roffignol qui fe cache
dans les bois & les broffailles, femble
vouloir cacher fa honte & fes malheurs ;
& l'Hirondelle, qui fréquente les mai-
fons , marque l'inquiétude de Progné
qui cherche vainement fon fils qu'elle a
inhumainement maffacré.

____

(a) Nous n'avons plus cette Tragédie de Sophocle.

Tout cela eſt fort ingénieux, mais malheureuſement d'autres Auteurs très-anciens ont détruit toutes ces belles réflexions. En effet Anacréon, & après lui Apollodore, diſent que Philomele fut changée en Hirondelle, & Progné en Roſſignal. Quoi qu'il en ſoit, on prétend que cet événement étoit arrivé à Daulis, ville de Phocide, ou Terée étoit venu demeurer; ce qui peut être vrai, en diſant que ce Prince voulant ſecourir Pandion ſon beau-pere, qui étoit en guerre avec les Thébains, étoit venu avec ſa Cour dans la Phocide, pour être plus en état de le ſecourir.

On peut fixer l'époque de cet événement vers l'an 1440 avant l'Ere chrétienne, ſous le regne de Pandion II. Roi d'Athenes. Euſebe le fait remonter un peu plus haut, puiſqu'il croit que Progné & Philomele étoient filles de Pandion premier du nom, qui ſuccéda à Erichtonius. Au reſte il y a apparence que Terée périt en pourſuivant ſa femme & ſa ſœur, puiſque Pauſanias (1) nous apprend qu'on voyoit ſon tombeau à Mégare.

Homere (2), dont l'autorité eſt d'un ſi grand poids dans ces matieres, a ſuivi une autre tradition. En effet, dans l'endroit où il parle des ſujets de chagrin de

(1) In Attic.

(2) Odyſſ. lib. 19.

Pénelope : " Cette Princeſſe, dit-il, fai-
„ ſoit entendre ſes regrets, comme la
„ plaintive Philomele, fille de Pandarée,
„ toujours cachée entre les branches &
„ les feuilles des arbres, dès que le Prin-
» temps eſt venu, fait entendre ſa voix
» & pleure ſon cher Itys, qu'elle a tué
» par une cruelle mépriſe, & dans ſes
» plaintes continuelles, elle varie ſes
» triſtes accens. » Il paroît par cette com-
paraiſon, qu'Homere n'a connu ni Progné ni Terée, & qu'il a ſuivi la Tradition que je vais rapporter.

Pandarée, fils de Mérops, avoit trois
filles, Mérope, Cléothere, & Ædon ;
celle-ci, qui étoit l'aînée, fut mariée à
Zéthus frere d'Amphion, dont elle n'eut
qu'un fils, nommé Ityle. Jalouſe de la
nombreuſe famille de Niobé ſa belle-
ſœur, elle réſolut de tuer l'aîné de ſes
neveux ; & comme ſon fils étoit élevé
avec ſon couſin, & qu'il couchoit avec
lui, elle l'avertit de changer de place
la nuit qu'elle vouloit commettre ce crime. Le jeune Ityle oublia cet ordre, &
ſa mere le tua au lieu de ſon neveu. Homere dans le Livre ſuivant (1), revient
à la même Hiſtoire, & ajoute qu'après
que les Dieux eurent rendu orphelines

les deux sœurs d'Ædon, Mérope & Cléothere en faisant mourir leur pere & leur mere, elle furent enlevées par les Harpyes; qui les livrerent aux Furies dans le temps qu'elles alloient être ma‑ riées.

Pour répondre d'avance à quelques difficultés que pourroit faire naître l'his‑ toire qu'on vient de lire, il est nécessai‑ re de distinguer avec Thucydide (1), la Thrace où Terée habitoit, de la Thrace proprement dite. Cette derniere étoit fort éloignée de la Grece, par rapport à la premiere, qui confinoit à la Thes‑ salie. La Capitale où habitoit Terée, s'appelloit Daulis; c'est véritablement dans ce canton, ajoute ce judicieux Ecri. vain, & non dans la Thrace proprement dite, qu'arriva la funeste aventure du jeune Itys, masacré par sa mere & par sa tante; & il est vraisemblable, dit-il encore, que le Roi d'Athenes avoit don‑ né sa fille à un Prince voisin, dans l'espé‑ rance d'en tirer de prompts secours con‑ tre ses ennemis. Une preuve, conclut le même Auteur, qui assure que c'étoit à Daulis que s'étoit passée l'aventure, c'est que les Poëtes donnent ordinairement au Rossignol, ou à Philomele, l'épithete de *Daulias*.

HEROS ou demi-Dieux.

L. VII. C. I.

(2) Liv. 2.

Antoninus Liberalis, fur l'autorité de Nicandre dans fon *Ornithologie*, raconte une aventure affez femblable à celle qu'on vient de lire. Pandarée d'Ephefe, dit-il, avoit deux filles, l'une nommée Ædon, qu'il maria à Polytechne, de la ville de Colophon dans la Lydie, l'autre appellée Chélidonie. Les nouveaux Epoux furent heureux tandis qu'ils honorerent les Dieux ; mais s'étant vantés un jour qu'ils s'aimoient plus que Jupiter & Junôn, cette Déeffe offenfée de ce difcours leur envoya la Difcorde qui les eut bientôt brouillés enfemble. Polytechne étoit allé chez fon beau-pere lui demander fa fille Chélidonie, que fa fœur avoit envie de voir, & l'ayant conduite dans un bois, il lui fit violence. Celle-ci pour fe venger apprit à Ædon l'infulte qui lui avoit été faite, & l'une & l'autre réfolurent de faire manger au mari, Itys fon fils unique. Polytechne informé de cet attentat, pourfuivit fa femme & fa belle-fœur jufques chez Pandarée leur pere, où elles s'étoient retirées, & l'ayant chargé de chaînes, & lui ayant fait frotter tout le corps de miel, il le fit jetter au milieu des champs. Ædon s'étant tranfportée dans le lieu ou étoit fon pere, tâcha

d'éloigner les mouches & les autres in-
fectes qui le dévoroient ; & une action si
louable ayant été regardée comme un
crime, on alloit la faire mourir, lorsque
Jupiter touché des malheurs de cette
famille, les changea tous en oiseaux de
même espece que ceux dont nous avons
parlé.

Enfin il se trouve encore une autre
fable à expliquer dans la même famille
de Pandion. Erechthée son fils avoit
quatre filles (1) qui, je ne sçais par quelle
bizarrerie, s'obligerent par serment de
ne pas survivre les uns aux autres ; &
que si l'une venoit à mourir, les autres
s'ôteroient la vie. Dans ces entrefaites
Eumolpe déclara la guerre aux Athéniens, prétendant que l'Attique appartenoit à son pere, mais il fut vaincu dans
le combat qui se donna à cette occasion.
Neptune son pere, pour ôter à Erechthée tout sujet de joie pour cette victoire, demanda qu'Othonée, la fille
de ce Prince lui fût immolée, ce qui fut
exécuté. Ses sœurs se donnerent la mort,
& Erechthée fut tué d'un coup de foudre que lui lança Jupiter à la priere du
même Neptune.

Heros,
ou demi-
Dieux.
L. VII. C. I.

(1) Hygin
Fable 146.

CHAPITRE II.

Histoire de Lycaon.

QUOIQUE j'aie dit un mot de ce Prince, dans l'Histoire de Jupiter, les Historiens Grecs l'ont rendu trop célebre ainsi que quelques-uns de ses descendans, pour ne pas m'étendre davantage sur son sujet. D'abord je dois avertir que les Anciens distinguent deux Princes de ce nom : le premier étoit fils de Phoronée, & regnoit dans cette partie de la Grece, qui dans la suite fut appellée l'Arcadie, & à laquelle il avoit donné le nom de Lycaonie, environ 250 ans après Cécrops.

Le second, dont il s'agit dans la Fable que j'entreprends d'expliquer, lui succéda, & fut un Prince également poli & religieux ; mais par une inhumanité qui n'étoit que trop commune dans ces temps grossiers, il souilla la fête des Lupercales dont il fut l'instituteur, suivant les marbres d'Arondel, en immolant des victimes humaines. Cette fête, après avoir été interrompue pendant quelques

fiecles, fut rétablie à Athenes, du temps
de Pandion , comme nous l'apprenons
de la dix-huitieme époque des Marbres
de Paros. Lycurgue abolit à Lacédémone la barbare coutume d'y offrir des victimes humaines. Et Evandre porta quelque temps après cette même fête en
Italie.

Lycaon bâtit fur les montagnes d'Arcadie la ville de Lycofure, qui eft regardée comme la ville la plus ancienne de
toute la Grece ; & ce fut fur l'Autel qu'il
y éleva en l'honneur de Jupiter *Lyceus,*
qu'il commença à offrir les facrifices
barbares dont je viens de parler. Voilà
le fondement de la fable d'Ovide, & ce
qui a fait dire aux Poëtes qu'il avoit
donné à Jupiter un feftin dans lequel il
lui avoit fait fervir les membres d'un efclave qu'il avoit fait égorger ; car c'eft
ainfi que s'explique Paufanias dans fes
Arcadiques. Sa cruauté, & fon nom, qui
en Grec veut dire un loup , l'ont fait
changer en cet animal auffi féroce que
carnaffier. Lycaon avoit été d'abord fort
chéri de fon peuple, à qui il apprit à me-
ner une vie moins fauvage que celle
qu'il menoit auparavant.

Suidas raconte la Fable du repas dont
on vient de parler , fuivant une tradition

qui paroît elle-même une nouvelle fable. Lycaon, dit cet Auteur, pour porter ses sujets à l'observation des loix qu'il venoit d'établir, publioit que Jupiter venoit le visiter souvent dans son Palais, sous la figure d'un étranger. Pour s'en éclaircir, ses enfans, dans le moment que leur pere alloit offrir un sacrifice à ce Dieu, mêlerent parmi les chairs des victimes, celle d'un jeune enfant qu'ils venoient d'égorger, persuadés que nul autre que Jupiter ne pourroit s'en appercevoir : mais une grande tempête s'étant élevée avec un vent orageux, la foudre réduisit en cendres tous les auteurs de ce crime ; & ce fut, dit-on, à cette occasion que Lycaon institua les Lupercales.

(1) March. Suivant Pausanias (1), les descendans de Lycaon s'établirent dans l'Arcadie & dans les provinces voisines, où ils bâtirent plusieurs villes : mais j'en ai déja parlé dans le commencement du VIe. Volume, à l'occasion des Colonies de la Grece. L'Auteur que je viens de citer paroît à mon avis, trop crédule sur l'article de la métamorphose de Lycaon en loup.

« La chose, dit-il, n'est pas incroya-
»ble ; car outre que le fait passe pour

» conſtant parmi les Arcadiens, il n'y a
» rien contre la vraiſemblance. En effet,
» les premiers de ce pays étoient ſou-
» vent les Hôtes & les Commenſaux des
» Dieux : c'étoit la récompenſe de leur
» juſtice & de leur piété : les bons étoient
» donc honorés de la viſite des Dieux,
» pendant que les méchants éprouvoient
» ſur le champ leur colere. De-là vient
» que les uns furent alors déifiés : par
» la raiſon contraire on peut bien croire
» que Lycaon prit la figure d'une bête,
» comme Niobé celle d'un rocher ».

Après la mort de Lycaon Nyctimus,
l'aîné de ſes fils lui ſuccéda, pendant que
ſes freres allerent chercher fortune en
différens endroits, ainſi que je l'ai dit
dans l'endroit que j'ai déja cité.

Comme Arcas fils de Caliſto monta
ſur le trône après Nyctimus & eut pluſieurs deſcendans, il y a apparence que
l'Hiſtoire d'Arcadie ne faiſoit aucune
mention de la fable racontée par Ovide,
qui dit que ce Prince encore fort jeune
fut enlevé dans le ciel avec ſa mere, que
Junon avoit changée en ourſe, dans le
temps qu'il alloit la percer d'un coup de
fleche.

CHAPITRE III.

Histoire de Narcisse, d'Echo, de Pyrame & de Thisbé.

NARCISSE, né à Thespie ville de Béotie, comme nous l'apprend Conon (1), étoit un jeune homme d'une grande beauté, & passoit pour être le fils de Céphise ; c'est-à-dire sans doute, du Prince qui donna son nom à cette riviere. Amoureux de sa figure, qu'il avoit vue dans une fontaine, il fut si long-temps à la considérer, ne comprenant pas que ce qu'il voyoit n'étoit autre chose que son ombre, qu'il se laissa consumer d'amour & de désir : c'est ainsi qu'Ovide raconte cette Fable ; mais Pausanias (2), quoique d'ailleurs assez crédule, dit que c'est un conte fait à plaisir. « Car quelle apparence, dit-il, » qu'un jeune homme soit assez privé de » sens, pour être épris de lui-même » comme on l'est d'un autre, & qu'il » ne sçache pas distinguer l'ombre d'a- » vec le corps ? Aussi y a-t-il une autre » tradition moins connue à la vérité,

(1) Narr. 24.

(2) In Beot.

„ mais qui a pourtant ſes partiſans & ſes
„ auteurs. On dit que Narciſſe avoit une
„ ſœur jumelle qui lui reſſembloit par-
„ faitement ; c'étoit même air de viſage,
„ même chevelure, ſouvent même ils s'ha-
„ billoient l'un comme l'autre , & chaſ-
„ ſoient enſemble. Narciſſe devint amou-
„ reux de ſa ſœur, mais il eut le malheur
„ de la perdre. Après cette affliction, li-
„ vré à la mélancolie, il venoit ſur le
„ bord d'une fontaine , dont l'eau étoit
„ comme un miroir, où il prenoit plaiſir
„ à ſe contempler, non qu'il ne ſçût bien
„ que c'étoit ſon ombre, mais la voyant
„ il croyoit voir ſa ſœur, & c'étoit une
„ conſolation pour lui . . . . Quant à ces
„ fleurs qu'on appelle des *Narciſſes* , ſi
„ l'on en croit Pamphus , elles ſont plus
„ anciennes que cette aventure , car
„ long-temps avant que Narciſſe le Theſ-
„ pien fût né, ce Poëte a écrit que la
„ fille de Cerès cueilloit des fleurs dans
„ une prairie, lorſqu'elle fut enlevée par
„ Pluton , & ſelon Pamphus les fleurs
„ qu'elle cueilloit, & dont Pluton ſe
„ ſervit pour la tromper, c'étoient des
„ Narciſſes & non des violettes „.

Peut-être, après tout, que le genre de
mort de Narciſſe, n'eſt fondé que ſur ſon
nom même, qui eſt derivé d'un mot grec

qui veut dire, *être engourdi, fans fenti-ment*, d'où les remedes affoupiffants, font appellés *narcotiques*. Je dis le genre de mort, car le fond de l'Hiftoire eft vrai. Comme ce jeune homme n'avoit marqué que du mépris pour toutes les perfonnes qui avoient conçu de la tendreffe pour lui, on dit que c'étoit l'Amour lui-même qui s'étoit vengé de fon indifférence, en le rendant amoureux de lui-même ; & Ovide toujours porté au merveilleux, a fuivi cette Hiftoire du côté qui lui en fourniffoit. Elle eft contée plus naturellement par Conon, de même que par Paufanias. On dit que depuis cette aventure les Thefpiens honorerent l'Amour d'un culte particulier.

Echo.

Il falloit que ce jeune homme fût deftiné à n'avoir que des phantômes pour objets de fes paffions, & de celles qu'il infpiroit, puifqu'Ovide ajoute à ce que nous venons de dire, que la Nymphe Echo étoit devenue amoureufe de lui, & que fes mépris l'obligerent à fe retirer dans le fond des antres & des rochers, où elle ne conferva que la voix ; fable phyfique, qui ne mérite pas d'attention.

Pyrame &
Thisbé.

Celle de Pyrame & de Thisbé, qu'Ovide raconte dans le Livre quatre de fes Métamorphofes, renferme un de ces faits

particuliers que les paſſions n'amenent que trop ſouvent dans le monde. On croit que ces deux Amans, dont les parens ne s'aimoient pas, ſe donnerent rendez-vous ſous un mûrier qui étoit lors de la ville. Thisbe y arriva la premiere, & ayant été obligée de ſe cacher à la vue d'un lion, ſon écharpe qu'elle laiſſa tomber, fut enſanglantée par cet animal, ce qui ayant fait croire à Pyrame qui arriva un moment après, qu'elle avoit été dévorée, il ſe tua de regret. Thisbé revenue ſur ſes pas, & ayant bien jugé en voyant ſon écharpe, que ſon Amant ne s'étoit tué que parce qu'il l'avoit crue morte, ſe perça le ſein du même glaive. Cet événement, au reſte ne ſe trouve que dans Ovide & dans Hygin (1).

Ovide parcourt quelquefois en paſſant, pluſieurs traits ſemblables, qui paroiſſent iſolés. Celui d'un certain Daphnis, qu'il ne déſigne point autrement, changé en rocher pour avoir été inſenſible aux charmes d'une jeune Bergere, eſt cependant fondé, dit-on, ſur ce que ſa femme pour s'en faire aimer, lui donna quelque breuvage qui le rendit ſtupide.

La Métamorphoſe d'Hemus, Roi de Thrace, & de ſa femme changés en montagnes, pour avoir voulu ſe faire adorer

HEROS
ou demi-
Dieux.
L. VII. C. III.

(1) Fab. 242.

Daphnis
changé en ro-
cher.

Hemus &
Rhodope
changés en
montagnes.

sous les noms de Jupiter & de Junon, nous apprend que l'impiété de ce Prince & de sa femme fut punie, & qu'ils périrent peut-être l'un & l'autre dans les montagnes, où le peuple indigné de les voir s'égaler aux Dieux, les avoit obligés de se retirer.

Le même Poëte raconte que la Nymphe de la fontaine Salmacis ayant voulu embrasser Hermaphrodite, fils de Mercure & de Venus (a), qu'elle aimoit, lui fit changer de sexe ; sur quoi les Mythologues ont débité bien des rêveries : voici ce qui a donné lieu à cette fable. Il y avoit dans la Carie ; près de la ville d'Halicarnasse, ainsi que nous l'apprenons de Vitruve, une fontaine qui servit à humaniser quelques Barbares, qui ayant été chassés par la Colonie que les Argiens établirent dans cette ville, furent obligés d'y venir puiser de l'eau ; & ce commerce avec les Grecs les rendit non-seulement très-polis, mais les fit donner dans le luxe de cette Nation voluptueuse ; & c'est ce qui donna à cette fontaine la réputation de faire changer de sexe. Lon pourroit penser

______

(a) *Hermaphrodite* est un mot composé d'*Hermes*, qui en grec veut dire Mercure, & de *Aphrodite*, qui est le nom de Venus.

encore que l'eau de cette fontaine amol-
lissoit le courage; & rendoit effeminés
ceux qui en buvoient, comme il y en a
d'autres qui rendent stupides ou furieux.
Lylio Giraldi (1) prétend que cette Fable tire son origine de ce que cette fontaine étant enfermée de murailles, il s'y
passoit de temps en temps des aventures qui lui donnerent cette réputation ;
mais comme ce Mythologue ne prouve
point sa conjecture, il vaut mieux rapporter la réflexion de Strabon, qui dit
qu'il ne sçait pas pourquoi cette fontaine étoit en si mauvaise réputation, puisque la mollesse vient moins de l'air ou de
l'eau, que des richesses & du luxe. Cette Fable est écrite par notre Poëte d'une
maniere qui n'expose que trop claire-
ment les effets de la volupté.

A ces métamorphoses le même Poëte
joint celle de Celme, lequel, dit-on,
(2), fidele à Jupiter pendant son enfan-
ce, devint à la fin si indiscret, qu'il mérita d'être changé en diamant. Pline qui
a regardé cette Fable comme un trait
d'Histoire, dit que Celme étoit un jeune homme fort moderé & fort sage, &
sur lequel les passions ne faisoient aucune impression ; & que c'est pour cela
qu'on l'a changé en diamant. Il y a des

Anciens qui prétendent que Celme,
pour avoir révélé que Jupiter dont il
étoit le pere nourricier, étoit mortel,
fut enfermé dans une tour impénétrable,
& que pour cela il fut appellé le Diamant. D'autres enfin prétendent qu'il fut
toujours fidele à Jupiter , & que ce Dieu,
pour le récompenser, le combla de biens
& de richesses.

CHAPITRE IV.

*Histoire des Pygmées, & de Pygas,
leur Reine ; de leurs combats avec
les Grues & les Perdrix ; & où
l'on examine ce que c'étoient que
les Pygmées dont parle le Prophete
Ezechiel.*

IL y a peu de Fables dans l'Antiquité,
plus célebre que celle des Pygmées.
Homere, le premier qui en ait parlé,
n'emploie cette fiction que dans une
comparaison : mais cette comparaison-
là même en renferme la partie la plus
considérable. « Lorsque dit-il, toutes
» ces nations différentes furent en batail-
» le,

» le , les Troyens s'armerent avec un
» bruit confus & des cris perçans , com-
» me des oifeaux ; tels que les Grues fous
» la voûte du Ciel, lorfque fuyant l'hi-
» ver & les pluies du Septentrion , el-
» les vont avec de grands cris vers le ri-
» vage de l'Océan & portent la terreur
» & la mort aux Pygmées, fur lefquels
» elles fondent du milieu des airs ,,.

Plufieurs Poëtes qui font venus après
lui (car nous n'avons plus parmi les Ouvrages d'Héfiode, ce que Strabon dit
qu'il en racontoit) ont la plupart parlé
des Pygmées fuivant la même idée.
Nonnus s'eft fervi de la même compa-
raifon, en parlant de l'armée de Bacchus : Ovide dans fes metamorphofes
& dans fes Faftes (1) : Antoninus Liberalis , Juvenal , en un mot prefque tous
les Poëtes , ont copié Homere : Stace
(2) ajoute à cette tradition, que les Pygmées ont tout l'avantage dans le combat que leur livrent les Grues. Clau-
dien décrit le retour de ces oifeaux après
s'être battus contre les Pygmées. Mais
d'autres Auteurs plus hardis ont cherché
à enchérir fur les idées d'Homere. Juvenal (3) parlant de la taille des Pygmées, dit qu'elle n'avoit qu'un pied de
hauteur. Selon d'autres c'étoient des

(1) Met.
6. & Faft. 1 6.

(2) Liv. I.
Sylv.

(3) Sat. 1**3**.

HEROS
ou demi-
Dieux.
L. VII. C. IV.

avortons, qui, montés sur des chevres &
sur des beliers d'une taille proportion-
née à la leur, s'armoient de toutes pieces pour aller combattre des oiseaux qui
venoient tous les ans de la Scythie les
attaquer, ainsi que le rapporte Pline après
Aristote; ou qui faisoient tirer leurs chariots par des perdrix, au rapport de Basilis dans Athenée (1). Selon d'autres,
leurs femmes accouchoient à trois, ou à
cinq ans, & étoient vieilles à huit. Leurs
villes & leurs maisons, comme le dit Pline (2), n'étoient bâties que de coquilles
d'œufs, & ceux qui demeuroient à la
campagne, suivant Aristote & Philostrate, n'avoient pour retraite que des trous
qu'ils pratiquoient dans la terre, d'où
ils sortoient au temps de la moisson,
pour aller couper leurs bleds avec des
cognées, comme s'il s'étoit agi d'abattre une forêt. On voit dans Ovide (3)
& dans Elien (4), une Reine des Pygmées, qui fiere de sa beauté, méprise Junon, qui la change en Grue ; & dans
Philostrate une armée de petits hommes,
qui attaque Hercule endormi après la défaite d'Antée, & qui prend pour le vaincre les mêmes précautions qu'on pren-
droit pour former un siege. Les deux ailes de cette petite armée fondent sur la

(1) Liv. 9.

(2) Liv. 9.

(3) Met. l. 6.
(4) Hist.
Anim.

main droite de ce Héros, & pendant
que le corps de bataille s'attache à la
gauche, & que les Archers tiennent ses
pieds assiégés, le Roi, avec ses plus bra-
ves sujets, livre un assaut à la tête. Hercule
se réveille, & riant du projet de ces Myrmidons, les enveloppe dans la peau du
Lion de Nemée, & les porte à Eurysthée.

Ce qu'il y a de particulier dans cette
Fable, c'est que les Historiens en parlent
comme les Poëtes, sans adoucissement
& sans restriction ; & eux qui soulagent
si souvent les Mythologues, quand il
s'agit de ramener ces anciennes fictions à
un sens raisonnable, ne servent en cette
occasion qu'à augmenter leur embarras.
En effet, Ctesias, Nonnosus (1), Pli- **(1)** Phot.
Narr. 40.
ne (2), Solin, Pomponius Mela (3), **(2)** Loc. cit.
Basilis dans Athenée (4), Onésicrite, **(3)** Liv. 3.
Aristée, & Egesias dans Aulugelle (5) ; **(4)** L. 9. c. 4.
(5) Liv. 6.
les Peres même de l'Eglise, saint Augus-
tin (6), saint Jerôme (7), tous sont **(6)** De Civ.
d'accord sur l'existence des Pygmées, sur Dei.
leur petite taille, & sur leurs combats **(7)** In Ezech
avec les Grues. Aristote sur-tout, en
paroît bien persuadé ; *Ce qu'on raconte*
des Pygmées, dit-il, *n'est point une fable,*
c'est une vérité.

Il n'y a pas tant d'uniformité parmi les
Historiens, lorsqu'ils parlent du pays

B ij

desPygmées.Philoftrate & Pline les placent dans les Indes, vers les fources du
Gange, & ce dernier qui compiloit différentes Relations, les fait habiter tantôt
vers les extrémités feptentrionales de
l'Europe, tantôt vers les bords du Stry-
mon, ou de l'Hebre. Etienne de Byfance
leur donne une origine grecque ; mais
les Auteurs plus anciens les placent dans
l'Ethiopie;& c'eft-là véritablement qu'il
faut les chercher, comme on le verra
dans la fuite.

Les Auteurs modernes fe trouvent
encore plus partagés que les Anciens,
au fujet de ce petit peuple & du pays
qu'ils habitoient ; quelques-uns les font
habiter dans la Laponie, d'autres dans
la Thuringe, &c. mais je renvoie ceux
qui voudront connoître plus en détail
leurs opinions, à la Differtation que j'ai
faite fur ce fujet, & qui eft imprimée
dans les Mémoires de l'Académie des
Belles-Lettres (1). Mais de toutes les
opinions des Sçavans, la plus finguliére
eft celle d'un Profeffeur d'Allemagne,
nommé Wonderart (a). Selon cet Auteur, la Fable des Pygmées & des Grues

(1) Tom. 5.
pag. 191.

(a) L'Ouvrage où cet Auteur avance cette opinion,
porte pour titre : *Hermanni VVonderart detecta Mytho-
logia Græcorum, in decantato Pygmæorum, Gruum &
Perdicum bello. Lipfiæ* 1714.

renferme l'Histoire de deux Peuples qui
habitoient la Mégaride , les Pagéens &
les Géraniens. Après de longues guerres
les Géraniens demeurerent les Maîtres,
& donnerent des loix aux Pagéens. Homere , ajoute-t-il , fondé sur la ressem-
blance des noms , fait allusion à cette
Histoire, en la représentant sous le symbole , du combat des Grues & des Pygmées : c'est·là tout le mystere. Les Poëtes , pour donner le change à leurs Lecteurs, se servoient souvent de semblables
figures ; & tout l'artifice de la Poësie
consistoit à transporter l'Histoire des
peuples voisins & connus, dans des pays
éloignés. Si Ovide & Antoninus Liberalis , dit cet Auteur ; ont dit que les
Pygmées furent gouvernés par une femme , c'est que les Pagéens tomberent
sous la domination des Géraniens , qui
leur avoient toujours été inférieurs ; &
Elien avance que les Pygmées rendirent
les honneurs divins à leur nouvelle Reine , c'est que les Pagéens ramperent devant leurs nouveaux maîtres : & si l'on
a publié que cette même Reine fut chan-
gee en Grue , & qu'elle fut obligée ,de
s'envoler pour éviter le ressentiment de
ses sujets, c'est qu'enfin les Pagéens se-
couerent le·joug , & forcerent les Géra-

niens à se retirer dans les montagnes où leur ville étoit située.

· Lorsqu'on est une fois entré dans le pays des conjectures, les conquêtes n'y sont pas bien difficiles. Dans le temps de leur prospérité, ajoute le Professeur Allemand, les Geraniens étoient devenus si fiers qu'ils méprisoient leurs voisins : les villes de Corinthe, d'Athenes, de Thermus & d'Orope, leur parurent des rivales ausquelles ils pourroient disputer l'Empire de la Grece. Voilà ce qui fait dire à Élien, que Gérané avoit préféré sa beauté à celle de Junon, de Minerve, de Diane & de Venus, qui représentoient les quatre villes qu'on vient de nommer ; & si Ovide ajoute que Junon l'avoit changée en Grue, c'est que les Corinthiens, avec le secours des autres villes, ayant vaincu les Geraniens, composerent contre eux une Satyre sanglante, dans laquelle Corinthe, ou Ephire fut représentée sous le nom de Junon, Ἥρα ; Athenes sous celui de Minerve, Ἀθήνη ; Thermus sous celui de Diane, Ἄρτεμις ; & Orope sous celui de Venus, Ἀφροδίτη. Les Pagéens & les Geraniens ne parurent dans cet ingénieux Ecrit, que comme des hommes méprisables, dont la vanité méritoit d'être le jouet

de leurs voisins ; & suivant l'analogie de
leurs noms, on les appella des Grues &
des Pygmées.

Mais quelles preuves peut-on donner
d'une opinion si singuliere ? On trouve
bien à la vérité dans la Grece les villes
dont parle ce sçavant Professeur ; mais il
n'est nulle part fait mention de leurs
guerres, encore moins de cette satyre
Corinthienne, qui ne passéra jamais que
pour une pure imagination de l'Auteur.
Où voit-on Corinthe représentée sous
le nom de Junon, Thermus sous celui
de Diane, & Orope sous celui de Venus ? Mais, dit-il, les Poëtes pour dé-
guiser leurs sujets en transportoient
souvent la scene dans des pays éloignés.
C'est-là son grand principe, qu'il repéte
à chaque page ; cependant rien n'est plus
contraire à la vérité. Homere a été si exact
à ne point changer les lieux que ses Héros
avoient parcourus, qu'il a toujours été
regardé comme un excellent Géographe,
& Strabon fixe souvent la position de ces
lieux sur ses descriptions : Virgile & les
autres Poëtes ont suivi la même méthode.
Qu'on lise les Métamorphoses d'Ovide,
celles sur-tout qui ont un rapport marqué avec l'Histoire, on verra qu'il a
scrupuleusement conservé le nom des

pays où les événemens qui y donnerent
lieu, se sont passés.

Mais sans m'arrêter à réfuter une opinion qui tombe d'elle même, je deman-
de s'il y auroit de la témérité à suivre
sur les Pygmées, une tradition qui se
trouve appuyée sur un si grand nombre
de témoignages? Ne pourroit-on pas, à
l'abri de l'autorité de tant d'Auteurs,
adopter tout ce qu'on a débité sur leur
sujet? Peut-être que dans un siecle moins
éclairé, & où la critique prescriroit des
bornes moins séveres, on pourroit suivre une opinion qui paroît d'abord si
bien établie; mais le nombre des suffrages
n'est pas toujours une preuve de la vérité: les Auteurs se copient souvent les
uns les autres; & on est étonné qu'après
une longue liste, l'autorité du premier
est souvent la seule qu'il faille examiner.
Or Homere, qui est à la tête du Cata-
logue que je viens de donner, est un Poëte qui mêle à tout propos d'ingénieuses
fictions à des traditions peu certaines.
Aristote, auteur plus grave, prend à la
vérité le ton affirmatif; & parce que les
relations les plus autentiques ne nous apprennent rien des prétendus combats des
Grues & des Pygmées, Pomponius Mela est obligé de dire que ce qui fait qu'on

ne trouve pas aujourd'hui ce petit peuple, c'eſt qu'il a été détruit par les Grues: *Contra Grues dimicando defecit ;* dénouement plus digne d'un Poëte tragique, que d'un Hiſtorien.

Avant que d'expoſer mon ſentiment ; je dois faire remarquer d'abord, que les Grecs charmés du merveilleux, l'employoient à tout propos ; exagerant toujours ce qui leur venoit des pays étrangers. Ils avoient oui parler de quelques hommes d'une taille extraordinaire & il ne leur en falluf pas davantage pour former des Géants capable de déraciner les plus hautes montagnes. Ils avoient appris de même qu'il y avoit en Ethiopie un peuple extraordinairement petit par rapport aux autres hommes : charmés d'en faire un contraſte avec les Géants, ils imaginerent leurs Pygmées, c'eſt-à-dire, ſuivant l'étymologie de ce mot, des hommes qui n'avoient qu'une coudée de hauteur, comme ſi la nature s'éloignoit avec tant d'excès de l'ordre qu'elle ſuit dans ſes ouvrages. Je crois donc, pour moi, que les Péchiniens ſont les véritables Pygmées d'Homere ; en effet, il y a toute ſorte d'apparence que c'eſt la reſſemblance du nom & la petite taille de ce peuple, qui ont donné lieu aux

Grecs de les appeller des Pygmées, du mot πυγμὴ *le poing*, ou plutôt de celui de πυγὼν qui signifie une coudée, & qui a tant de conformité au nom des Péchiniens, que l'analogie en paroît parfaite. Les Poëtes n'ont pas toujours cherché des rapports si marqués, pour en faire le fondement de leurs fables. Ils avoient appris par le récit de quelques Voyageurs, que les Péchiniens étoient d'une petite taille ; que les Grues se retiroient en hiver dans leur pays, & que ces peuples s'assembloient pour les détruire ; quel fond a un Poëte Grec pour une Fable aussi jolie que celle que j'explique.

Mais ce n'est pas sur une simple conjecture que je prétends établir mon opinion : je vais faire voir que tout ce qu'on a publié des Pygmées, convient aux Péchiniens. Premierement, les Anciens assurent qu'il y avoit dans l'Ethiopie des hommes d'une très-petite taille, & Hé-rodote (1) raconte que quelques jeunes Nasamones ayant voulu, par un esprit de curiosité, pénétrer dans les déserts de l'Afrique, ils avoient rencontré des hommes extrêmement petits, qui habitoient une ville dans laquelle il passoit un fleuve, qu'Etearque Roi du pays qui racontoit cette Histoire, croyoit

(1) Liv. 2.

être le Nil. Diodore de Sicile & Strabon, fans parler des autres, conviennent aufli qu'il y avoit de ces petits hommes dans divers pays de l'Afrique ; & Ariftote ajoute que cette petitefse s'y trouvoit aufli dans les animaux.

De même Nonnofus, au rapport de Photius, trouva dans le même pays des hommes d'une petite taille ; & Ctefias l'avoit dit long-temps avant lui (1). Les Voyageurs modernes, dont l'autorité eft ici d'un grand poids, font d'accord avec les Anciens, fur la petite taille des Ethiopiens. Bergier & Alvarès (2) le difent formellement des Nubiens : Job Ludolphe (3) ajoute que ces peuples font généralement trés-petits, & c'eft parmi eux, fi on en croit Thevenot (4), qu'on prend prefque tous les petits hommes qu'on envoie dans les Cours des Princes du Levant. Toutes ces Relations font conformes à Hefychius, qui confond les Pygmées avec les Nubiens, Νόβαι Πυγμαλίοι. Mais, ce qui confirme encore davantage mon opinion ; c'eft qu'il faut chercher les Pygmées dans le pays où fe retirent les Grues à l'approche de l'hiver. Or il eft certain que c'eft dans l'Ethiopie, comme le dit Ariftote (5) & fi Homere & Nonnus difent que c'eft près de l'O-

(1) Phot. Bib. n° 3.

(2) Voyez les Voyages de cet Auteur.

(3) Comm. fur l'Hiftoire d'Ethiopie.

(4) Recueil de Voyages.

(5) Hift. Anim. l. 8. c. 18.

céan, c'eſt que véritablement le Nil,
anciennement appellé Océan, y coule.
Or c'eſt-là préciſément qu'habitoient les
Péchiniens, & que M. Deliſle, dans ſa
Carted'Afrique,placeBakkes,quiſuivant
l'Analogie de leur nom, ne ſçauroient
être que les Péchiniens de Ptoloméę.

Pour les Fables que j'en ai rapportées,
on doit les regarder comme des imagi-
nations poëtiques, entr'autre celle de
la petite taille que leur donne Juvenal ;
car, s'il eſt vrai, comme il l'eſt en effet,
que le trop grand froid, ou le trop grand
chaud empêche les animaux de crôître,
& que c'eſt pour cela que les Lappons
& les autres peuples du Nord, ainſi que
ceux de la Zone torride, ſont plus petits
que ceux des Zones tempérées, cela ne
va jamais aux excès dont parle ce Poëte.
Ainſi comme les plus grands hommes
qu'on connoiſſe n'ont guere plus de ſix
pieds de haut, les petits en auront trois
& demi ou quatre. Que l'on cite quelques
exemples de Nains encore plus petits,
on conçoit bien que cela ne tire pas à
conſéquence, pour tout un peuple, non
plus que ceux de quelques Géants qui
ont excédé de beaucoup la taille des
autres hommes.

Quand au combat des Pygmées avec

les Grues, tant chanté par les Poëtes,
on doit penser que les Péchiniens s'assembloient dans une certaine saison de l'année pour donner la chasse à ces oiseaux,
& empêcher qu'ils n'y fissent leurs petits
& ne dévorassent leur récolte. Ceux qui
ont dit que les Pygmées habitoient dans
les trous de la terre, les ont confondus
avec les Troglodytes qui étoient dans
le même pays, & qui avoient pris ce
nom parce qu'ils demeuroient dans des
cavernes.

La Fable de Pygas, qu'Ovide (1)
dit avoir été changée en Grue, & qui fit
ensuite à son peuple une guerre sanglante,
n'est pas difficile à expliquer, lorsqu'on
a lu Antoninus Liberalis (2). En effet,
cet Auteur assure sur la foi de Boëus,
dont il cite à ce propos la Theogonie,
qu'il y avoit parmi les Pygmées, c'est-
à-dire sans doute, parmi les peuples à qui
les Grecs ont donné ce nom, une Princesse fort belle, nommée Oenoé ; qui
maltraitoit fort son peuple. Ayant épou-
sé Nicodamas, elle en eut un fils nommé
Mopsus que ses sujets lui enleverent pour
l'élever à leur maniere. La cruauté de
cette Reine, sa fierté, ou peut-être le
nom seul de Gerané, qui est le nom
grec de la Grue, qu'elle portoit, selon

(1) Métam.
l. 6.
Pygas.

(2) Mét.
l. 10.

Elien, a donné lieu à la Fable qui dit qu'elle fut changée en cet oiseau. La guerre qu'Ovide dit qu'elle déclara à son peuple, fut faite apparemment à cause de l'enlévement du jeune Prince.

Finiffons par dire un mot des Pygmées dont parle Ezéchiel. Ce Prophete, après avoir fait une belle defcription de la ville de Tyr & de fes avantages, dit felon la Vulgate ; *mais les Pygmées qui font fur vos tours, on mit le comble à votre bonté* (a). Les interpretes ont paru fort embarraffés à expliquer ce paffage, & il femble à les entendre, que les Pygmées obligés de céder à la guerre continuelle que leur faifoient les Grues, s'étoient retirés fur les côtes de la Phénicie, pour fe mettre au fervice des Tyriens, qui les placerent fur leur tours ; comme fi de pareils foldats avoient pu faire l'ornement d'une ville, qui, felon le même Prophete, avoit dans fes troupes des foldats de prefque toutes les Nations. Il eft bien vrai que les Septantes nomment ces foldats, quels qu'ils foient, fimplement, φυλακες, *des Gardes* ; & dans une autre leçon Μηδοι, *les Medes*, que les

____

(a) *Sed & Pygmæi qui erant in turribus tuis pharetras fuas fufpenderunt in muris tuis pergyrum, ipfi compleverunt pulchritudinem tuam.*

texte Chaldéen porte *Gapadin*, les Cappadociens, ayant changé le M. en π; mais l'Hébreu s'est servi du mot de *Gammadin* : & comme *Gomed* signifie une *coudée*, c'est ce qui a donné lieu à l'Auteur de la Vulgate, à saint Jerôme, & à Aquila, de traduire ce mot par celui de *Pygmæi.*

L'origine de l'équivoque est par-là bien prouvée ; mais il reste toujours à sçavoir qui étoient ces Gammadiens qu'on avoit mis sur les Tours de la ville de Tyr. Etoit-ce de véritables Pygmées, comme Schottus, Bartholin & quelques Interpretes l'ont dit après R. Chimchi ? ou les habitans de Maggedo, ainsi que l'ont avancé d'autres Sçavants ; ou de simples Gardes, comme le veut Forsterus (1); ou enfin les Gamaliens dont parle Pline ? Pour moi, après avoir examiné ce passage avec attention, voyant que le Prophete semble préférer les Gammadiens aux Perses, aux Assyriens, aux Grecs, & à tous les autres peuples qui avoient pris parti dans les Armées des Tyriens, & qui ajoute qu'ils faisoient l'ornement de leur ville ; je crois qu'il a voulu parler des Divinités qu'on avoit placées sur les Tours avec leurs armes & leurs fleches, comme on mettoit les

(1) Liv. 21.
c. 19.

Dieu Pataïques fur la proue des vaiffeaux, dont ils faifoient le principal ornement ; & que les uns & les autres
étoient repréfentés par de petites Idoles,
comme Hérodote le dit formellement
de ces derniers, que Cambyfe trouva
dans le Temple de Vulcain en Egypte,
& qui felon cet Hiftorien, reffembloient
à des Pygmées.

Ainfi difparoiffent les conjectures des
Commentateurs, qui, fur la fimple fignification du mot *Gomed*, avoient mis des
Pygmées fur les Tours de Tyr, au lieu
de trouver dans le paffage du Prophete,
ou un peuple robufte & adroit à tirer de
l'arc, & nommé à la fuite des autres,
comme le plus diftingué ; ou les Dieux
tutelaires d'une ville idolâtre qui mettoit
en eux tóute fa confiance.

CHAPITRE V.

Hiftoire de Cephale & de Procris.

L A Fable de Cephale & de Procris
eft une de celles qu'Ovide décrit
avec le plus d'étendue & avec le plus
d'élégance (1). L'Hiftoire nous apprend

(1) Divin.
Inft. Lib. I.

que ce Prince, fils de Deionée Roi de
Phocide, étoit un des plus accomplis
de son temps. Comme il aimoit passioné-
ment la chasse, & qu'il se levoit tous les
jours de grand matin pour y aller, on
disoit qu'il étoit amoureux de l'Aurore.
Procris son épouse, qui aimoit Ptéleon;
comme nous l'apprenons d'Apollodore,
faisoit sans doute courir ce bruit, afin de
cacher ou d'autoriser son intrigue. Cependant Cephale qui en eut quelque
soupçon abandonna la campagne où il
se tenoit ordinairement, & revint à Tho-
ricus où demeuroit la Reine. Procris
informée du retour de son mari, alla chercher un asyle à la Cour de Minos II. qui
en devint amoureux, & qui en la con-
gédiant dans la suite, lui fit présent d'un
chien excellent, qu'il crut devoir être
agréable à Cephale. Elle le lui donna
en effet pour se racommoder avec lui.
On publia que ce chien, qu'Ovide nomme Lélape, étoit l'ouvrage de Vulcain;
que ce Dieu l'avoit donné à Jupiter, &
Jupiter à Minos ; Minos à Procris, &
celle-ci à son mari, qui le prêta à Amphitryon pour délivrer les environs de Thebes d'un Renard qui y causoit du ravage,
& auquel par une superstition également
impie & cruelle, les Thébains exposoient

tous les mois un de leurs enfans, croyant par-là mettre à couvert les autres de la fureur de cet animal. Ce Renard, inftrument de la vengeance de Bacchus, irrité contre les Thébains, ravageoit, au rapport de Paufanias, les environs de Teumeffe. Ovide ajoute que dans le temps que Lélape alloit le prendre, ils furent l'un & l'autre changés en pierres ; mais dans le fond cette Fable fignifie feulement qu'on délivra le pays de quelque brigand qui y faifoit du ravage, & qu'on pourfuivit jufques dans fa retraite; ce qui donna lieu à fa métamorphofe(1).

(1) Voyez alephate.

Cephale s'étoit enfin reconcilié avec fa femme, mais comme il la tua à la chaffe quoique par mégarde, on crut que c'étoit par un refte de reffentiment qu'il confervoit contre elle ; & l'Aréopage, Juge de cette affaire, le condamna à un exil perpétuel (2). Son fils Céleus lui fuccéda ; & regna dans l'Ifle de Cephalanies : Céléus fut pere d'Arcefius, grand - pere d'Ulyffe qui conduifit à Troye les Céphaléniens avec les Ithaciens. Oenée fecond fils de Céphale, regna dans la Phocide après la mort de fon grand-pere Deionée. Céphale vivoit du temps de Minos II. c'eft-à-dire, environ cent ans avant la guerre de Troye.

(2) Apoll. l. 3. Pauf &c

Je ne connois qu'Apollodore (1), qui admette deux Céphales, l'un fils de Mercure & de Herſé fille de Cecrops, l'autre fils de Déionée Roi de Phocide, & de Diomedée fille de Xutus (2). Le premier fut ravi par l'Aurore, & alla habiter avec elle dans la Syrie, où il en eut un fils nommé Tithon, pere de Phaëton. Le ſecond épouſa Procris fille d'Erechthée Roi d'Athenes. Cependant dans le Livre troiſieme, cet Auteur ſemble confondre les actions de ces deux Princes. Ovide, & après lui tous les Anciens, n'ont parlé que du fils de Déionée ; qui fut ravi par l'Aurore, & qui l'ayant abandonnée, retourna vers Procris.

HEROS ou demi-Dieux.

L. VII C. V.

(1) Liv. 3.

(2) Idem. lib. 1.

CHAPITRE VI.

Hiſtoire de Céyx & d'Alcyone, de Philammon, d'Autolycus, de Kioné & de Thamiras.

UN Auteur eſt ſatisfait lorſqu'à meſure qu'il avance dans ſon ouvrage, il voit ſes principes confirmés par de nouveaux exemples. J'ai dit plus d'une fois, après Lactance (3), que les Poëtes

(3) Divin. Inſt. lib. 1.

n'avoient pas inventé le fond de leurs Fables, & qu'il n'avoient fait que leur prêter les ornemens de la Poësie. Celle de Céyx & d'Alcyone en eſt une preuve convaincante. Ce Prince, contemporain d'Hercule, fur qui il fit la cérémonie de l'expiation, eſt fort connu dans l'Hiſtoire Grecque. Pauſanias nous apprend (1) qu'Euryſthée ayant ſommé Céyx de lui livrer les enfans d'Hercule, ce Prince qui ne ſe trouva pas aſſez fort pour ſoutenir une guerre contre un Roi ſi puiſſant, envoya ces jeunes Princes à Theſée qui les prit ſous ſa protection. Céyx avoit épouſé Alcyone dont la Généalogie ſe trouve dans le premier Livre d'Apollodore. Pour ſe délivrer du chagrin que lui avoit cauſé la mort de Dédalion ſon frere, & celle de ſa niéce Kioné, Céyx alla à Claros pour conſulter l'Oracle d'Apollon. Il fit naufrage à ſon retour, & Alcyone, en fut ſi affligée, qu'elle en mourut de regret, ou ſe précipita dans la mer, comme le prétendent Ovide & Hygin. On publia qu'ils avoient été changés l'un & l'autre en Alcyons ; circonſtance qui n'a d'autre fondement que le nom de cette Princeſſe : peut-être que l'union & la tendreſſe de ces deux époux les fit comparer à ces oiſeaux, qui paſſent

pour le symbole de l'amour conjugal.
Apollodore (1) ne donne pas une idée si
favorable qu'Ovide, de la piété de ces
deux personnages. Selon cet Auteur,
ils périrent par leur orgueil. Jupiter outré de ce que ce Prince portoit son nom,
& Alcyone celui de Junon, les changea
l'un en Plongeon, & l'autre en Alcyon.
Alcyone étoit fille d'Eole, non de celui
qui étoit le Dieu des vents, comme le
prétend Ovide, mais du fils d'Hellen,
de la race de Deucalion.

Je n'ajouterai rien ici sur le temps auquel vivoit Céyx, l'époque en étant
suffisamment connue par l'Histoire
d'Hercule, de Telamon, & des autres
Héros qui étoient ses contemporains.

Que l'on compare maintenant ces
faits historiques avec la magnifique &
pompeuse description qu'en fait Ovide (2), & l'on verra combien une imagination véritablement poëtique est capable d'embellir des sujets sur lesquels elle
s'exerce, quoique presque toujours aux
dépens de la vérité, qu'elle ne respecte
pas assez.

Il ne sera pas hors de propos de joindre ici ce que l'Antiquité nous apprend
de Philammon, d'Autolycus, de Kio-

né (*a*), par la liaison qu'a leur Histoire avec celle que je viens de raconter. Philammon Delphien, celui-là même qui composa sur la naissance de Latone, de Diane & d'Apollon, des Poësies qui se chantoient, & qui fut le premier qui établit des Chœurs de Musique dans le temple de Delphes, étoit frere jumeau d'Autolycus, ayeul maternel d'Ulysse; & connu par la subtilité de ses larcins. Ils étoient fils de la Nymphe Kyoné, que quelques-uns nomment Philonide, & dont le pere Déion ou Dédalion (1), frere de Céyx Roi de Trachine, habitoit aux environs du Parnasse. La beauté de cette Nymphe, s'il en faut croire les Poëtes & les Mythologues (2), la fit aimer d'Apollon & de Mercure, qui le même jour en devinrent l'un & l'autre amoureux, & de ces amours naquirent au bout de neuf mois Autolycus & Philammon, dont le premier fut reconnu pour fils de Mercure, & le second d'Apollon. Kioné(3),fiere d'avoir sçu plaire à ces deux Divinités, osa se préférer à Diane: elle en fut punie, & cette Déesse

(*a*) Voyez les remarques de M. Burette sur le Traité de la Musique par Plutarque, Mémoire de l'Académie des Belles-Lettres, Tome X. d'où j'ai tiré mot à mot tout cet article, ne croyant pas pouvoir y rien ajouter.

ſa tua à coups de fleches ; ce qui n'a d'autre fondement que ſa mort prématurée , ſuivant le principe que j'ai établi en plus d'un endroit de cet Ouvrage. Son pere affligé dé la mort d'une fille unique qu'il aimoit tendrement , fut changé en Epervier ; fiction tirée de ce qu'apparemment il abandonna le pays pour aller s'établir dans un lieu éloigné.

Philammon tenoit de ſon pere (1) le talent de la Poëſie & celui de la Muſique, faiſant valoir l'une & l'autre par l'agrément de ſa voix , qu'il accompagnoit des ſons de ſa lyre. Il eut pour fils le fameux Thamiras (2). Tatien (3) range ce Poëte Muſicien parmi les Ecrivains qui ont fleuri avant Homere , & le Scholiaſte d'Apollonius de Rhodes (4) , après Phérecide, dit que ce fut lui , & non pas Orphée , qui accompagna les Argonautes dans leur éxpédition. Pauſanias (5) raconte qu'aux Jeux Pythiques , où l'on propoſoit des prix pour la Poëſie & pour la Muſique , le premier qui les remporta fut Chryſothemis fils de Carmanor ; le ſecond , Philammon (que le ſçavant Traducteur François , trompé par la verſion Latine , fait fils de Chryſothemis) & le troiſieme , Thamiris ; ou Thamiras ; qu'Orphée , & Muſée qui

HEROS
ou demi-
Dieux.
L. VII. C. VI.

(1) Ovid.
ibid. v. 317.

(2) Suidas
Voc. Philam-
mon.
(3) Page
136. & 139.
Edit. Oxon.
(4) Lib. I.
v. 33.

(5) L. 10.c.7.

affeétoit d'imiter en tout ce dernier, dé-
daignerent de fe mettre fur les rangs, &
qu'un autre Muficien, nommé Eleuther
y mérita le prix par les feules graces de
fa voix, quoiqu'il n'eût chanté en l'honneur d'Apollon que les Poëfies d'autrui.
Or cette Poëfie confiftoit en des Hymnes à l'honneur de ce Dieu ; lefquels fe
chantoient au fon de la lyre & de la *Cithare.*

On peut inférer de ce paffage de Paufanias, (obferve M. Fabricius (1)) que
dans ces Jeux chaque Poëte chantoit
ordinairement fes propres vers, & non
ceux des autres. Le même Hiftorien
ajoute (2) que Philammon paffoit pour
avoir inftitué les myfteres Lernéens ;
mais que la Profe & la Poëfie employées
dans ces myfteres & compofées l'une
& l'autre en langage Dorien, de-
mentoient une antiquité fi reculée puifqu'avant le retour des Heraclides dans le
Péloponefe , les Argiens n'avoient
d'autre dialeéte que l'Attique , & qu'au
temps de Philammon le nom de Doriens
n'étoit pas même connu. Si nous en
croyons Plutarque, Philammon compofa non-feulement des Cantiques, où il
célébroit la naiffance de Latone , de
Diane & d'Apollon, mais il fut l'inftituteur

(1) Bibl.
Græc. l. I. c.
26. T. I. p.
257.

[a] L. 2. c.
37. p. 191.

reur de ces Chœurs de Musique qu'on
chantoit autour du Temple de Delphes.
Ces Chœurs étoient composés de troupes d'hommes & des femmes qui dan-
soient en chantant les louanges des Dieux
au son des instrumens de Musique; ce qui
faisoit dans le Paganisme une partie considérable du culte divin.

Si la Musique avoit rendu Philammon
un des hommes des plus célebres de son
temps, elle ne servit qu'à rendre malheureux son fils Thamiras, qu'il avoit eu
d'Agiope. Celui-ci, (au sujet duquel
Bayle dans son Dictionnaire Critique, &
Fabricius dans sa Bibliotheque Grecque,
ont dit des choses assez intéressantes)
quoique fils d'un pere qui habitoit à Delphes, naquit cependant à Brinelas, ville
des Edoniens, peuples de Thrace (1),
ou à Odryse, ville du même pays, où
sa mere s'étoit refugiée pour cacher sa
grossesse, sur le refus qu'avoit fait Philammon de l'épouser. Elevé dans les principes d'un Art que son pere possédoit
avec tant de perfection, sa science ne
servit qu'à le perdre. Il eut la témérité
de défier les Muses elles - mêmes (2):
elles accepterent le défi, à condition
que s'il étoit vainqueur, elles se ren-
droient à discretion, & que s'il étoit

(1) Suidas,
au mot Tha-
miras.

(2) Schol.
Anon. d'Ho-
mere.

vaincu il fubiroit la peine que méritoit fon arrogance. Il eut le malheur de fuccomber dans un combat fi inégal, & livré à toute la vengeance de ces Déeffes irritées, il en perdit la vue, la voix, l'efprit, & en même temps le talent de jouer de fa lyre, qu'il jetta de défefpoir dans un fleuve de la Meffenie, qui de-là prit le nom de Ballyre (a).

Homere, parlant de la ville de Dorion, dit que c'étoit-là qu'étoit arrivée l'aventure de Thamiras avec les Mufes, laquelle, au rapport de Paufanias, étoit repréfentée fur le beau Tableau de Polygnote, dont le fujet étoit la defcente d'Ulyffe aux enfers. Thamiras y paroiffoit affis près de Pélias, ayant les yeux crevés, l'air trifte & humilié, les cheveux & la barbe négligés, & fa lyre, dont les deux branches & les cordes étoient caffées, jettée à fes pieds. Quoique l'autorité d'Homere, qui parle du combat de Thamiras avec les Mufes, dût être d'un grand poids fur l'efprit de Paufanias, il paroît cependant perfuadé que ce célebre Muficien ne devint aveugle que par maladie, & que cette difgrace lui fut commune avec Homere ;

____

(a) De deux mots grecs Βαλλεῖν, jetter, & λύρα, lyre.

avec cette différence, que celui-ci n'en fut point découragé, au lieu que celui-là renonça pour le reste de ses jours à la Poësie & à la Musique. On publia après sa mort que son ame étoit passée dans un Rossignol, comme celle d'Orphée dans un Cygne, symbole de la douceur avec laquelle ces deux célebres Musiciens chantoient les airs qu'ils accompagnoient de leur lyre. Comme Thamiras avoit appris la Poësie & la Musique de Linus, dont il avoit été disciple avec Orphée & Hercule, il est aisé de déterminer le temps auquel il vivoit, par celui de ses deux contemporains, dont j'ai marqué les époques.

Mais ne nous prévenons pas aisément au fait de cette Musique, ni des instrumens qui l'accompagnoient. On n'en a sans doute publié tant de merveilles, que parce que jusqu'au temps des personnages dont on vient de parler, on n'avoit rien entendu de pareil, ni d'approchant, quoique dans le fond ni les instrumens ni l'art de la composition ne fussent pas portés alors dans un grand dégré de perfection ; & on peut très-bien s'en rapporter à ce que dit Horace des premiers Joueurs de Flûte, & l'appliquer à la

Trompette, & à la Lyre, & à la Cy-
thare (*a*).

(*a*) *Tibia non ut nunc Orichalco vincta, Tubæque*
Æmula ; sed tenuis simplexque foramine pauco,
Aspirare, ut adesse Choris erat utilis, atque
Nondum spissa nimis complere sedilia flatu. Art. Poët.

CHAPITRE VII.

Histoire d'Orion.

LA Fable d'Orion est une des plus
célebres, & en même temps des plus
obscures de l'Antiquité. Plusieurs Sçavans modernes se sont efforcés d'en pénétrer le sens ; & je tâcherai, en rappor-
tant leurs sentimens, de mettre le Lecteur en état de Juger lequel a le mieux
réussi. Il n'est pas douteux que le fond
n'en soit historique ; mais il est certain
aussi qu'on y a mêlé beaucoup d'Astro-
nomie. D'abord, la naissance d'Orion
présente un mystere aussi indécent
qu'obscur.

Jupiter, dit-on (1), Neptune & Mercure voyageant sur la terre, logerent
chez Hyrieus qui, apparemment par une
faute de Copiste, est nommé Byrseus
dans Hygin, & furent si contents de la

réception qu'il leur fit , qu'ils lui demanderent ce qu'il souhaitoit le plus au monde , promettant de le lui accorder. Hyrieus leur témoigna qu'étant sans enfans,
il ne désire rien tant que d'en avoir , &
peu de temps après naquit Arion, de la
maniere que le racontent Hygin (*a*) , &
tous les autres Mythologues, & prit
de-là le nom d'*Ourion*, ou Arion. Dans
la suite, pour effacer le souvenir de son
origine, on changea la premiere lettre
de son nom , & il fut appellé Orion ; ce
qu'Ovide exprime si bien dans ce vers
pentametre.

Perdidit antiquum littera prima suum.

Homere qui parle en plus d'un endroit
d'Orion , ne dit rien de la Fable de sa
naissance, qui apparemment n'avoit pas
été inventée de son temps , & Phéréci-
de , cité par Apollodore, disoit seulement qu'il étoit fils d'Euryale. Homere
ne nous apprend autre chose au sujet de

___

(a) *Jovis , Neptunus , Mercurius in Thraciam ad Byr-*
seum , regem in hospitium venerunt : qui cum ab eo libe-
raliter essent accepti, optionem ei dederunt , si quid peteret.
Ille liberos optavit. Mercurius de tauro quem Hercules
Y'ρω *ei immolarat, corium protulit. Illi in eum urinam*
fecerunt , & in terram obruerunt , unde natus est Orion.
Le fondement de cette fiction est que ce fut après avoir
fait des sacrifices à ces trois Divinités, qu'Hyrieus, & non
pas Byrseus, comme l'appelle Hygin, eut un enfant comme
il le désiroit.

Ce célebre perfonnage, finon qu'il fut tué par Diane, en quoi il a été fuivi par tous ceux qui font venus après lui. Ce qui eft fûr, c'eft qu'Orion fe rendit très-fameux par fon amour pour l'Aftronomie, qu'il avoit apprife fans doute d'Atlas, qui, felon Homere, demeuroit dans le voifinage de Tanagre, fur une montagne d'où il étudioit le Ciel, ou dans l'Ifle de Calypfo fa fille.

Orion aimoit d'ailleurs paffionnément la chaffe ; ce qui eft fans doute le fondement de la liaifon de fon Hiftoire avec celle de Diane. Il étoit un des beaux hommes de fon temps, & d'une taille fi avantageufe, que par une hyperbole, trop outrée à la vérité, on difoit qu'il pouvoit marcher à travers les flots de la mer, & paroître au deffus de l'eau, de toute la tête (1) ; ce qui veut dire qu'il étoit fouvent fur la mer dans quelque vaiffeau. On ajoute à cette fiction que ce fut dans le temps qu'il traverfoit ainfi la mer, que Diane voyant la tête d'Orion, ne fçachant ce que c'étoit, le tua d'un coup de fleche ; ce qui nous apprend qu'il mourut dans un de fes voyages maritimes.

Il avoit époufé en premieres noces une femme nommée Fide (2), que la va-

nité perdit ; car ayant voulu égaler fa beauté à celle de Junon, cette Déeffe la fit mourir. Orion étant paffé dans l'Ifle de Chio, pour retourner à Tanagre dans la Béotie, lieu de fa naiffance, deman‑ da à Oenopion fa fille Mérope en ma‑ riage ; mais celui‑ci lui ayant crevé les yeux après l'avoir enivré, le laiffa fur le bord de la mer [1] Orion s'étant le‑ vé après que fa douleur fut appaifée, arriva à une forge, où ayant rencontré un jeune garçon, il le prit fur fes épau‑ les, le priant de le guider au lieu où le Soleil fe leve, & où étant arrivé, il re‑ couvra la vue, & alla fe venger de la cruauté d'Oenopion.

Cette circonftance de la vie d'Orion, toute fabuleufe qu'elle paroît, pourroit, ce me femble, s'expliquer en difant que la plaie de fes yeux n'étant pas incurable, il en guérit, peut‑être même avec de l'eau de forge. Apollodore ajoute, que deve‑ nu célebre dans l'art qu'avoit pratiqué Vulcain, il fit un Palais fouterrain pour Neptune fon pere ; & que l'Aurore, que Venus en avoit rendue amoureufe, l'en‑ leva & le porta dans l'Ifle de Délos; nouvelle Fable, fuite de ce que je viens de rapporter de fon voyage au lieu où le Soleil fe leve, & qu'on peut auffi ex‑

(1) Idem ib.

pliquer comme celle de Tithon & celle de Céphale, fur ce qu'il aimoit paffionnément la chaffe, qu'il felevoit de grand matin, & qu'il alla s'établir dans l'Ifle de Délos.

Quoi qu'il en foit, ce fut là que Diane lui ôta la vie à coups de fleches, ou parce qu'il avoit voulu faire violence à Opis, une de ces filles qui venoient du pays des Hyperboréens, porter leurs offrandes à Délos, comme le difent la plupart des Mythologues ; ou, fuivant une autre tradition, parce qu'il avoit voulu contraindre Diane à jouer du Difque avec lui ; ou, fi nous en croyons Nicandre, pour avoir ofé toucher le voile de cette Déeffe d'une main impure : & comme il mourut dans le temps que le Soleil parcourt le Signe du Scorpion, on publia que cet animal lui avoit ôté la vie par une de fes piqueures, & que c'étoit Diane qui avoit fait fortir de terre cet animal, pour fe venger de l'infulte qu'elle en avoit reçue ; ce qui au rabais du merveilleux, fignifie ou qu'il mourut de quelque maladie contagieufe, ou à la fleur de fon âge : car quoique ces fortes de morts fuffent attribuées à Apollon pour les hommes, comme celles des femmes à Diane, il y a des exem-

ples qui mettent fur le compte de cette
Déeſſe la mort de quelques hommes.

Pauſanias dit, qu'on voyoit le tombeau d'Orion à Tanagre dans la Béotie ;
mais ce n'étoit apparemment qu'un Cé-
notaphe, puiſqu'il fut enterré dans l'Iſle
de Délos. C'eſt Homere, qui le premier
a attribué la mort d'Orion à !a jalouſie
de Diane. " La belle Aurore, fait-il dire
„ à Calypſo, n'eut pas plutôt jetté un
„ regard favorable ſur le jeune Orion,
„ que l'envie s'alluma dans le cœur de
„ Diane, qui ne ceſſa qu'après que la
„ Déeſſe avec ſes fleches mortelles eut
„ privé l'Aurore de ſon cher Amant,
„ dans l'Iſle d'Ortygie [1] „.

Ce Poëte fait encore deux fois mention du même Orion [2] : 1°. Lorſque
parlant de la bonne mine des deux fils
de Neptune & de Tyro, Ephialte &
Otus, il dit que leur beauté ne le cédoit
qu'à celle d'Orion. 2°. En diſant que
dans les Enfers il étoit occupé ſans ceſſe
à pourſuivre les bêtes féroces ; marquant
par-là qu'il avoit été un célebre chaſſeur,
car en l'autre monde, ſuivant l'ancienne
Théologie, chacun s'occupoit aux mêmes exercices qu'il avoit aimés pendant
ſa vie.

On doit bien juger que la circonſtan-

C v

HEROS
ou demi-
Dieux.
L. VI. C. VII.

(1) C'étoit l'ancien nom de l'Iſle de Délos.

(2) Odyſſ.
l. II.

ce des trois Divinités qui vont loger chez le pere d'Orion, a porté nos Hébraïsans à croire que cette Fable étoit la même, ou qu'elle étoit copiée d'après l'Histoire d'Abraham qui reçut les trois Anges, qui vinrent lui annoncer la naissance d'un fils, quoique Sara sa femme ne fût plus en âge d'en avoir M. le Clerc [1] en a eu cette idée, sans cependant s'être étendu sur les étymologies Grecques & Hébraïques, qui auroient pu donner quelque vraisemblance à cette prétention. Blaeu, qui avoit pris le nom de Cæsius [2] insinue aussi que cette même Fable avoit beaucoup de rapport avec celle de Jacob, d'autant plus qu'on nomme *le bâton de Jacob*, les trois étoiles les plus brillantes de la Constellation d'Orion, & que le nom de Jacob, qui veut dire *fort contre le Seigneur*, à cause du combat mystérieux qu'il eut avec un Ange, peut y avoir donné lieu. D'ailleurs les Arabes nomment la Constellation d'Orion, *Algebar*, ou *Algebao*, *le Fort*, *le Géant*. M. Michel, dans un Ouvrage intitulé, *Fasciculi Bremenses*, s'est efforcé de prouver la conformité de cette Fable avec l'Histoire d'Abraham & de sa femme ; mais les preuves & les étymologies qu'il en rapporte, ne font guere con-

cluantes. Enfin M. l'Abbé Fourmond, de l'Académie des Belles-Lettres, a donné une Differtation très - étendue pour prouver que cette Hiftoire étoit la même que celle de ce Patriarche : mais comme cette Differtation n'eft pas encore imprimée , il ne m'appartient pas de prévenir le Public à ce fujet.

En général, ces Auteurs peuvent dire en faveur de leurs fentimens , qu'Orion étant de Tanagre, ville de Béotie, pays où Cadmus s'étoit établi, & y avoit apporté la Religion des Phéniciens , on pouvoit y avoir connu l'Hiftoire d'Abraham , fi célebre dans tout l'Orient.

Mais fans entrer plus avant dans de femblables difcuffions, difons qu'Orion fut placé dans le Ciel , où il forme la plus brillante des Conftellations ; & comme elle y occupe un grand efpace , cela pourroit bien avoir donné lieu aux Anciens, & en particulier à Pindare , de dire qu'il étoit d'une taille monftrueufement grande , ce que Manilius exprime par ces mots : *magni pars maxima cœli.* Rien n'étoit plus connu dans les Anciens que cette Conftellation. Il en eft même fait mention dans plufieurs endroits de l'Ecriture Sainte (1), & les Septante , comme la Vulgate , la nom-

(1) Tob. c. 9. v. 9. Ezech. c. 13. v. 10. Amos, c. 5. v. 5.

ment Orion, de même que les Grecs. Lycophron lui donne le nom de *Tripater*, par la raifon qu'en rapporte Euphorion, qui dit auffi que les Béotiens l'appelloient *Candaor*. Les Arabes ont fait une femme d'Orion, qu'ils nommoient *Algiauza*, dont le mari, appellé Sokeil, étoit extrêmement amoureux (*a*).

La Fable des filles d'Orion, qui felon Ovide, fe dévouerent pour le falut de Thebes, affligée de la pefte, & dont les cendres furent changées en garçons, fignifie fans doute que leur exemple donna du courage aux jeunes Thébains. qui ayant mené jufques-là une vie molle & efféminée, n'avoient ofé pour le falut de leur patrie fe livrer à la mort.

[*a*] Voyez Thomas Hyde, Religion des anciens Perfes. d'après Oulug. Bec.

CHAPITRE VIII.

Explication des Fables de Biblis & de Caunus, d'Iphis & de Iante, d'Anaxarete, d'Arion, &c.

LE monde offre fouvent des fçenes, que des paffions mal combattues dès leur commencement, rendent également

criminelles & dangéreuses. Telle fut la passion insensée de Biblis pour son frere Caune, dont Antoninus Liberalis, & Ovide (1) nous ont donné l'Histoire, & qu'ils ont embellie d'une circonstance qui n'est que le fruit de leur imagination. Ils font traverser plusieurs pays à cette fille, pour chercher son frere qui la fuyoit, & la font enfin arriver dans la Carie, où, selon le premier, elle fut changée en Hamadryade, dans le temps qu'elle alloit se précipiter du haut d'une montagne ; & selon le second, en une Fontaine, qui a depuis porté son nom. Ils devoient dire au contraire, que cette aventure étoit arrivée dans la Carie même, puisqu'il est sûr, selon le témoignage d'Apollodore (2), & de Pausanias (3) que Milet leur pere, étoit sorti de Crete pour aller conduire une Colonie dans la Carie, où il conquit une ville, qu'il embellit & augmenta, & à laquelle il donna son nom : Pausanias ajoute, que tous les hommes qui étoient dans cette ville ayant été tués pendant le siege, les vainqueurs épouserent leurs femmes & leurs filles. Milet eut pour son partage Cyanée, fille de Méandre ; & c'est de ce mariage que naquirent Caunus & Biblis. Cette Princesse ayant con-

çu pour son frere une flâmme criminelle, chercha par toutes sortes de moyens de le rendre sensible ; Caunus ne paya tous les empressemens de sa sœur, que d'indifférence & de mépris, & se voyant sans cesse persécuté, il alla chercher dans les lieux éloignés une tranquillité qu'il ne trouvoit plus dans la maison de son pere. Biblis ne pouvant vivre sans lui, ni souffrir un séjour où elle ne voyoit plus son frere, se retira dans les bois où elle mourut de chagrin. Ovide qui n'échappoit point les occasions de peindre les foiblesses & les désordres du cœur, s'est beaucoup étendu sur cette Histoire, car cette aventure n'est que trop véritable. Biblis fut changée en Fontaine ; symbole des larmes qu'elle avoit versées en abondance, & il est vrai qu'il y avoit près de Milet une fontaine qui portoit son nom.

[1] Loc. cit.

Pausanias, (1) qui en Historien ne dit rien de la métamorphose, nous apprend seulement que dans le pays des Miléfiens étoit une Fontaine de Biblis, près de laquelle étoit arrivée l'aventure célebre des amours de cette Princesse. Co-

[2] Dans Photin, Nar. 2.

non, (1) qui n'est pas toujours conforme à Ovide ni aux autres Mythologues, dit que c'étoit Caunus qui étoit amoureux

de fa fœur, & quoiqu'elle eût auffi de H E R O S
ou demi-
Dieux.
l'inclination pour lui, elle ne fit jamais
paroître que des fentimens vertueux. L. V II. C. VIII.
Caunus défefpéré de fa réfiftance, cher-
cha dans la fuite un remede à fa paffion;
& Biblis ne pouvant plus vivre fans lui,
fe retira, comme on vient de le dire, au
milieu d'un bois, où après avoir verfé
un torrent de larmes, elle attacha fa ceinture à un noyer, & s'y pendit.

    Cependant Caunus arriva en Lycie,
& là une Naïade étant fortie du fond
d'un fleuve (1), tâcha de le confoler, & [1] Elle
lui propofa la fouveraineté de cette con- s'appelloit
trée, dont elle pouvoit difpofer. Caunus Protoé.
la crut, l'époufa, & en eut Egiale, qui
lui fuccéda, & qui pour raffembler les
peuples qui lui étoient foumis, & qui
jufques-là avoient mené une vie errante
& vagabonde, bâtit une ville qu'il appella Caune, du nom de fon pere. Ovide qui a fuivi dans fes Métamorphofes la
tradition commune, convient dans fon
Art d'aimer, que Biblis fe pendit.

    Arfit, & eft laqueo fortiter ulta nefas.

Milet vivoit du temps de Minos premier,
& il avoit époufé, felon quelques Auteurs, Acacallide fa fille ; mais s'étant
brouillé avec fon beau-pere, il fut obli-

gé de fortir de l'ifle de Crete, & de fe retirer dans la Carie. Ainfi l'époque du regne de Minos que j'ai marquée ailleurs, fervira à faire voir le temps auquel on doit rapporter l'Hiftoire que je viens de raconter.

Ovide a écrit cette Fable avec tout l'art d'un homme qui connoiffoit parfaitement les foibleffes du cœur humain; mais il entre dans les détails trop délicats pour des oreilles chaftes.

L'aventure d'Iphis qui change de fexe par la puiffance d'Ifis (1), pour poffeder une Maîtreffe qu'il aimoit tendrement, eft un de ces faits que la Médecine peut revendiquer fur l'Hiftoire; & dès-là je dois me contenter de dire que je n'ai rien trouvé dans l'Antiquité fabuleufe, qui eût le moindre rapport avec cette aventure: mais on peut confulter Ovide, qui l'a décrite avec beaucoup d'art.

Le même Poëte, qui avoit voulu recueillir toutes les fictions, raconte auffi l'aventure d'un autre Iphis, que l'infenfibilité d'Anaxarete qu'il aimoit, obligea de fe pendre de défefpoir, pendant qu'Anaxarette fut changée en Rocher; fymbole de la dureté de fon cœur.

Mais ne nous arrêtons point à ces bagatelles; venons à la Fable d'Arion qui

offre un fait plus intéressant & plus historique. Arion étoit, suivant Hygin & Probus, de la ville de Méthymne dans l'Isle de Lesbos : c'étoit un Poëte Lyrique, & un habile joueur de luth. Etant allé en Italie à la suite de Périandre Roi de Corinthe, son protecteur & son ami, il y gagna beaucoup de bien pendant le séjour qu'il y fit. Comme il s'en retournoit, les Matelots qui conduisoient le Vaisseau où il étoit, ayant voulu le tuer pour avoir ses richesses, il les pria de lui permettre avant de mourir, de jouer quelques airs, espérant peut-être de les attendrir par la douceur de la symphonie. On dit que plusieurs Dauphins s'étant assemblés autour du Vaisseau, il se jetta dans la mer, & que l'un d'eux l'ayant chargé sur son dos, le porta jusqu'au Cap de Tenare, d'où étant allé chez Périandre, il lui apprit son aventure : ce Prince ayant fait venir les Matelots, les fit mettre en Croix.

Pline [1] & Aulugelle [2] assurent, après Hérodote, que cette Histoire est arrivée de la sorte, & ils s'étendent fort sur l'amitié des Dauphins pour les hommes, dont il est vrai qu'ils suivent les Vaisseaux sans s'épouvanter [a] ; mais il

a] Voyez Lucien dans le Dialogue de Neptune.

HEROS ou demi-Dieux. L. VII. C. VIII.

(1) Liv. 9.
(2) Noct. Attic. lib. 16.

eſt plus vraiſemblable, qu'Arion, pour éviter d'être tué par les Matelots, ſe jetta dans la mer aſſez près des côtes, d'où il ſe ſauva à la nage, & qu'il publia lui-même pour ſe donner de la réputation, la fable du Dauphin. Quoi qu'il en ſoit, on croit que c'eſt ce Dauphin d'Arion qu'on a placé parmi les Aſtres. Arion vivoit du temps de Périandre, & vers la vingt-huitieme Olympiade.

Je dois ajouter cependant, qu'il y a des Auteurs qui diſent que le Signe du Dauphin eſt compoſé d'un certain Delphinus, qui fit conſentir Amphitrite à épouſer Neptune ; d'autres, d'un de ces Mariniers que Bacchus changea en Dauphins.

Nyctimene, & Epopée.

(1) Hygin, Fab. 204.

Mais puiſque je viens de parler de Lesbos je dois joindre ici la Fable de Nyctimene, fille d'Epopée Roi de cette Iſle[1], qu'Ovide & les autres Mythologues appellent Nyctéus, laquelle fut changée en Hibou. Le fait eſt que ſon pere avoit conçu pour elle une paſſion criminelle, &

(2) Ad 3 Theb. v. 507.

qu'elle alla ſe cacher dans le fond, des forêts : ce qui donna lieu à ſa métamorphoſe. Lactance [2] tranſporte la ſcene de cet événement dans l'Ethiopie, dont, ſelon lui, Nyctéus étoit Roi.

Harpalice.
(3) Hygin, Fab. 206.

La Fable d'Harpalice [3] offre un fait

également odieux, plus tragique encore, & malheureusement plus autorisé dans l'Histoire : mais je dois tirer le rideau sur ces sortes d'infamies.

Celle de Dryope est plus touchante & moins affreuse. Comme elle étoit un jour dans un bois evec son enfant (1), elle voulut arracher une branche de l'arbre appellé Lotos, & fut dans l'instant changée en arbre ; ainsi que le décrit Ovide d'une maniere fort touchante : mais c'est un de ces faits peu intéressants, qui n'a pour fondement que la conformité du nom de cette Nymphe, avec celui du chêne que les Grecs appelloient *Drys*, & qui a beaucoup de reſſemblance avec les Lotos. Que ſi on vouloit le rapporter à l'Histoire, on pourroit dire que cette Princeſſe fut punie pour avoir voulu profaner un arbre de quelque bois conſacré aux Dieux.

Celle d'Olene, changé en Rocher, offre à peu près une ſemblable aventure. On dit que pour garantir ſa femme Léthée du châtiment que ſon impiété méritoit, il vouloit ſe mettre à ſa place ; mais il ne fut pas en ſon pouvoir de l'en garantir (2), & tout ce qu'il y gagna fut d'avoir part à ſa peine, & il fut changé en rocher comme elle. Cette aventure

HEROS ou demi-Dieux. L.VII.C.VIII. n'a sans doute d'autre fondement, sinon que ce Prince périt avec sa femme dans les rochers où ils s'étoient retirés pour se garantir des pourfuites des Prêtres qui accufoient Léthée de quelque profanation.

Les Cérastes & les Propétides. (1)Met.L.11. Les Cérastes, dont Ovide raconte les Métamorphofes (1), peuples de l'Ifle de Cypre, n'ont été changés en Taureaux, que pour nous marquer les mœurs barbares & ruftiques de ces Infulaires, qui faifoient rougir les Autels du fang des Etrangers. Une fimple équivoque a donné lieu à cette Fable ; car Cérafte veut dire cornu :

(2) Ovid. ib.   *Unde etiam nomen traxere Cerastæ (2).*

& la raifon pourquoi on leur donnoit ce nom, c'eft que l'Ifle de Cypre eft environnée de Promontoires qui s'élévent dans la mer., & font voir de loin des pointes de rochers ; ce qui la fit nommer *Cérafte*, ou *Cornue* : voilà la fource de la Fable (3).

(3) Bochart, Chan. l.1. c.3. Les Propétides qui habitoient dans la même Ifle, étoient des femmes fort débauchées. Juftin & plufieurs autres Auteurs difent des chofes étonnantes fur la coutume qu'on avoit dans cette Ifle, de proftituer dans le Temple même de la

Déeſſe Venus, les jeunes filles. Pouvoit-
on mieux honorer une Déeſſe mariée,
que tous les Dieux avoient ſurpriſe en
adultere ? Ovide (1) dit que Venus les
avoit jettées dans la proſtitution, pour
ſe venger de leurs mépris. C'eſt apparemment l'inſenſibilité que ces femmes
avoient pour leur honneur, qui donna
occaſion aux Poëtes de les changer en
rochers (2).

Il en eſt de même à peu près de la métamorphoſe des Cercopes en Singes :

Ut iidem
Diſſimiles homini poſſent ſimileſque videri (3).

Cette Fable n'ayant d'autre fondement,
ſinon qu'il y avoit ſur une montagne de
Sicile de certains Bandits fins & ruſés,
qu'on appella *Cercopes*, qui eſt le nom
que les Grecs donnoient à une eſpece
de Singes.

Nous pourrions auſſi dire à peu près
la même choſe de ce Berger qu'Ovide
dit avoir été changé en Olivier ſauvage,
pour avoir inſulté des Nymphes qui dan-
ſoient ; parce qu'apparemment il fut puni de ſon inſolence : ſa métamorphoſe
ſymbolique marque le caractere de ce
brutal :

.... *Succoque licet cognoſcere mores* (4).

HEROS
ou demi-
Dieux.
L. VII. C. VIII.

(1) Metam
liv. 11.

(2) Id. l. 10

(3) Ovide.
Met. lib. 14.

(4) Ovid.
Met. l. 14.

CHAPITRE IX.

Suite des Fables tirées du même Ovide.

CE Poëte (1) conformément aux Hiftoriens, raconte l'aventure de Cyppus Capitaine Romain, à qui, au retour d'une conquête, ou en fortant de Rome, fuivant Valere Maxime, il parut des cornes fur le front : à l'occafion dequoi les Devins & les Augures qu'il confulta, lui prédirent de concert que s'il entroit à Rome, il en feroit déclaré Roi, & comme il connoiffoit l'éloignement que les Romains avoient pour le nom feul du Roi, il aima mieux fe bannir volontairement. Charmés d'un trait fi généreux, les Romains mirent fur la porte par laquelle il étoit forti, une tête de bronze avec des cornes, & elle fut appellée *Raudufculana*, parce qu'anciennement on appelloit le cuivre, ou le bronze, *Raudera*.

A ce recit, je dois joindre quelques Remarques. La premiere que Valere Maxime fe trompe en difant que ce pro-

dige arriva lorsque Cyppus sortit de Rome : c'étoit en revenant de la guerre, & après avoir amené du secours au Consul Valerius ; en quoi Ovide est plus conforme à l'Histoire que Valere Maxime. La seconde, que le Sénat décerna des terres à Cyppus, qui bâtit une maison de campagne sur le fond que la République lui avoit donné ; ce que notre Auteur ne dit pas. La troisieme, que cet événement arriva la troisieme année de la 135 Olympiade, l'an de Rome 525 & 137 ans avant Jesus-Christ.

Pour ce qui regarde la vérité de cette Histoire, les Auteurs sont fort partagés ; & Pline lui-même (1), qu'on a souvent accusé d'adopter les choses les plus incroyables, dit que les cornes de Cyppus sont aussi fabuleuses que celles d'Acteon. Il y a cependant des Naturalistes qui prétendent qu'une imagination forte & vive peut opérer de semblables merveilles, & on ne peut pas nier qu'on ait vu quelquefois des excroissances assez semblables à des cornes. Bayle dans ses Nouvelles de la République des Lettres (2), dit qu'on avoit vu il n'y avoit pas long-temps à Palerme, une fille qui avoit des cornes par-tout le corps, assez semblables à celle d'un veau. D'ailleurs, Va-

[1] Liv. II. c. 37.

[2] Juillet, 1686.

lere Maxime, tout crédule qu'il étoit, ne dit pas que c'étoient de véritables cornes, mais quelque chofe d'approchant : *In capite ejus fubitò veluti cornua emerferunt.* Malgré tout cela, je crois qu'on peut penfer que Cyppus à fon retour à Rome, ayant rêvé qu'il lui étoit venu des cornes à la téte, confulta les Augures, qui lui ayant répondu qu'il feroit Roi s'il rentroit dans la ville, il aima mieux s'en bannir pour toujours.

Enfin le même Poëte touche en paffant quelques métamorphofes encore moins importantes, qu'il tâche de lier comme il peut à fon fujet. Telles font celles du vieux Cerambe, qui fut, dit-il, changé en oifeau du temps du Déluge ; fiction qui nous marque qu'il fe fauva heureufement de quelque inondation. Il fut, ajoute-t-on, changé en cette efpece d'Efcarbot qui a des cornes ; & c'eft l'étymologie de fon nom qui a donné lieu à la métamorphofe (*a*).

Celle des femmes de l'Ifle de Cos changées en Vaches, n'a été inventée que fur ce que les Compagnons d'Hercule en tuerent quelques-unes, pour les immoler aux Dieux. On a dit que les ha-

[*a*] Les Grecs l'appelloient l'Efcarbot, κέραμϐον à caufe de fes cornes.

bitans

bitans de l'Isle de Rhodes avoient été
changés en rochers, parce qu'ils périrent la plupart dans une grande inondation qui submergea presque toute l'Isle,
& sur-tout la ville de Talise, dont les
habitans s'appelloient *Telchines*, nom
que les Grecs leur avoient donné à cause de leur méchanceté. En effet, ils
étoient, selon Diodore, la plupart sor-
ciers & enchanteurs, tâchant par toutes
sortes de maléfices de nuire à leurs voisins. Ainsi l'inondation qui le fit périr,
fut regardée comme une punition divi-
ne, & donna lieu à publier, qu'ils avoient
été métamorphosés en rochers.

Le même Auteur dit que la fille d'Al-
cidamas fut changée en colombe, pour
marquer sa fécondité : Hirie en étang,
parce qu'à la mort de son fils Cygnus
elle se précipita dans un étang qui porta
depuis son nom : Combe en oiseau, parce qu'il échappa adroitement & contre
toute apparence, au complot de ses enfans qui vouloient le faire mourir : Mera
en chienne, symbole de sa rage & de son
désespoir, Diane l'ayant chassée de sa
compagnie à cause de ses galanteries :
Ménéphron en bête brute, pour marquer l'horreur que tout le monde eut de
son infame passion ; on croit que sa me-

re le fit mourir avant qu'il eût exécuté fon deffein ; Arné en Chouette, parce qu'ayant vendu fa patrie, on marqua fon avarice par le fymbole de cet oifeau, qui, felon l'opinion populaire, aime l'argent. Phillyre mere du Centaure Chiron, en Tilleul, à caufe que cette femme portoit, dans la langue Grecque, le nom de cet arbre.

Celle de Metra fille d'Erifichthon, mérite un peu plus d'attention : c'eft Acheloüs qui la raconte à Thefée (1). Erifichthon ayant coupé un arbre confacré à Cerès, cette Déeffe s'en vengea en le rendant fi affamé, qu'enfin il fe dévora lui-même. En vain fa fille Metra, à qui Neptune, qui l'avoit aimée, accorda le don de fe pouvoir métamorphofer en plufieurs figures, s'étoit vendue à différents maîtres pour procurer à fon pere quelques alimens ; tout fut inutile, il périt miférablement, comme nous venons de le dire. Ovide décrit la faim canine d'Erifichthon avec tous les ornemens de la Poëfie : mais, après tout, on croit que les différentes métamorphofes de cette fille, cachent fes déréglemens.

Notre Poëte ajoute qu'elle avoit époufé Autolycus, ce fameux Voleur, fi

connu pour avoir volé les bœufs d'Eurytus. Callimaque dans son Hymme à
Cerès , décrit au long la Fable d'Eri-
sichthon , & lui donne pour pere Trio-
pas , fils de Neptune , & de Canuce fille
d'Eole. Jules Scaliger (1) a tâché d'a-
juster la narration d'Ovide avec celle
du Poëte Grec , par les parents d'E-
risichthon , que l'Antiquité a regardé
comme un impie , & sur-tout par son
gendre Autolycus, grand-pere d'Ulysse :
on voit qu'il vivoit quarante ou cinquante ans avant la prise de Troye.

Celle d'Esaque mérite aussi quelque
attention : voici ce qu'en rapportent
Apollodore (2) & Ovide [3] , qui conviennent d'abord qu'il étoit fils de Priam,
& qu'il fut métamorphosé en Plongeon,
mais ils ne sont pas d'accord sur les autres circonstances de cette Histoire. Le
dernier de ces deux Auteurs, comme on
l'a vu ailleurs , dit que la mere d'Esaque se nommoit Alixothoé , & qu'elle
étoit fille du fleuve Cebrene , ou comme on lit dans quelques Auteurs, du
Granique. Il ajoute qu'Esaque poursui-
vant Hesperine dont il étoit amoureux,
cette Nymphe avoit été piquée d'un
serpent ; & que ce jeune Prince ne pouvant supporter la mort d'une personne

HEROS
ou demi-
Dieux
L. VII. C. IX.

(1). Poët. 5.
c. 8.

Esaque
changé en
Plongeon.
(2) Liv. 3
(3) Met l. 11

D ij

fi chere s'étoit précipité dans la mer, &
avoit été changé en Plongeon. Apollodore dit qu'Esaque étoit fils de Priam
& d'Arisba fille de Merope, sa premiere
femme ; que son pere lui fit épouser Ste-
rope, qui étant morte fort jeune, il en
fut si affligé qu'il se précipita dans la
mer. Cet Auteur ajoute que Priam ayant
répudié Arisba, pour épouser Hecube
fille de Cisséus, Esaque voyant sa belle-
mere grosse de son second fils, avoit
prédit à son pere que cet enfant seroit
un jour la cause d'une guerre sanglante,
qui causeroit la ruine de Troye, & que
sur cette prédiction l'enfant fut exposé
sur le mont Ida. Tzetzès ajoute qu'Esaque avoit dit à son pere qu'il falloit faire
mourir la mere & l'enfant qui venoit de
naître ce jour-là ; & que Priam informé
que Cilla femme de Thimoëtes étoit ce
même jour accouchée d'un fils, il la fit
mourir avec son enfant ; croyant par-là
pouvoir éviter l'effet de la prédiction.
Servius, sur l'autorité d'Euphorion,
conte la chose de la même maniere ;
mais un ancien Poëte, cité par Ciceron
au premier Livre de la Divination, dit
que ce fut l'Oracle de Zelia, petite ville
au pied du mont Ida, qui avoit rendu
cette réponse, en interprétation du son-

ge d'Hecube. Paufanias dans fes Phociques, prétend que c'étoit la Sybille Herophile qui avoit interprété ce fonge, &
plufieurs autres Auteurs en donnent la
gloire à Caffandre. Quoi qu'il en foit,
Apollodore nous apprend encore qu'Efaque avoit appris à prédire l'avenir, de
fon grand-pere Mérope. Il en laiffa apparemment les principes dans fa famille,
puifque nous voyons que Caffandre &
Helenus l'exercerent dans la fuite. La
métamorphofe d'Efaque en Plongeon
eft un de ces épifodes qu'on imaginoit
pour confoler les parens ; & ce dénouement doit fouvent fervir de principe,
pour expliquer la plupart de ces fortes
d'événemens.

Phillis étoit fille de Lycurgue, Roi
des Dauliens, Peuple de Thrace ; Demophoon, Roi d'Athenes, fils & fucceffeur de Thefée, étant paffé à Daulis,
s'en fit aimer ; mais ayant appris que
Mnefthée étoit mort au retour de la
guerre de Troye, il fut obligé de partir pour aller prendre poffeffion du
Royaume d'Athenes, que ce Prince avoit
ufurpé fur Thefée. Il promit à Phillis de
revenir dès que fes affaires feroient finies, & lui marqua à peu près le temps.
Le jour qu'elle l'attendoit étant arrivé,

Heros
ou demi-
Dieux.
L. VII. C. IX.

elle courut neuf fois au rivage où il devoit arborder, & n'en apprenant aucune
nouvelle, elle fe pendit de défefpoir, ou
felon d'autres fe jetta dans la mer. Le
lieu où elle finit fes jours, fut appellé
les neufs chemins, *novem viæ*, en mémoire de cette courfe neuf fois réitérée : ça
été auffi le premier nom de la ville d'Am-
phipolis, bâtie au même endroit, qu'An-
tipater dans une Epigramme de l'Antho-
logie appelle *le tombeau de Phillis*. Nous
avons dans Ovide une belle épître de
cette Princeffe à Démophoon. où elle
lui marque tout fon amour, & l'empref-
fement qu'elle a de le revoir, & dans laquelle il paroît que Démophoon, avoit
promis de revenir au bout de quatre
mois. Voilà la véritable hiftoire de Phillis, mais pour donner du merveilleux à
cette aventure, on publia que les Dieux
l'avoient changée en Amandier, parce
qu'en effet cet arbre s'appelle en Grec,

(1) Fab. 59.

philla. Hygin [1] ne parle point de cette
métamorphofe : il dit feulement qu'il
vint des arbres fur le tombeau de cette
fille, dont les feuilles dans une certaine
faifon de l'année paroiffoient mouillées
comme fi elles répandoient des larmes
pour elle Il ne falloit dans ces anciens
temps qu'un peu de reffemblance, pour

coudre une métamorphofe au bout d'une
véritable hiftoire. Mais fi on me deman-
de la raifon pour laquelle , au retour de
Démophoon , l'Amandier fleurit, je ré-
pondrai que cette circonftance n'eft que
le jeu de l'imagination de quelque Poëte ; ou qu'elle renferme , tout au plus ,
quelque trait peu important de Phyfique. On prétend que comme l'Amandier fleurit pendant que le vent Zéphire
fouffle , & que ce vent fouffle dans la
Thrace du côté d'Athenes , on dit que
c'étoit l'amant de Phillis qui venoit la
vifiter , & qu'elle fe réjouiffoit de fon
retour en s'épanouiffant.

Egefte, fille d'Hippotas, noble Troyen,
fut envoyée en Sicile par fon pere, pour
l'empêcher d'être expofée au monftre que
Neptune avoit fufcité pour punir Laomedon : le fleuve Crinifus en devint amoureux , & fe changea en Ourfe pour la fé-
duire, comme Virgile nous l'apprend[a].
Cette fable renferme une hiftoire , en-
veloppée comme toutes les autres, fous
les fictions des Poëtes ; & il n'y a qu'à en
rabattre , ou plutôt, à en expliquer deux
circonftances : celle du fleuve Crinifus,

(a) *Troia Crinifo conceptum flumine mater*
    Quem genuit . . . . . occurrit Aceftes.
  Horridus in jaculis , & pelle Libyftidis urfæ.

D iv

qui doit être entendue du Roi qui a été dans la fuite confondu avec le fleuve du même nom; & celle de fa métamorphofe, qui peut s'expliquer en difant que Crini-fus fe cacha dans des rochers & des cavernes pour épier Egefte, ou plutôt qu'il monta fur un vaiffeau nommé l'*Ourfe*, pour la pourfuivre.

Quoi qu'il en foit de cette fable, Egefte devint mere du fameux Acefte Roi de Sicile, fi connu dans l'Enéide pour avoir reçu magnifiquement Enée & fes Compagnons, comme fes Alliés. Voici de quelle maniere Denys d'Halicarnaffe raconte cette hiftoire, dépouillée des fables des Poëtes. Laomedon, mécontent d'un noble Troyen, lui fit ôter la vie, ainfi qu'à tous fes fils, & fit vendre fes filles à quelques Marchands, à condition qu'ils les tranfporteroient dans des pays éloignés. Cependant un jeune homme de qualité s'etant trouvé dans le vaiffeau qui les conduifoit, devint amoureux d'une de ces jeunes filles, & l'ayant achetée, il la mena dans l'Ifle de Sicile, où il l'époufa. Quelque temps après elle devint mere d'Alcefte, qui après la mort de Laomedon obtint de Priam la permiffion de revenir à Troye, où il fe trouva pendant la guerre : mais voyant

son pays ruiné par les Grecs, il s'en retourna en Sicile sur les vaisseaux qu'Achille avoit abandonné près de quelques rochers où ils avoient touché. Enée y étant arrivé quelque temps après, lui aida à bâtir deux villes, & y laissa les gens les plus inutiles de son équipage.

Telles étoient les fables d'Ovide qu'il me restoit à expliquer; & si j'en laisse quelques-unes, c'est pour ne pas abuser de la patience de mes Lecteurs, en m'étendant sur des sujets qui ne méritent aucune attention, & n'ont aucune liaison avec l'Histoire du monde.

CHAPITRE X.

Des Fables recueillies par Conon, & par Antoninus Liberalis.

CONON vivoit du temps d'Archelaüs Philopator, dernier Roi de Cappadoce, à qui il avoit dédié un petit Ouvrage qui contenoit cinquante Narrations ou Histoires, tirées des anciens Auteurs; & comme Archelaüs obtint de Marc-Antoine ce Royaume, environ quarante ans avant l'Ere chrétienne, on

voit par-là en quel temps vivoit Conon, qui dès-là se trouve différent de l'Astronome du même nom, qui florissoit sous Ptolemée Philadelphe. Comme Photius l'avoit copié, c'est lui qui nous l'a conservé.

Conon avoit souvent suivi des Traditions différentes de celles des autres Mythologues, sans nous apprendre où il les avoit prises. Je crois avoir rapporté dans les occasions qui se font présentées, celles des narrations de cet Auteur, qui avoient quelque liaison avec les fables que j'ai expliquées dans le cours de cet Ouvrage : pour celles dont je n'ai pas fait mention, ce font pour la plupart de petites historiettes qui n'ont aujourd'hui rien d'intéressant.

Antoninus Liberalis, que les Sçavans croient être celui dont parle Suetone, qui le met au nombre des plus illustres Grammairiens, & dont Eusebe fait aussi mention dans sa Chronique, avoit composé un ouvrage sur les Métamorphoses; mais il a eu soin de nous instruire qu'il les avoit tirées, ou du Livre de Nicandre, qui portoit pour titre Ε'τεροιέμνον, *des changemens de figures*, ou de l'Ornithologie de Boéus, ou de quelques autres Anciens, dont les Ouvrages font

perdus. J'en aussi rapporté le plus grand nombre, quand l'occasion s'en est présentée; & il suffira d'avertir le Lecteur que la plupart des autres ne contiennent que des faits isolés, & que presque tous les changemens de ceux dont parle cet Auteur, soit en bêtes brutes, ou en oiseaux, ou en quelque autre forme que ce soit, répondent presque toujours à leurs noms : ainsi les regles que j'ai données dans le premier volume, suffisent pour les entendre & pour les expliquer.

CHAPITRE XI.

Fables tirées d'Hygin.

JE commence par celle d'Icarius, fils d'Oebale, qui (1) ayant donné du vin à quelques Bergers de l'Attique, ils s'enivrerent, & croyant qu'il leur avoit fait avaler du poison, le tuerent & le jetterent dans un puits. Une chienne le découvrit à sa fille Erigone, qui se pendit de désespoir. Sur cela la peste ravageant la ville d'Athenes, l'Oracle fut consulté, & l'on apprit que Bacchus vengeoit la mort d'Icarius, qui leur avoit appris à

Icarius &
Erigone.
(1) Fab. 130.

planter la vigne. On chercha les meur-
triers, & on les fit mourir. On inftitua
même une fête à l'honneur d'Icarius &
d'Erigone, pendant laquelle on leur offroit en facrifice du vin & des raifins,
pour reconnoître le bien qu'ils leur
avoient fait en leur apprenant à cultiver
la vigne. On n'en demeura pas là,
& on publia dans la fuite que les
Dieux les avoient placés dans le Ciel,
où Icarius formoit la conftellation de
Bootés, Erigone le figne de la Vierge,
& Mera la chienne d'Icarius, celui du
chien ou de la canicule.

Il n'y a rien là d'extraordinaire que
l'Apothéofe, le refte n'a pas befoin

d'explication. Apollodore (1) rapporte
qu'Icarius eut de fa femme Periba cinq
fils, Thoas, Damafippe, Imenfime, Aletès & Perilaüs, & une autre fille nom-
méePenélope,qui fut mariée à Ulyffe(a).

L'hiftoire de Theonée que rapporte
le même Hygin (2), fournit une aventure affez touchante. Cette Princeffe
étoit fille de Theftor, & fœur de Leucippe : des Pirates qui la trouverent fur
le bord de la mer où elle fe promenoit,
l'enlevèrent & la vendirent à Icarus Roi

______

(a) Voyez ce qui a été dit de ce mariage dans l'Hiftoire
d'Ulyffe.

de Carie. Son pere qui l'aimoit paſſioné- H E R O S
ou demi-
Dieux.
L. VII. C. XI.
ment, fit équiper promptement un vaiſ-
ſeau pour pourſuivre les raviſſeurs; mais
ayant fait naufrage ſur les côtes de Carie
il fut pris & conduit à la Cour du Roi,
qui le fit mettre en priſon. Leucippe
n'apprenant aucunes nouvelles de ſon
pere, alla conſulter l'Oracle pour ſçavoir ce qu'il falloit faire pour le trouver,
& elle eut pour réponſe qu'il falloit couper ſes cheveux, & aller le chercher ſous
l'habit d'un Prêtre d'Apollon, juſqu'à
ce qu'elle l'eût trouvé. Cette jeune fille
partit ſur le champ, & arriva en Carie avec l'équipage que l'Oracle lui avoit
ordonné de prendre. Theonée touchée
de la beauté du jeune Prêtre, en devint
amoureuſe; & comme il refuſa de répondre à ſa tendreſſe, elle le fit charger de
chaînes, & ordonna à Theſtor de le faire
mourir ſecrétement. Celui-ci étant entré dans la priſon avec le glaive que
Theonée lui avoit donné, dit au prétendu Prêtre, dont apparemment le triſte
ſort le touchoit, qu'il étoit encore plus
malheureux que lui, puiſqu'ayant perdu
ſes deux filles, Leucippe & Theonée, on
l'obligeoit encore à une action ſi cruelle;
il ajouta qu'il aimoit mieux mourir que
de la commettre, & là-deſſus il ſe mit en

HEROS
ou demi-
Dieux.

L. VII. C. XI.

état de se percer le sein. Leucipe recon-
noissant son pere, lui arracha le poignard,
courut à l'appartement de Theonée
pour lui ôter la vie, & appella son pere
Thestor à son secours ; à ce nom Theonée s'écria qu'elle étoit sa fille. Icarus
informé d'un événement si extraordinaire, les combla tous trois de présens
& de caresses, & les renvoya dans leur
pays. C'est au reste le même Thestor,
qui étoit pere de Calchas, si connu au
siege de Troye, comme le remarque
Hygin, ainsi on voit le temps auquel cette histoire est arrivée.

Alopé chan-
gée en Fon-
taine.

(1) Hygin,
Fab. 187.

Alopé fille de Cercyon, & qui recon-
noissoit Vulcain pour pere (1), étoit si
belle qu'elle inspira de tendres sentimens
au Dieu de la mer, qui en eut un fils
qu'elle fit exposer secrétement pour dé-
rober à son pere la connoissance de sa foi-
blesse. En l'exposant elle le couvrit d'une
partie de sa robe qu'elle avoit déchirée
à ce dessein. Une jument égarée du trou-
peau lui donnoit à tetter, lorsqu'un Berger qui la cherchoit, ayant vu cette espece de prodige, enleva cet enfant & le
porta dans sa cabane. Son compagnon
charmé de la bonne mine de cet enfant,
le lui demanda & l'obtint, mais nud :
celui qui venoit de le recevoir demanda

auſſi la robe, qui lui fut refuſée , & ces deux Bergers ayant pris querelle à ce ſujet , ils porterent leurs plaintes à Cercyon , qui reconnoiſſant l'habit de ſa fille,ordonna qu'on ôtât la vie à la mere, & qu'on expoſât derechef l'enfant ; & comme une autre jument prit ſoin de le nourrir,les Bergers qui le rencontrerent, jugeant que les Dieux le protégeoient , l'enleverent & lui donnerent le nom d'Hippothoüs. Theſée, comme nous l'avons dit dans ſon hiſtoire, ayant tué le cruel Cercyon , rendit les Etats de ce Tyran à Hippothoüs , qui deſcendoit comme lui de Neptune.

La métamorphoſe d'Argé changée en Biche par le (1) Soleil, irrité de ce qu'elle avoit dit d'un Cerf qui fuyoit devant elle, que quand il iroit auſſi vîte que cet Aſtre, elle l'atteindroit, nous cache l'aventure d'une fille , inconnue d'ailleurs, qui aimoit fort la chaſſe & qui périt dans les forêts. Bochart (2) dérive le nom d'Argé du mot Hébreu *Arga*, qui ſignifie le cri des Cerfs ; & ſi cela eſt, on peut dire qu'elle n'avoit pas la voix belle.

A ces fables que je devois expliquer, les autres l'ayant été dans le cours de l'Ouvrage, le même Auteur a joint un autre Ouvrage Mythologique , auquel

HEROS ou demi-Dieux. L. VII. C. XI.

Argé changée en Biche. (1) Hygin, Fab. 205.

(2) Hier. Part. prem. col. 883.

il a donné le nom de *Ciel Poëtique-Aftro-nomique*, dans lequel il fait voir que pref-que tous les fignes & les conftellations portent le nom de quelque Héros ; leurs ames, fuivant l'ancienne Théologie du Paganifme, étant allées les habiter après leur Apothéofe : c'eft ainfi que Cephée, Caffiopée, Andromede & Perfée, forment les conftellations qui portent ces noms-là ; Califto, celle de la grand Our-fe ; fon fils Arcas, l'Artophilax ; Caftor & Pollux, le figne des Jumeaux ; Chi-ron, celui du Centaure; Médée, la Cou-pe ; Amalthée, la Chevre ; Cygnus, le Cygne ; Pegafe, le Cheval ; le Dragon des Hefpérides, le Serpent ; le Taureau & l'Aigle dont Jupiter prit les figures pour enlever Europe & Ganymede, les deux fignes qui en portent les noms ; la couronne d'Ariadne, celle qui eft dans le Ciel ; la Lyre, celle de Mercure ou d'Orphée ; Erictonius, le Cocher, ap-pellé *Heniochus* ou *Auriga* ; Hercule qui tua près du fleuve Sangar dans la Lydie, un affreux Serpent, ou felon d'autres, Lyncus qui voulut faire périr Triptoleme, le figne du Serpentaire ; la fleche eft celle dont fe fervit le même Hercule pour tuer l'Aigle qui dévoroit le fòye de Promethée ; le mouton qui fauva

Phryxus, le Belier ; le Cancer , celui
que fufcita Junon pour mordre Hercule
dans le-temps qu'il étoit occupé à tuer
l'Hydre de Lerne ; le Lion celui de Nemée ; Aftrée, ou felon d'autres, Erigone,
celui de la Vierge ; le Scorpion, celui
que Diane fit fortir de terre, pour fe
venger de l'infolence d'Orion ; le Centaure, ou felon plufieurs Auteurs, Cre-
ton , pere nourricier des Mufes , le Sagittaire; Pan, ou Ægipan, le Capricorne;
le Verfeau , Ganymede ; Venus & fon
fils , les Poiffons , parce que c'eft fous la
figure de poiffons qu'ils fe déroberent
dans la Syrie aux pourfuites de Typhon;
le monftre que Neptune fufcita pour
dévorer Andromede, la Baleine ; le Nil,
ou l'Océan (car ces deux noms ont été
donnés à ce fleuve) l'Eridan, ou Cano-
pus ; Orion, la conftellation qui porte
fon nom ; comme le Lievre celefte eft
celui que pourfuivoit le chien de ce célebre Chaffeur, ce qu'il femble faire encore dans nos Planifpheres.

Il y a cependant d'autres Auteurs qui
content à ce fujet une autre hiftoire. On
n'avoit, difent-ils , jamais vu de lievres
dans l'Ifle de Lero, ou plutôt d'Hiero ,
lorfqu'un jeune homme qui fouhaitoit
paffionément qu'il y en eût pour avoir le

plaifir de les courre, y en apporta un, &
prit fi grand foin de fes petits, qu'en peu
de temps toute l'Ifle en fut peuplée , &
ils y multiplierent tellement dans la fuite,
qu'ils y confumoient tout, & y cauferent
la famine ; en forte qu'on fut obligé de
les exterminer. Les Dieux , ajoute-t-on,
en placerent un dans le Ciel , pour apprendre aux hommes que les chofes que
l'on fouhaite le plus ardemment nous
font fouvent les plus pernicieufes. Lé
chien que Jupiter donna à Europe pour
la garder , & dont Minos fit préfent à
Procris , & celle-ci à Cephale fon mari,
forme le figne qui porte ce nom , quoiqu'on prétende auffi que c'eft celui d'E-
rigone. Procyon (1), conftellation ainfi
nommée , parce qu'elle fe leve avant le
grand chien, repréfente celui du célebre
Orion ; Argo eft formée de la Navire
des Argonautes ; le Centaure repréfente
le fameux Chiron ; l'Autel , ouvrage des
Cyclopes , celui fur lequel les Dieux
facrifierent avant que de livrer bataille
aux Titans ; l'Hydre fur laquelle eft le
Corbeau , avec une corne antique , eft
ou cet oifeau lui même, ou Coronis mere
d'Efculape , changée en Corneille : le
Poiffon, celui qui procura de l'eau à Ifis,
ou fuivant d'autres Auteurs, à Derceto,

dans le temps qu'elle étoit extrêmement altérée, aussi paroît-il dans le Ciel en tirer du *Verseau.* Les Mythologues, pour le dire en passant, regardent ce poisson comme le pere des deux autres, qui forment dans le Zodiaque le Signe qui porte leur nom : le Dauphin celui qui sauva Arion.

On ne dit rien ici des cinq Planettes qui portent le nom d'autant de Divinités ; ni des Hyades, dont on a tant parlé dans l'Histoire d'Atlas ; ni de la Voye lactée, dont la Fable a été rapportée dans l'Histoire d'Hercule ; ni enfin de quelques autres Signes ou Constellations, pour ne pas répéter ce qu'on en a dit.

LIVRE HUITIEME.

DES JEUX DES GRECS.

HEROS
ou demi-
Dieux.
L. VIII.

J'ENTENDS, comme je l'ai déja dit, par ces Jeux, cette forte de Spectacles que la Religion avoit confacrés & qu'on donnoit dans la Grece, & enfuite à Rome, ou dans un Cirque, ou dans un Stade, ou dans des Arenes, ou dans d'autres endroits, quelque nom qu'aient porté les lieux, deftinés à cet ufage. Je dis, que la Religion avoit confacrés, car outre qu'il n'y en avoit aucun qui ne fût dédié à quelque Dieu en particulier, ou à plufieurs, n'en commençoit jamais la folemnité, comme nous l'apprenons de Tertullien, qu'après avoir offert des facrifices, & fait d'autres cérémonies religieufes (a) : & lorfque dans la fuite les Ro-

(a) *In ludis qnanta facra, quanta facrificia præcedunt, intercedunt, fuccedunt.* De Spect.

mains adopterent ces Jeux, le Sénat donna un Arrêt qui portoit qu'ils feroient
toujours dédiés à quelque Divinité. Si
nous voulons remonter à l'origine de ces
Jeux, le même Tertullien dit que les
Lydiens en furent les premiers inventeurs, & que Tyrrhenus obligé de ce-
der à fon frere la part qu'il prétendoit
avoir dans les Etats que fon pere leur
avoit laiffé, ayant conduit une Colonie dans cette partie d'Italie, qui depuis fut appelléeTyrrhenie, y porta l'u-
fage de ces fortes de fpectacles. Herodote (1), & après lui Denys d'Halicarnaffe avoient dit (2) la même chofe long-
temps auparavant, & le premier de ces
deux anciens nous apprend que ce fut
pendant une famine qui défoloit la Lydie du temps d'Atys fils de Manès, que
les Lydiens pour foulager leurs maux,
voyant que la terre cultivée ne répon-
doit point à l'efpérance du laboureur, in-
venterent pour s'amufer plufieurs fortes
de Jeux; mais, à dire vrai, ceux dont parle
Herodote étoient plutôt des Jeux de dé-
laffement que des fpectacles deReligion.

Je ne fçais fi c'eft des Lydiens que les
Grecs en prirent l'idée ; mais il eft fûr
que leur ufage fut connu dans la Grece,
dès le temps héroïques. Ces Jeux des

(1) Liv. 1 1.

(2) Liv. 2.

Grecs, car c'eſt de ceux-là & de quelques-uns de ceux des Romains que je prétends parler dans ce Livre, avoient été
inſtitués en différentes occaſions, & la
Religion, ou des devoirs pieux, avoient
toujours été les motifs de leur inſtitution.

On peut les conſidérer, ou comme
deſtinés à être célébrés dans des temps
marqués, tels que les Olympiques, les
Pythiques, les Néméens, & ceux de
l'Iſthme ; ou comme de ſimples vœux
exécutés ſur le champ ; ou comme des
devoirs rendus à d'illuſtres morts, tels que
ceux qu'Acaſte fit célébrer à la mort de
ſon pere Pelias, les Grecs en l'honneur
d'Achille, & Enée, à l'anniverſaire de
la mort d'Anchiſe ſon pere ; ou comme
publics ou particuliers. Les premiers
étoient célébrés en l'honneur des Dieux
auſquels ils étoient conſacrés ; les autres
étoient ordonnés à Rome par les Magiſtrats, ſur-tout pendant qu'ils étoient
Ediles ou Préteurs. Selon Laĉtance, les
Jeux, étoient des jours de Fête dédiés
aux Dieux, ou pour célébrer leur naiſſance, ou la dédicaſſe de leurs Temples
(a) ; & leur celebration conſiſtoit en dif-

(a) *Ludorum celebrationes Deorum feſta erant, qui quiſ-
dem ob natales eorum, vel Templorum novorum dedica-
ſiones ſunt conſtituti.* **Divin. hiſt. lib. 6. c. 2.**

férentes fortes d'exercices de combats , ainſi qu'on le dira dans la ſuite.

Auſone avoit obſervé qu'entre les quatre principaux Jeux des Grecs , ſçavoir, les Olympiques , les Pythiques, les Néméens, & ceux de l'Iſthme, il y en avoit deux conſacrés aux Dieux, & deux aux Héros. Mais ſa remarque n'eſt pas exacte ; car il eſt ſûr que le premier étoit dédié à Jupiter, le ſecond à Apollon, le quatrieme à Neptune, & qu'il n'y avoit que le troiſieme qui le fût à Archemore fils de Lycurgue. Il eſt ſûr de même, que les Jeux Equeſtres ou Curules étoient dédiés au Soleil & à Neptune, les Agonaux & les Gymniques à Mars & à Diane ; les Scéniques, les Poëtiques & ceux du chant & de la Muſique, à Bacchus, à Apollon, à Minerve, & à Venus, ainſi des autres.

Comme la plupart de ces Jeux, du moins dans la Grece, avoient été inſtitués par les Héros, dans des occaſions importantes, ils ne faiſoient pas difficulté d'y combattre eux-mêmes, & on publioit que Saturne, Jupiter, & les autres Dieux y avoient autrefois diſputé la victoire. Dans la ſuite & lorſqu'il fut permis à tout venant d'entrer en lice, ces ſortes d'exercices furent partagés : les Grands,

les Rois mêmes y parurent, ou dans les courfes à cheval, ou dans celle des chars à deux ou à quatre chevaux ; pendant que les combats moins nobles, comme la Lutte, l'Efcrime & quelques autres, furent refervés pour le commun du peuple, & pour les Gladiateurs, qui de tous tenoient le dernier rang, & en même temps le plus méprifable.

Rien, au refte, n'étoit plus célebre dans la Grece, que ces Jeux, fur-tout ceux d'Olympie : c'étoit fur eux que portoit prefque toute la Chronologie Grecque, & on datoit les principaux événemens fur le temps de leur célébration. Les Grecs ne parloient & ne s'occupoient fouvent que de ces Jeux ; & comme ils étoient célébrés en différens temps & en différens lieux, on étoit toujours attentif à s'y préparer. Souvent même les temps d'une Olympiade à l'autre, c'eft-à-dire, l'efpace de quatre ans révolus, n'étoient pas fuffifants pour cela. Ceux qui fe difpofoient à y combattre, choififfoient les meilleurs chevaux, les dreffoient avec foin, les exerçoient fouvent, & donnoient une attention particuliere à la beauté & à la légéreté de leurs chars: en un mot, ces Jeux faifoient la principale attention & l'occupation la plus or-

dinaire

dinaire des gens distingués, ou par leur
naissance, ou par leurs actions; sur-tout
parmi la Jeunesse. On s'y rendoit en
foule, non-seulement de tous les quar-
tiers de la Grece, mais encore des pays
voisins, & rien n'étoit si magnifique que
ces sortes d'Assemblées.

Ce qui rendoit les Grecs si vifs sur cet
article, étoit l'honneur qu'acquéroient
les Vainqueurs, & la réputation que les
victoires remportées dans ces Jeux leur
donnoient dans toute la Grece, & même
dans les autres Pays. On les distinguoit
en toutes occasions, & ils avoient par-
tout les places les plus honorables. Les
plus grands Poëtes se faisoient un devoir
de célébrer ces vainqueurs, & c'est à
leurs triomphes que nous devons les
Odes de Pindare. Ce n'étoit pas, sans
doute, par un motif d'avarice qu'on s'ef-
forçoit d'enlever la victoire à ses concur-
rens: une simple couronne de laurier,
d'olivier, de peuplier, ou de quelque
plante, & des Statues élevées en l'honneur des Vainqueurs, étoient la récompense qui leur étoit destinée. Il est vrai
que dans la suite on attacha à la Victoire
d'autres marques de distinction, que ceux
qui l'avoient remportée avoient ordinairement les premieres places dans les

assemblées publiques, & que souvent on abattoit un pan des murs, pour recevoir comme en triomphe ceux qui avoient été vainqueurs à Olimpie; mais toujours est-il certain que la gloire étoit le seul motif qui animoit tous ceux qui entreprenoient de combattre dans ces Jeux. Je dis que l'avarice n'étoit pas le mobile ordinaire des combattans, quoiqu'elle pût l'être dans les Jeux funebres, où l'on proposoi t pour récompense, ou des Esclaves ou des Meubles, ou même de l'argent; mais ces Jeux ne se célébroient ordinairement qu'une fois.

CHAPITRE I.

Motifs de l'institution de ces Jeux, & leurs différentes especes.

J'AI dit que la Religion avoit souvent donné lieu à l'institution de ces Jeux; mais je dois ajouter que la politique y avoit aussi bonne part; & cette politique avoit deux objets principaux ; l'un, que par-là les Grecs acquéroient dès leur jeunesse l'humeur martiale, & se rendoient propres aux combats & aux autres expé-

ditions militaires ; l'autre , qu'on en de-
venoit plus difpos , plus alerte , plus robufte : ces exercices étant très-propres ,
fuivant les plus habiles Médecins , à augmenter les forces du corps , & à procurer une vigoureufe fanté. On doit bien
juger, au refte , qu'un pareil fujet n'a
pas échappé ni aux Anciens ni aux Modernes , auffi en ont-ils parlé les uns &
les autres ; les Peres même de l'Eglife,
Tertullien , Clement d'Alexandrie , S.
Cyprien , & S. Auguftin , en ont fait
mention dans leurs Ouvrages. Mais aucun ancien ne s'y eft plus étendu , fur-
tout pour les Jeux Olympiques , que
Paufanias qui en a fait une defcription
très-détaillée & très-curieufe.

On divifoit ordinairement ces fortes
d'exercices en trois claffes;en courfes,en
combats, & en fpectacles. Les premiers,
qu'on nommoit *Ludi Equeftres,five Curules*, confiftoient en des courfes qui fe faifoient dans le Cirque, dédié au Soleil ou
à Neptune ; les feconds étoient appellés
Agonales ou *Gymnici*, d'où fut tiré le
nom de *Gymnaftique*, qu'on employoit
pour les fignifier tous en général , & qui
étoient compofés de combats & de lutte,
tant des hommes , que des bêtes inftrui-
tes à ce manege ; & c'étoit dans l'Am-

phitéatre, consacré à Mars & à Diane, que se faisoient ces exercices. Les troifiemes enfin, *Scenici*, *Poëtici*, *Musici*, consistoient en Tragédies, Comédies, & Satyres qu'on représentoit sur le Théatre, en l'honneur de Bacchus, de Vénus, d'Apollon & de Minerve.

Sous ces classes générales étoient renfermés tous les Jeux de la Grece & de Rome : tels étoient les Jeux Pythiens, les Néméens, ceux de l'Isthme, les Olympiques, les Pyrrhiques, les Mégaléfiens, les Actiaques, les Apollinaires, les Capitolins, ceux de Cerès, ceux du Cirque les Equestres, les Floraux, les Ifelastiques, les Juvenaux, les Hieroniques, ceux de la Jeunesse, ceux des gens mariés, les Néroniens, les Plébéiens, les Romains, les Séculaires, les Troyens, & plusieurs autres, enfin les Jeûx funebres, tels que ceux dont j'ai parlé il y a un moment.

Ceux-ci n'étoient ordinairement célébrés qu'une fois, & ne revenoient pas comme les autres à des temps marqués. Je dis ordinairement, car il y en avoit quelques-uns qui, quoique funebres dans leur origine, comme les Néméens, institués à l'occasion de la mort d'Archemore, & quelques autres, devinrent per-

pétuels, & furent repris à des temps ré-
glés.

Parmi ceux qui fe renouvelloient, il
y en avoit dont le tems de la célébration étoit fixé & marqué, & qu'on nommoit pour cela *Stativi* ; d'autres qu'il
falloit que le Magiftrat indiquât, *indic-
tivi* ; d'autres enfin qui étoient la fuite
d'un vœu, fait dans des occafions importantes, *Votivi* : il y en avoit enfin
d'annuels, de triennaux, de décennaux
de féculaires, &c.

Il faut feulement remarquer que tous
ces Jeux n'étoient pas particuliers à la
Grece, puifqu'il y en avoit plufieurs,
ainfi qu'il eft aifé de le voir, qui étoient
d'inftitution Romaine.

CHAPITRE II.

Des inftituteurs de ces Jeux.

HYGIN, à la Fable 273, nommoit
quinze Inftituteurs de Jeux jufqu'à
Enée qui étoit le quinzieme ; mais les
noms des quatre premiers ne fe trouvent
plus, ni dans les Manufcrits de cet Auteur, ni dans les imprimés, fans que Ku-

nius ni fes autres Commentateurs fe
foient mis en peine de remplir cette la-
cune. Ce Chapitre d'Hygin commence
donc par le cinquieme inftituteur des
Jeux. Danaüs, dit-il, fils de Belus, inftitua à Argos des Jeux en l'honneur du
mariage de fes filles ; & comme on y
chanta des Épithalames (car ces Jeux
n'avoient d'autres combats que ceux de
la Mufique) on leur donna le nom d'Hymenées. Lyncée fon gendre fils d'Egyptus, qui eft dans notre Auteur le fixie-
me, en établit dans la même ville en
l'honneur de Junon Argienne (*a*). Les
Vainqueurs dans ces Jeux, au lieu d'u-
ne couronne, recevoient un bouclier,
parceque Lyncée fauvé du meurtre général des autres Enfans d'Egiptus, tira
du Temple de cette Déeffe le bouclier
que Danaüs y avoit confacré, pour le
donner à fon fils Abas, qui l'eut après
la mort de fon beau-pere. Ces Jeux fe
renouvellerent à des temps marqués. Le
feptieme Inftituteur, fuivant le même
Auteur, fut Perfée, qui en fit la célébration aux funérailles de Polydecte, qui
avoit pris foin de fon éducation ; & Perfée y combattant lui-même, eut le mal-

____

(*a*) Ces Jeux furent appellés ἀσπιστεναρχῶις, d'un mot
compofé ἀσπις, εν αργῶις.

heur d'y tuer son grand-pere Acrise d'un Heros ou dem. Dieux.
coup de palet. Le huitieme fut Hercule,
qui fit célébrer des Jeux Gymniques à L.VII.C.II
Olympie en l'honneur de Pélops fils de
Tantale; & ce Héros y remporta le prix
du Pancrace, c'est-à-dire, suivant Aristote, du Pugilat & de la Lutte, ou pour
parler plus juste, de la lutte simple, &
de la lutte composée. Les sept Chefs qui
conduisoient l'armée à Thebes, institue-
rent les Jeux Néméens, en l'honneur
d'Archemore, fils de Lycurgue & d'Eurydice, comme nous l'avons dit en parlant de la guerre de Thébes, & ils sont
comptés par Hygin pour les neuviemes
Instituteurs. Eratoclès, ou plutôt Thésée, est le dixieme qui institua dans
l'Isthme de Corinthe des Jeux en l'honneur de Melicerte fils d'Athamas & d'I-
no, qui prirent le nom d'Isthmiques;
ces deux derniers se renouvelloient aussi
à des temps marqués. Les Argonautes,
que le même Auteur met pour les onzie-
mes, célébrerent des Jeux funebres en
l'honneur de Cyzique, que Jason avoit
tué par mégarde : le Saut, la Lutte & le
Javelot, furent les trois combats qu'il y
donna. Acaste fils de Pelias, après le retour des Argonautes, en fit célébrer de
funebres en l'honneur de son pere, où la

plupart de ces Héros difputerent le prix.
Zethus fils de l'Aquilon, y fut vainqueur, ainfi que Calaïs fon frere, au
Diaule, ou à la courfe redoublée (*a*)
Caftor à celle du Stade, & Pollux fon
frere, au combat du Cefte ; Telamon à
celui du Palet ; Pelée à la Lutte ; Hercule à tous les combats ; Méleagre à celui
du Javelot ; Cygnus fils de Mars y tua
Diodotus dans un combat à outrance ;
Bellerophon fut vainqueur à la courfe
du cheval ; Iolaüs fils d'Iphiclus, de la
Courfe des chars, où il vainquit Glaucus
fils de Sifyphe, dont les chevaux s'em-
porterent. Eurithe fils de Mercure, eut
l'avantage à tirer de l'arc ; Cephale à la
Fronde ; Olympe, difciple de Marfyas
à jouer de la trompette ; Orphée fils
d'Oeagrus, eut le prix de la Cithare ;
Linus fils d'Apollon celui du chant , Eumolpe celui de la voix jointe à la trompette.

Ces Jeux, comme il eft aifé de le voir,
furent très - folemnels , & on y donna
prefque toutes les fortes de combats qui
fouvent n'étoient qu'en partie dans la
plupart des autres Jeux.

Priam eft le treizieme, qui après avoir
fait expofer fon fils Pâris, fit célébrer

(*a*) C'eft ce qu'on appelloit *Dolichodromos.* Voyez le
Traité de Mercurialis. Liv. 2. pag. 159.

plusieurs années après, des Jeux près d'un Cenotaphe qu'il avoit fait ériger en son honneur, dans lesquels combattirent Nelée fils de Neréus, Helenus, Deiphobe & Polytese, tous trois fils de Priam, Telephe fils d'Hercule, Cygnus, Sarpedon, & Pâris lui-même, qui ayant vaincu ses freres, fut reconnu par son pere.

Achille est dans cette liste le quatorzieme, qui fit célébrer des Jeux funebres en l'honneur de Patrocle, qui sont si bien décrits dans le vingt-quatrieme Livre de l'Iliade d'Homere. Enfin Enée est le dernier, qui en fit célébrer chez Aceste son Hôte, en l'honneur d'Anchise son Pere, mort depuis un an, sur lesquels on peut consulter le cinquieme Livre de l'Enéïde.

Comme cet Auteur ne fait point mention des Jeux Pythiens, célébrés en l'honneur d'Apollon, ni de quelques autres à peu près de la même antiquité, je ne doute pas que leurs Instituteurs n'aient été ceux dont il parloit dans l'endroit de ce Chapitre, qui se trouve perdu.

Tous ces Jeux avoient chacun leurs combats & leurs cérémonies particulieres ; & c'étoient ces combats & ces exer-

E v

cices qui compofoient la Gymnaftique
des Anciens; mais comme je ne dois pas
traiter à fond ce fujet qui n'a point de
rapport à la Mythologie, je renvoie les
curieux au Traité de Jerôme Mercuriä-
lis, à celui de Pierre Faure, & aux fça-
vantes Differtations de M. Burette, répandues dans prefque tous les volumes
des Mémoires de l'Académie des Belles-
Lettres.

Cependant pour inftruire ceux qui
n'ont nulle habitude avec ces Auteurs,
je vais donner ici une notion générale
de cette Gymnaftique.

CHAPITRE III.

Où l'on explique ce que c'étoit que la Gymnaftique.

LE mot Gymnaftique vient d'un mot
Grec, & veut dire *Nud*, parce que
c'étoit en cet état que combattoient les
Athletes, du moins depuis l'accident
arrivé à Orcippus, dont le calçon s'é-
tant dénoüé, l'embarraffa, & l'empêcha de remporter la victoire ; ce qui arriva à la trente-deuxieme Olympiade. Il

y avoit dans les Jeux des Grecs différentes fortes d'exercices , tous propres
à faire paroître la force , l'agilité & l'a-
dreſſe ; & lorſqu'ils n'étoient pas portés à l'excès, très-utiles à la ſanté. Offman
dans ſon Dictionnaire (1) , fait monter
le nombre de ces exercices à cinquante-
cinq ; mais les plus ordinaires étoient la
Courſe , le Saut, le Diſque ou le Palet,
la Lutte ou le Pancrace, le Javelot, &
le Pugilat; & ces exercices compoſoient
ce qu'on appelle le *Pentatle.* Dans les
Jeux ſcéniques, c'étoit le Chant , la Muſique, & les Tragédies, où les Muſiciens, & les Poëtes diſputoient le prix.
Ce combat eſt très-ancien , puiſqu'il en
eſt fait mention dans les Jeux célébrés
par les Argonautes.

J'ai dit que la Courſe étoit un de ces
exercices , & je dois ajouter qu'elle ſe
faiſoit ou à pied, ou à cheval , ou ſur
des chars tirés par deux , ou par quatre
chevaux ; ce qu'on exprimoit par les
mots de *Biges* , ou de *Quadriges.* Cette
courſe étoit ſimple ou redoublée ; dans
celle-ci on parcouroit deux fois le Stade, ou la Lice, & elle s'appelloit *Diaule.*

Le Palet étoit une eſpece de carreau ,
fait ou de bois, ou de pierre , ou de fer;
& la victoire étoit adjugée à celui qui le

HEROS
ou demi-
Dieux.
L. VIII. C III.

(1) Au mot
Gymnaſti.

jettoit le plus loin. Les Palets étoient fort grands & fort pefants, & il en arrivoit quelquefois de funeftes accidents : ce fut d'un coup de ces Palets qu'Apollon, ou quelqu'un de ces Prêtres tua le jeune Hyacinthe, & Perfée fon grand-pere Acrife, comme nous venons de le dire. Menage, dans fes Origines, dérive le nom de Palet de l'Arabe *Palat*, qui fignifie *lapidibus fternere*, *abattre à coups de pierres ;* mais il y a bien de l'apparence que ce mot ne venoit pas de fi loin, & tiroit fon origine de *Palæftra*.

Le Pugilat étoit un combat qui fe donnoit avec le Cefte : le Cefte étoit une efpece de gantelet fait de cuir de bœuf. Dans les premiers temps le cuir de ces gantelets étoit plus doux, plus mollet, & par cette raifon ils étoient appellés μειλίκαι. Dans la fuite ils furent d'un cuir plus dur. Les combattants s'en vroient les mains & les bras jufqu'au coude par le moyen de plufieurs courroies; & avec ces gantelets ils fe portoient des coups fi terribles, qu'ils fe caffoient fouvent les dents & fe brifoient les machoires.

Les Bebryciens excelloient fur-tout dans ce combat du Cefte : auffi Virgile dans la defcription des Jeux funebres

d'Anchife, feint qu'Entellus qui fe dif- HEROS ou demi-Dieux.
tingua dans ce combat, venoit de ce
pays-là, ainfi que je l'ai dit d'Amicus, L. VIII. C. III.
dans l'hiftoire des Argonautes.

La Lutte confiftoit dans un combat de deux perfonnes corps à corps ; & celui qui par fa force ou par adreffe renverfoit le champion avec lequel il combattoit, & l'empêchoit de fe relever, remportoit la victoire. Cet exercice étoit un des plus ordinaires, & étoit en ufage dans les temps Heroïques, comme il paroît par le combat d'Hercule avec Antée.

Les Lutteurs fe frottoient le corps d'huile, pour échapper plus aifément à leurs adverfaires, & il n'y avoit pas de tour de foupleffe qu'on n'employât pour obtenir la victoire. Lorfqu'un des deux champions étoit terraffé, il faifoit tous fes efforts pour fe relever, pendant que fon antagonifte lui ferroit la gorge, lui marchoit fur le ventre, & le traitoit de la maniere du monde la plus inhumaine. La Lutte, ou fimple ou compofée, étoit appellée le *Pancrace.*

Le Saut fe pratiquoit ou à franchir un foffé, ou quelque élévation, ou quelque efpace marqué : ainfi les Anciens dif- tinguoient plufieurs fortes de Sauts, comme on le peut voir dans Mercuria-

lis (1). Il suffit de dire que celui qui sautoit le mieux, & le plus loin, obtenoit le prix.

Le combat du Javelot consistoit ou à lancer une pierre, ou un javelot, ou quelqu'autre chose, avec le plus d'adresse & le plus loin qu'il étoit possible.

Platon (2) admettoit de deux sortes de *jaculations*, si je puis me servir de ce terme : il appelle la premiere, l'autre, ἀκόντισμα, & Galien nous apprend qu'Apollon & Esculape en avoient été les inventeurs. Les Latins traduisoient la premiere par le mot *sagittatio*, & la seconde par celui de *jaculatio*. On employoit également dans ces exercices, ou l'arc ou la baliste, ou un autre ins-

trument (3), dont on se servoit pour suspendre à la fleche une corroie qu'on tenoit à la main pour mieux viser. (*a*)

Comme de tous ces combats celui de la course, sur-tout lorsqu'elle se faisoit à cheval ou sur des charriots, étoit le plus noble (*b*), celui des Gladiateurs,

(*a*) Ces cinq exercices étoient exprimés par ces mots grecs.

Ἅλμα, δίσκος, ἀκόντιον, δρόμος και παλλη.

Saltus, discus, jaculum, cursus, & lucta.

(*b*) Horace montre bien dans sa premiere Ode, l'estime qu'on en faisoit

Sunt quos curriculo pulverem Olympicum.

qui se battoient à outrance à l'escrime,
étoit le plus méprisé. Ils se servoient ordinairement de deux épées, attaquant &
se défendant également des deux mains,
& alors on les appelloit *Dimachæri*, d'un
vieux mot Latin qui veut dire double
épée. On ne peut rien comparer à la
rage avec laquelle ces sortes de gens se
battoient, que la fureur qu'avoit le Peuple Grec & Romain de voir des gens se
couvrir de plaies & de sang, & s'entre-
tuer souvent au milieu de l'arene. En
vain les Empereurs donnerent plusieurs
Edits pour arrêter cette fureur : ils furent mal obéis, & ce ne fut guere qu'a-
près l'établissement du Christianisme,
que ce combat fut aboli ; & encore ne le
fut-il pas en même temps dans tous les
lieux où il se donnoit.

A chaque célébration de Jeux on
choisissoit des Juges pour décider à qui
appartenoit la victoire, & ces Juges
étoient nommés *Hellanodices*. Leur place étoit marquée dans le lieu le plus
propre à juger de l'avantage qu'un combattant avoit sur l'autre, & il n'y avoit
point d'appel de leur décision. Le nom-

HEROS
ou demi-
Dieux.
L. VIII. C. III.

Collegisse juvat, metaque fervidis
Evitata rotis, palmaque nobilis
Terrarum dominos evehit ad Deos.

Heros
ou demi-
Dieux.
L. VIII. C. III.

bre de ces Juges , sur-tout à Olympie,
ne fut pas toujours le même : Iphitus, le
Restaurateur des Jeux qu'on y célébroit,
voulut en être le seul Juge, & Oxilus,
ainsi que ses successeurs , conserverent
le même privilege. Dans la suite le nombre de ces Juges augmenta jusqu'à douze, & il y eut à ce sujet plusieurs changements , ainsi qu'on peut le voir dans
Pausanias (1).

(1) In Eliac.
c. 9.

Lucien avoit pris un tour fort ingénieux (2), pour faire sentir la fureur &
l'entêtement de la plupart de ces combats , en introduisant le Scythe Ana-
charsis qui en parle ainsi à Solon : " A qui
„ en veulent ces jeunes gens, de se met-
„ tre si fort en colere , de se donner le
„ croc-en-jambe, & de se rouler dans la
„ boue comme des pourceaux , tâchant
„ à se suffoquer & à s'empêcher la respi-
„ ration ? Ils s'huiloient & se rasoient
„ l'un l'autre assez paisiblement d'abord;
„ mais tout à coup baissant la tête, ils se
„ sont entre-choqués comme des béliers;
„ puis l'un élevant en l'air son compa-
„ gnon , le laisse tomber à terre par une
„ secousse violente , & se jettant sur lui,
„ l'empêche de se relever , lui pressant la
„ gorge avec le coude , & l'étreignant
„ avec les jambes ; de sorte que j'ai peur

(2) Dial. des
exercices du
corps.

„qu'il ne l'étouffe , quoique l'autre lui
„frappe fur l'épaule, pour le prier de le
„lâcher comme fe reconnoiffant vaincu.
„Il me femble qu'ils ne devroient pas
„s'enduire ainfi de boue , après s'être
„huilés, & ils me font rire quand je vois
„qu'ils efquivent les mains de leurs com-
„pagnons comme des anguilles que l'on
„preffe. En voilà qui font la même cho-
„fe à découvert, hormis que c'eft dans
„le fable qu'ils fe roulent comme des
„poules , avant que d'en venir au com-
„bat , afin que la main de l'adverfaire
„ait plus de prife, & que fa main ne
„coule pas fur l'huile & fur la fueur.
„Ces autres , couverts auffi de pouffie-
„re , s'entrelacent à coups de pieds &
„de poings , fans effayer de fe renver-
„fer comme les premiers : l'un crache
„fes dents avec le fable, d'un coup qu'il
„a reçu dans la machoire , fans que cet
„homme vêtu de pourpre , qui préfide
„à ces exercices , fe mette en peine de
„les féparer. Ceux-ci font voler la pouf-
„fiere en fautant en l'air , comme ceux
„qui difputent le prix de la courfe, &c.„

CHAPITRE IV.

Des lieux destinés à la célébration des Jeux, & des Villes principales qui en donnoient les représentations.

LEs exercices & les combats qui se donnoient dans ces Jeux étoient différens, & demandoient plus ou moins de terrain. On avoit construit dans les endroits où on les célébroit, des lieux dont l'espace & la commodité répondoient à la magnificence & aux ornemens qu'on y avoit joints ; & ces lieux, quoique destinés aux mêmes exercices , n'avoient pas par-tout la même étendue ni la même forme , & ne portoient pas le même nom.

Dans les premiers temps , où regnoit la simplicité , il paroît que pour les Jeux, du moins pour ceux qui ne se célébroient qu'une fois, on se contentoit de choisir en plein champ un lieu commode pour les exercices qu'on y devoit faire. C'est ainsi qu'en usa Achille pour la célébration des Jeux funebres de Patrocle , &

Enée pour l'anniverſaire de ſon pere, pour leſquels on ne fit d'autres prépara-tifs, que de meſurer l'eſpace qu'on devoit parcourir, le netoyer & y placer des bor-nes. Adraſte & les autres Chefs qui inſti-tuerent les Jeux Néméens, n'y prirent pas d'autres précautions, quoiqu'ils euſſent deſſein de les faire repréſenter à des temps marqués : mais dans la ſuite on conſtruiſit, ſur-tout dans les grandes villes, des lieux propres à les célébrer avec toute la magnificence poſſible, & ces lieux portoient différens noms. A Pi-ſe, l'endroit deſtiné aux Jeux Olimpi-ques, s'appelloit le *Stade*, dont on verra la deſcription dans le Chapitre ſuivant : à Rome c'étoit *le Cirque*, & à Conſtantinople *l'Hippodrome*. Comme les courſes, ſoit à pied ou à cheval, ou ſur des charriots, demandoient beaucoup d'eſpace, ces lieux étoient grands & ſpa-cieux, plus longs que larges, & tels qu'il les falloit pour les courſes qui s'y faiſoient.

Pour les Scéniques on avoit des Théa-tres publics; & pour les combats de l'Eſ-crime & des Gladiateurs, ſoit des uns contre les autres, ou contre des bêtes féroces, des édifices faits exprès, qu'on nommoit *Arenes*, *Coliſées*, &c. & dans

les uns & dans les autres on avoit eu soin de pratiquer un nombre prodigieux de loges, & d'autres places ausquelles on arrivoit par de petits escaliers ménagés dans l'épaisseur des murs, Ces places étoient marquées pour les personnes d'états différens qui devoient les occuper. Le concours du monde y étoit toujours très-grand, car les Grecs & les Romains aimoient ces sortes des Spectacles; les derniers sur-tout, ceux de Gladiateurs, avec une fureur qu'il seroit difficile d'exprimer.

Dans ceux de ces Edifices où l'on combattoit contre des animaux, on avoit pratiqué dans le bas des cloisons, où on les tenoit enfermés, qui s'ouvroient par le moyen d'une coulisse, qui se levoit lorsqu'on vouloit les lâcher dans l'Arene, où ceux qui devoient se battre avec eux, les attendoient. On n'épargnoit rien pour avoir les animaux les plus féroces & en même temps les plus rares, & quelquefois on les faisoit venir du fond de l'Afrique avec des dépenses extraordinaires. Comme on donnoit aussi dans quelques-uns de ces lieux des *Naumachies*, on y faisoit conduire de l'eau en si grande abondance, & l'espace qui la contenoit étoit si vaste, que plusieurs

Galeres y manœuvroient à l'aife, & on y repréfentoit , dans toute l'exactitude poffible un vrai combat naval.

Les Antiquaires ont eu grand foin de faire graver la plupart de ces Edifices : Onuphrius Panvinus fur - tout nous a confervé ceux des Cirques de Rome, de l'Hippodrome, & plufieurs autres. Il en refte même encore dans cette ville & dans quelques autres , que le temps n'a pu détruire ; tels que font les Arenes de Nifmes, celles d'Orange, & plufieurs autres; mais rien ne donne une idée plus grande de la magnificence de ces Monumens , que les reftes du Colifée qu'on voit encore à Rome , qui a de quoi nous frapper d'étonnement, quoiqu'un des fouverains Pontifes du fiecle paffé en ait fait détruire une grande partie pour la conftruction d'un fuperbe Palais.

Après avoir donné une idée générale de ces Jeux , & de exercices qui s'y pratiquoient , je dois entrer dans quelques détails au fujet des principaux ; de ceux fur-tout qui avoient été inftitués par les Grecs : mais je crois qu'il eft néceffaire de rapporter auparavant une ancienne infcription (*a*) que les Mégariens

(*a*) Spon, Voyage de Grece, tome I. p. 289. & Tom. III. p. 221 où on en trouve une prefque femblable dans les Marbres d'Arondel.

avoient faite, pour y éternifer le fou-
venir des victoires d'un illuftre Athle-
te parce qu'elle nous fait connoître les
lieux différents où ces Jeux étoient célébrés.

Les Jeux Olympiques l'étoient à Pi-
fe, en l'honneur de Jupiter.

Les Pythiens à Delphes, en l'honneur
d'Apollon.

Les Néméens, à Argos.

Les Ifthmiens dans l'Iftme de Corinthe.

Les Panathénées, à Athenes, en l'honneur de Minerve.

Les Olympiens, auffi à Athenes.

Les Pan-Helleniens, c'eft-à-dire, de
toute la Grece, dans la même Ville.

Les Eléufiniens, auffi à Athenes.

Les Héracliens, en l'honneur d'Hercule, à Thebes.

Les Trophoniens, à Lébadia.

Les Eleuthériens, à Platée.

Le Bouvier de Junon, à Argos.

Les Pythiens, à Milet dans l'Ionie.

Les mêmes, à Magnefie.

Les Jeux communs de l'Afie, à Philadelphe.

Les Jeux Actiens pour Apollon, à Nicopolis.

Les Pythiens, à Side.

Les mêmes, à Perga.

Les mêmes, à Theſſalonique.

Les Eſculapiens, à l'honneur d'Eſculape, à Epidaure.

Les Capitolins, à Rome.

Ceux qu'on appelloit *Euſebia*, à Pouzzol.

Les Jeux en l'honneur des Empereurs, à Naples.

Parmi ces Jeux différents, la Grece en diſtinguoit principalement quatre anciens, qu'elle célébroit avec beaucoup de ſolemnité ; les Olympiques, les Pythiques, les Néméens, & ceux de l'Iſthme, ſuivant ce Vers d'Auſone :

Quatuor antiquos celebravit Achaia ludos,

dont je vais parler dans les quatre Chapitres ſuivants.

CHAPITRE V.

Des Jeux Olympiques.

JE commence par les Jeux Olympiques, comme les plus célebres, & peut-être les plus anciens de la Grece. Ce n'eſt pas qu'on ſçache au juſte le temps de leur inſtitution, ſur laquelle il y a diverſes opinions dans les Anciens.

Diodore de Sicile prétend qu'ils furent inftitués pour l'Hercule de Crete, un de ces Dactiles Idéens, dont j'ai parlé dans l'Hiftoire de Jupiter. Mais comme cet Auteur ne nous apprend autre chofe à ce fujet, je vais prendre pour guide Paufanias, qui paroît avoir eu un foin particulier de fe faire inftruire dans fon Voyage de Grece, de tout ce qui regardoit cette folemnité. „ Quant aux Jeux „ de la Grece, dit-il, voici ce que j'en „ ai appris de quelques Eléens qui m'ont „ paru fort profonds dans l'étude de l'An- „ tiquité. Selon eux, Saturne eft le pre- „ mier qui ait regné dans le Ciel, & dès „ l'âge d'or, il avoit déja un Temple à „ Olympie. Jupiter étant venu au mon- „ de, Rhéa fa mere en confia l'éducation „ aux Dactyles du mont Ida, autrement „ appellés, *Curetes*. Ces Dactiles vinrent „ enfuite de Crete en Elide, car le mont „ Ida eft en Crete. Ils étoient cinq freres, „ fçavoir, Hercule, Péonéus, Epimede, „ Iafius, & Ida. Hercule, comme l'aîné, „ propofa à fes freres de s'exercer à la „ courfe, & de voir qui en remporte- „ roit le prix, qui étoit une Couronne „ d'olivier; car l'olivier étoit déja fi com- „ mun, qu'ils en prenoient les feuilles „ pour en joncher la terre, & pour dor-
„ mir,

„ mir deſſus : Hercule apporta le pre-
„ mier cette plante en Grece , de chez
„ les Hyperboréens..... C'eſt donc
„ Hercule Idéen qui a eu la gloire d'in-
„ venter ces Jeux , & qui les a nommés
„ Olympiques ; & parce qu'ils étoient
„ cinq freres , il voulut que ces Jeux fuſ-
„ ſent célébrés tous les cinq ans. Quel-
„ ques-uns diſent que Jupiter & Saturne
„ combattirent enſemble à la Lutte dans
„ Olympie , & que l'empire du monde
„ fut le prix de la victoire : d'autres pré-
„ tendent que Jupiter ayant triomphé
„ des Titans, inſtitua lui-même ces Jeux,
„ où Appollon entr'autres ſignalā ſon
„ adreſſe en remportant le prix de la
„ courſe ſur Mercure , & celui du Pu-
„ gilat , ſur Mars. „

Il ne faut pas s'imaginer que ces Jeux,
depuis leur premiere inſtitution , aient
été célébrés de ſuite : ils furent ſouvent
interrompus,& même pendant des temps
très-conſidérables; puis renouvellés encore , & encore négligés , juſqu'à ce
qu'enfin ils prirent une forme ſtable &
durable ; leur célébration revenant réguliérement tous les cinq ans, c'eſt-à-dire,
pour parler plus exactement, après quatre ans révolus , & au premier mois de
la cinquieme année : voilà pourquoi on

comptoit cinq ans d'une Olympiade à
l'autre, quoique dans le fond il n'y eut
que quatre ans complets. Mais l'Auteur
que je viens de citer, va nous inftruire
de ces interruptions & de ces reprifes.

,, Cinquante ans après le Déluge de
,, Deucalion, dit-il, Clymenus fils
,, de Cardis, & l'un des defcendants
,, d'Hercule Idéen, étant venu de Crete,
,, célébra ces Jeux à Olympie ; enfuite
,, il confacra un Autel aux Curetes, &
,, nommément à Hercule, fous le titre
,, d'Hercule protecteur. Endymion, fils
,, d'Æthlius chaffa Clymenus de l'Elide,
,, s'empara du Royaume, & le propofa
,, à fes enfants pour prix de la courfe :
,, mais Pelops, qui vint environ trente
,, ans après Endymion, fit repréfenter
,, ces Jeux en l'honneur de Jupiter, avec
,, plus de pompe & d'appareil qu'aucun
,, de fes prédéceffeurs. Ses fils n'ayant pu
,, fe maintenir en Elide, & s'étant ré-
,, pandus en divers lieux du Péloponefe,
,, Amithaon fils de Créthéus, & coufin-
,, germain d'Endymion, (car on dit
,, qu'Æthlius étoit fils de cet Eole, qui
,, eut le furnom de Jupiter) Amythaon,
,, dis-je, donna ces Jeux au peuple.
,, Après lui, Pélias & Nelée les donne-
,, rent à frais communs. Augée les fit

„ aussi célébrer , & ensuite Hercule fils
„ d'Amphitryon , lorsqu'il eut pris l'E-
„ lide. Le premier qu'il couronna fut Io-
„ las , qui pour remporter le prix de la
„ course du char , avoit emprunté les
„ propres cavales d'Hercule ; car en ces
„ temps-là on empruntoit sans façon les
„ chevaux qui étoient en réputation de
„ vîtesse. „

Depuis Oxylus , qui ne négligea pas
non plus ces Spectacles, les Jeux Olympiques furent interrompus jusqu'à Iphitus, qui les rétablit. On avoit même
presque perdu le souvenir des exercices
& des combats qui y avoient été mis en
usage dès leur origine : peu-à-peu on se les
rappella ; & à mesure qu'on se ressouve-
noit de quelqu'un de ces exercices, on l'a-
joutoit à ceux qu'on avoit déja retrouvés.
Pendant l'interruption dont on vient de
parler , la Grece gémissoit déchirée par
des guerres intestines, & étoit désolée en
même temps par la peste. Iphitus alla à
Delphes pour consulter l'Oracle sur des
maux si pressants , & il lui fut répondu
par la Pythie , que le renouvellement
des Jeux Olympiques seroit le salut de la
Grece ; qu'il y travaillât donc lui & ses
Eléens. Iphitus ordonna aussi-tôt un sacrifice à Hercule pour appaiser ce Dieu,
puis célébra les Jeux.   F ij

Ces Jeux furent encore interrompus
pendant l'espace de 86 ans : ensuite ils
furent recommencés, & ce fut à cette
premiere Olympiade que Corœbus
remporta le prix de la course. Cette victoire est d'autant plus remarquable dans
l'antiquité, que ce fut par cette même
célébration, que l'on commença de
compter les Olympiades, qui ne furent
plus interrompues depuis ; ce qui arriva
1776 ans avant Jesus-Christ ; époque
célebre parmi les Grecs, quoiqu'à parler
exactement, ils ne se soient servis des
Olympiades pour compter les temps,
qu'environ cinquante ans avant Alexandre le Grand, comme je l'ai remarqué
dans une autre occasion. Mais on partit
de l'Olympiade de Corœbus ; & depuis
ce temps-là ces Jeux servirent d'époque
à toute la Grece, à la différence des autres Jeux qui n'en servoient que dans les
pays où ils étoient célébrés. Ainsi les
habitants de Delphes & les Béotiens employoient à leur Chronologie les Jeux
Pythiens, ceux de l'Isthme & les Corinthiens comptoient leurs années par les
célébrations des Jeux Isthmiques ; les
Argiens & les Arcadiens se servoient à
cet usage de celles des Jeux Neméens ;
car je n'ai trouvé que ces quatre Jeux,

dont la célébration ait servi d'époque aux Grecs.

Le lieu où se donnoient ces Jeux étoit nommé le Stade : c'étoit une espace de six cents pas, qu'on avoit renfermé de murs, près de la ville d'Elis, & du fleuve Alphée, & qu'on avoit orné de tout ce qu'on avoit cru propre à l'embellir. Mais comme on avoit été contraint de s'assujettir au terrein, qui étoit inégal, ce Stade étoit fort irrégulier, ainsi qu'on peut le voir par le dessein qu'en a tracé sur la description de Pausanias, M. le Chevalier Folard, & que M. l'Abbé Gedouyn a fait graver, pour l'insérer dans la traduction de cet Auteur Grec.

Ce Stade (1) étoit composé de deux parties : la premiere dont la figure ressembloit assez à la proue d'un vaisseau, étoit nommée *la Barriere.* C'étoit-là qu'étoient les Ecuries & les Remises où se tenoient les chevaux & les charriots, & où ils s'apparioient. La seconde étoit nommée *la Lice,* & c'étoit dans l'espace qu'elle contenoit, que se faisoit les courses, soit à cheval, soit avec les charriots. Au bout de la Lice étoit la borne, autour de laquelle il falloit tourner ; & comme celui qui en approchoit le plus, formoit un cercle plus court, il étoit, toutes choses

(1.) *Pausan.
in Eliac.*

égales, plutôt revenu au lieu d'où il étoit parti. C'étoit-là principalement que confiſtoit l'adreſſe de ceux qui conduiſoient les chars, & où en même temps, ils couroient le plus grand danger. Car indépendamment de ce qu'ils pouvoient s'y rencontrer avec un autre char; ſi on venoit à toucher cette borne, l'eſſieu ſe briſoit en mille pieces, ou recevoit du moins quelque échec qui faiſoit perdre tout l'avantage. Voilà ce qu'Horace exprime par ces mots, *metaque fervidis evitata rotis.* (1)

Au-delà de cette borne étoit encore une autre occaſion de danger. C'étoit la figure du Génie Taraxippus, dont on a parlé dans le cinquieme Liv. du Tome V. qui étoit faite de maniere à effrayer les chevaux. On ne ſçait ſi on l'avoit miſe là exprès pour augmenter le danger de la courſe, ou ſi par reſpect pour ce Génie, on l'y avoit laiſſée, ſuppoſé qu'elle y fût avant la conſtruction du Stade ; mais il eſt toujours vrai que c'étoit un endroit fort dangereux.

Des deux côtés de cette Lice , dans toute ſa longueur, étoient les places des Spectateurs. Les principales étoient pour les Juges & pour les perſonnes de conſidération ; le peuple qui y accouroit en

foule, se mettoit où il pouvoit : car rien n'est égal à la curiosité qu'on avoit pour ces sortes d'exercices.

J'ai dit que de la Barriere les chars entroient dans la Lice, & je dois ajouter que la séparation de ces deux lieux étoit fermée avec une corde, qui se baissoit par une espece de méchanique, que décrit Pausanias ; & c'étoit le signal qui avertissoit d'entrer dans la Lice.

Ces Jeux qu'on célébroit vers le Solstice d'Eté, duroient cinq jours ; car un seul n'auroit pas suffi pour tous les combats, qui s'y donnoient. Comme ils étoient consacrés à Jupiter, & faisoient partie des cérémonies religieuses du Paganisme, le premier jour étoit destiné aux sacrifices, le second, au Pentathle & à la course à pied, le troisieme au combat du Pancrace & de la Lutte simple ; les deux autres, aux courses à pied, à celle des chevaux, & à celle des chars. (a)

Comme les Athletes combattoient nuds dans ces Jeux, du moins depuis l'accident dont j'ai parlé, il étoit défendu aux femmes & aux filles, sous peine de la vie, d'y assister, & même de passer

______

(a) Il y eut de temps en temps quelques variétés sur l'ordre dont je parle, ainsi qu'on peut le voir dans Pausanias, *in Eliac. cap.* 9.

(1) Paufan
ibid. c. 6.

l'Alphée pendant tout le temps de leur célébration (1), & cette défenfe, ainfi que
les habitans du pays le dirent à Paufanias,
fut fi exactement obfervée, qu'il n'arriva
jamais qu'à une feule femme de violer
cette loi. Cette femme, que les uns nomment Callipatire, & les autres Phevé-
nia, étant devenue veuve, s'habilla à
la façon des maîtres d'exercice, & conduifit elle-même fon fils Pifidore à
Olympie. Le jeune homme ayant été
déclaré vainqueur, la mere tranfportée
de joie, jetta fon habit d'homme, & fau-
ta par deffus la barriere qui la tenoit
renfermée avec les autres maîtres, &
elle fut connue pour ce qu'elle étoit.
Cependant on lui pardonna cette infrac-
tion de la loi, en confidération de fon pere, de fes freres, & de fon fils, qui tous
avoient été couronnés aux mêmes Jeux;
& depuis ce temps là il fut défendu aux
Maîtres d'exercices de paroître autrement que nuds à ces fpectacles. La peine impofée par la loi, étoit de précipiter les femmes qui oferoient l'enfrein-
dre, d'un rocher fort efcarpé qu'on appelloit le mont *Typée*, & qui étoit au-
delà de l'Alphée.

Il étoit auffi défendu aux hommes, fous
peine d'une amende confidérable, d'ufer

de la moindre fraude pour être déclaré
vainqueur ; mais ni les loix ni les peines
ne font pas toujours un frein capable de
contenir l'ambition dans de juftes bornes.
Il y eut des fupercheries , & la punition
févere qu'on en tira , n'empêcha pas
qu'on ne retombât de temps en temps
dans les mêmes fautes. On trouvoit , dit
Paufanias (1), en allant du Temple de la
Mere des Dieux au Stade, fix Statues de
Jupiter, qui toutes fix étoient de bronze ,
& qui avoient été faites du produit des
amendes auxquelles avoient été condamnés des Athletes qui avoient ufé de
fraude pour remporter le prix, ainfi que
le marquoient les Infcriptions en vers
Elégiaques qu'on y avoit mifes. Les vers
qui étoient fur la premiere, avertiffoient
que le prix des Jeux Olympiques s'ac-
quéroit, non par argent, mais par la
légéreté des pieds , & par la force du
corps. Ceux de la feconde portoient que
cette Statue avoient été érigée à Jupiter
pour faire craindre aux Athletes la vengeance du Dieu , s'ils ofoient violer les
loix qui leur étoient prefcrites ; ainfi à
peu près des autres.

On croit que ce fut le Theffalien Eu-
molpus , qui corrompit le premier à force d'argent, ceux qui fe préfentoient avec

HEROS
ou demi-
Dieux.

L. VIII. C. V.

(1). Ibid. c. 22.

E v

lui pour le combat du Ceste : on le punit pour avoir donné cet argent ; & ceux à qui il l'avoit donné, pour l'avoir reçu. Quoique rien ne fût plus infamant que cette amende, & les monuments dont j'ai parlé, cependant il y eut un Athénien nommé Callipe, qui acheta le prix du Pentathle. On le condamna à l'amende, & Hyperide, député d'Athenes, ayant demandé sa grace, & n'ayant pu l'obtenir, les Athéniens défendirent au coupable de payer cette amende, mais les Eléens fermes à maintenir leurs loix, les exclurent des Jeux, & cet interdit dura jusqu'à ce qu'ayant été consulter l'Oracle de Delphes, la Pythie leur déclara qu'elle n'avoit aucune réponse à rendre, qu'au préalable ils n'eussent satisfait les Eléens. Les Athéniens se soumirent à l'amende, dont le produit fut employé à consacrer à Jupiter six autres Statues, avec des Inscriptions qui en contenoient l'histoire.

Les concours prodigieux du monde qu'attiroit à Olympie la célébration de ces Jeux, avoit enrichi cette ville & toute l'Elide : aussi n'y avoit-il rien dans toute la Grece de comparable au Temple & à la Statue de Jupiter Olympien, dont j'ai fait la description dans le premier Volu-

me de cette Mythologie. Autour de ce Temple étoit un Bois sacré nommé l'*Altis*, dans lequel avec les Chapelles, les Autels, & les autres monuments consacrés aux Dieux, & dont on trouve une description fort détaillée dans l'Auteur que j'ai cité tant de fois, étoient les Statues, toutes de la main des Sculpteurs les plus célebres, érigées en l'honneur de ceux qui avoient remporté les prix dans ces Jeux; récompense précieuse, qui jointe à la couronne de lauriers dont on leur ceignoit la tête en présence de tout ce qu'il y avoit de plus grand & le plus distingué dans la Grece, & l'honneur que leur faisoient les villes pour les recevoir, étoient très-capables de soutenir cette ardeur qu'on témoignoit pour obtenir la victoire.

Remarquons, avant que de finir ce Chapitre, que les descendants de *Hellen* ayant formé un nombre prodigieux de familles dans la Grece, y devinrent si puissants, & y acquirent tant de crédit, qu'ils firent passer une loi, par laquelle il étoit ordonné qu'il n'y auroit que ceux qui rapportoient leur origine à ces familles qui pussent être admis à disputer les prix aux Jeux Olympiques : & Hérodote nous apprend à ce sujet qu'Alexandre

le Grand fut lui-même obligé de prouver qu'il étoit un des *Hellenes*, avant que d'être reçu à entrer en Lice dans ces Jeux. Mais ce qui arriva de-là, c'est que tous les Grecs se trouverent sortis de quelqu'une de ces familles ; tant elles avoient été nombreuses & répandues dans tout le pays, & dès-lors le nom de *Hellenes*, particulier à un seul peuple, devint le nom général de tous ceux de la Grece.

Je me suis un peu étendu sur la célébration de ces Jeux ; mais comme ils étoient en même temps, comme je l'ai dit, les plus anciens & les plus solemnels de la Grece, & qu'on observoit dans les autres à peu près la même police & les mêmes loix; qu'il y avoit dans tous à peu près les mêmes exercices, des couronnes pour récompense, des Juges & des Combattants; que les uns & les autres étoient obligés par serment de se soumettre à certaines loix, j'ai cru qu'il étoit nécessaire de les bien faire connoître : je ferai beaucoup plus court dans la description des autres.

CHAPITRE VI.

Des Jeux Pythiques.

J'AI dit dans l'Histoire d'Apollon (1), que la défaite du serpent Python avoit donné lieu à l'Institution des Jeux Pythiques, ce qui a fait dire à Ausone : (1) Tom. IV. Liv. I.

Pythia placando Delphi statuere Draconi (2) (2) Egl.

Comme j'ai expliqué cette Fable, & fait voir ce qu'on devoit entendre par ce monstre qu'Ovide dit avoir été formé de la boue laissée sur la terre par le Déluge de Deucalion, il ne s'agit ici que de rapporter ce qui regarde particuliérement ces Jeux. D'abord, il est incertain en quel temps ils furent établis, & on ignore leur premier Instituteur. Car lorsque Pausanias (3) en donne la gloire à Dio- (3) in Co... mede, qui fit bâtir un Temple à son retour de Troye, en l'honneur d'Apollon *Epibaterius* (a), je suis persuadé qu'il se trompe, puisque leur institution précede

(a) Ainsi appellé d'un mot grec qui veut dire *Conscendo*, je monte, pour marquer que ce Dieu étoit monté sur les Vaisseaux de Diomede, pour se délivrer lui-même du danger auquel lui & les compagnons étoient exposés.

de beaucoup le temps auquel vivoit ce Héros. Ce qu'on peut dire de plus vraisemblable à ce sujet, est qu'il établit dans le lieu où il fit élever le Temple dont on vient de parler, les mêmes Jeux qu'on célébroit depuis long-temps à Delphes.

Dans les commencements, ces Jeux ne consistoient qu'en des combats de chant & de Musique, ainsi que l'observe le même Pausanias, & dès-là ils sembloient n'avoir été institués que pour y chanter les louanges du Dieu qui avoit délivré la terre d'un monstre qui alloit la désoler. Les autres exercices n'y furent admis que dans la suite. Il paroît bien en effet que la chose étoit ainsi, par ceux qui y disputerent les premiers prix, puisqu'à la premiere représentation [1) Chrysothemis de l'Isle de Crete remporta la victoire, & ensuite Thamyris fils de Philammon. Ce qu'il y a de singulier, vu le respect qu'on avoit généralement pour tous ces Jeux que la Religion avoit consacrés, & qui étoient spécialement dédiés à quelque Divinité, c'est que ni Orphée, qu'une haute sagesse & une profonde connoissance des mysteres rendoient recommandable ; ni Musée, ne voulurent jamais s'abbaisser à disputer es prix des Jeux Pythiques- Un certain

Eleuthere y fut couronné uniquement à caufe de fa belle voix, car l'Hymne qu'il chanta n'étoit pas de lui. On dit qu'Héfiode ne fut pas reçu à y difputer le prix, parce qu'en chantant il ne fçavoit pas accompagner de la lyre. Pour Homere (1),on prétend qu'il étoit allé à Delphes; mais qu'étant devenu aveugle, il avoit fait peu d'ufage du talent qu'il avoit de chanter & de jouer de la lyre en même temps. Les Peintres y étoient auffi reçus à difputer le prix, & Timagore fut préféré à Pénée frere de Phidias.

Dans la fuite on fit des changements à ces Jeux. La troifieme année de la quarante-huitieme Olympiade, les Amphictyons, laiffant toujours fnbfifter le prix de Mufique & de Poëfie, y en ajouterent deux(2), l'un pour ceux qui accompagneroient de la flûte, l'autre pour les joueurs de flûte feulement: puis enfin on admit à ces Jeux les mêmes combats & les mêmes exercices qu'à Olympie. La courfe fur des chars tirés à quatre chevaux, après en avoir été long-temps exclue,y fut enfin introduite du temps d'Orefte. Les enfants même, par une loi expreffe furent admis à la courfe du Stade fimple, & à la courfe du Stade répété. Incontinent après, (c'eft toujours Paufanias

(1) Id. ibid.

(2) Id. ibid.

que je copie] c'eſt-à-dire, dans la Py-
thiade qui ſuivit celle où les enfants
avoient eu permiſſion de courir, on
abolit le prix, & il fut réglé qu'il n'y
auroit plus que des couronnes pour les
Vainqueurs, comme aux autres Jeux de
la Grece : il paroît par-là qu'il y avoit
anciennement un prix en argent ou en
habits, &c. comme aux Jeux funebres de
Patrocle, mais nous ignorons en quoi
il conſiſtoit préciſément.

On retrancha dans la ſuite de ces Jeux,
l'accompagnement de la flûte, parce
qu'il avoit je ne ſçai quoi de triſte, qui
ne convenoit qu'aux Elegies ; mais en
récompenſe on y admit la courſe des
Quadriges; & Cliſthene, celui-là même
qui devint dans la ſuite le Tyran de Sicyone, fut couronné à la premiere de
ces courſes.

A ces exercices & quelques autres
dont parle Pauſanias, on ajouta enfin
le Pancrace, la ſoixante-unieme Py-
thiade, en laquelle Laïdus de Thebes eut
la victoire. La couronne de laurier étoit
d'abord la ſeule récompenſe des Vainqueurs, & les branches de cet arbre furent préférées à celles des autres arbres,
par l'opinion où l'on étoit qu'Apollon
avoit été amoureux de Daphné (1)Dans

la fuite on donna une récompenfe en argent, dans les lieux mêmes où régnoit
l'ufage des couronnes.

Finiffons, en obfervant qu'anciennement ces Jeux n'étoient célébrés que
tous les huit ans, mais que dans la fuite
ils le furent tous les quatre ans, & fer-
virent d'époque aux habitans de Delphes
& des environs. Le temps de leur célébration, fuivant Diodore de Sicile, Paufanias & Plutarque, concouroit réguliérement avec la troifieme année de
chaque Olympiade. Ce furent les Amphictyons qui firent ce changement, fur
quoi on peut confulter le P. Petau, Scaliger, & en particulier les Cycles du
fçavant Dodwel.

Les Romains, fur quelque vers de
Martius, adopterent ces Jeux l'an 642.
de la fondation de leur ville (1) & leur
donnerent le nom d'Apollinaires. *Si vous
voulez vaincre l'ennemi*, portoit la prédiction de ce Devin, *établiffez des Jeux
en l'honneur d'Apollon.* D'abord c'étoit
le Préteur qui étoit prépofé à la répré-
fentation de ces Jeux, puis on établit des
Quindecimvirs, qui en prirent foin, &
qui devoient les donner à la maniere
des Grecs.

H E R O S
ou demi-
Dieux.
L. VIII. C. VI.

(1) Tit. Liv;
Liv. 25.

CHAPITRE VII.

Des Jeux Néméens.

(1)Tom VI.
14.

J'Ai raconté dans l'Hiſtoire de la premiere expédition de Thebes (1), de quelle maniere Adraſte & les autres Chefs qui l'accompagnoient, avoient inſtitué les Jeux Néméens, après la triſte aventure arrivée au jeune Archemore, ou, comme d'autres l'appellent, Opheltès, fils du Roi Lycurgue, à qui Hypſiphile fille de Thoas donnoit à tetter. Cette tradition, touchant l'inſtitution de ces Jeux, quoique fort autoriſée dans l'Antiquité, n'étoit cependant pas la ſeule qui eût cours dans la Grece, & il y en avoit une autre qui l'attribuoit à Hercule, qui les établit après avoir délivré la forêt de Nemée & les environs, de ce Lion ſi célebre dans la Fable, dont il porta toujours depuis la dépouille. C'eſt le ſentiment de Tertullien, qui l'avoit puiſé ſans doute dans les Auteurs Grecs : *Olympia Jovi, quæ ſunt Ro-*

(2)De Spect.
c. 11.
mæ Capitolina, item Herculi Nemea (2). Ces Jeux, au reſte, quoique renouvellés

à des temps marqués, c'eſt-à-dire, ou tous les trois ans, ſuivant quelques Auteurs, ou plutôt tous les cinq ans, tenoient beaucoup des Jeux funebres. C'eſt ainſi qu'en ont penſé Stace (a) & Artemidore : *la couronne qu'on donne à Nemée*, dit ce dernier, (1) *eſt du nombre de celle qu'on deſtine aux combats funebres*, appellées ἀγῶνας ἐπιταφίους, de ceux qui étoient morts dans quelque combat.

On donnoit dans ces Jeux les mêmes exercices que dans les autres, même ceux de la Muſique & des inſtruments. Il eſt vrai que Pierre Faur qui ſoutient que cette ſorte de combat y étoit en uſage, rapporte pour cette opinion un paſſage d'Hygin (2), qui ne prouve rien pour les Jeux Néméens, car ce Mythologue ne parle en cet endroit que des Jeux d'Argos, qui ſçait bien diſtinguer de ceux de Nemée dont il fait un article à part ; cependant la choſe n'en eſt pas moins ſûre, puiſque nous avons ſur cela un paſſage poſitif de Pauſanias (3), où il eſt dit que Philopemen aſſiſtant aux „ Jeux Néméens, où des Joueurs de „ Cithare diſputoient le prix de la Mu-

HEROS
ou demi-
Dieux.
L.VIII.C.VII.

(1) Liv. 79.

(2) Fab. 173.

(3) L.8.c.50.

(a) *Illic & Siculi ſuperaſſem dona ſepulchri ;*
Et Nemees Lucum, & Pelopis ſolemnia primi. Sil.L.5.

„ fique, Pyladé de Megalopolis un des
„ plus habiles en cet art, & qui avoit dé-
„ ja remporté le prix aux Jeux Pythi-
„ ques, fe mit à chanter un Cantique de
„ Timothée de Milet, intitulé *les Portes*,
„ & qui commençoit par ce vers ; *Héros*
„ *qui rends aux Grecs l'aimable liberté*,
„ auffi-tôt tout le monde jetta les yeux
„ fur Philopemen, & tous s'écrierent
„ que rien ne convenoit mieux à ce
„ grand'homme. „

La récompenfe des Vainqueurs aux
Jeux Néméens étoit une couronne d'A-
che verte, en mémoire de l'aventure du
jeune Archemore que fa nourrice avoit
mis fur quelque brins de cette plante,
lorfqu'elle l'abandonna pour conduire
les Chefs de l'armée Argienne ; & leur
célébration fervoit d'époque aux Argiens, & aux habitants de cette partie
de l'Arcadie, qui étoit voifine de la forêt
de Némée.

CHAPITRE VIII.

Des Jeux Isthmiques.

IL est nécessaire, avant que de parler de ces Jeux, de rappeller en peu de mots, ce que j'ai dit d'Ino & de Melicerte (1). Athamas Roi des Orchomeniens, peuples de Béotie, ayant répudié sa premiere femme, nommée Nephelé, dont il avoit eu deux enfans, Phryxus & Hellé, pour épouser Ino (2) dont il eut aussi deux fils, Léarque & Melicerte; celle-ci persécuta les enfants du premier lit, au point de faire accroire à son mari, que l'Oracle de Delphes, pour faire cesser la famine dont elle étoit elle-même la cause, demandoit le sang de Phryxus; & le trop crédule Athamas étoit sur le point d'immoler son fils au salut de ses sujets; mais informé de tout le manege de sa femme, il tua son fils Léarque, & se mit à poursuivre Ino si vivement, qu'elle fut obligée de se précipiter avec Melicerte, qu'elle tenoit entre ses bras, du haut de la roche *Moluria*, dans la mer. Un Dauphin, dit-on, ou plutôt les flots

(1) Tom. I. & Tom II. Hist. des Argonautes.

(2) Appoll. l. 1. Ovid. Met. l. 5. &c.

porterent Melicerte dans l'Ifthme deCo-
rinthe, & les Corinthiens à la perfuafion
de Sifyphe frere d'Athamas, après lui
avoir fait de fuperbes funérailles, infti-
tuerent en fon honneur des Jeux qui prirent le nom d'Ifthmiques, du lieu où on
les célébra la premiere fois.

Ces Jeux, où fe donnoient les mêmes
exercices que dans les autres, & principalement ceux de la Mufique & de la
Poëfie, ayant été interrompus, apparemment par quelques guerres, furent
dans la fuite rétablis par Thefée, qui les
confacra à Neptune, dont il fe vantoit
d'être fils, comme au Diéu qui préfidoit
particuliérement fur l'Ifthme de Corinthe, & furent repris fi réguliérement
tous les cinq ans, vers le milieu du mois
Hecatombéon, qu'ils ne furent pas même difcontinués après que la ville deCo-
rinthe eut été détruite & réduite en cendres parMummius; les Sicyoniens ayant

reçu ordre de les célébrer (1) malgré le
deuil & la défolation publique. Lorfque
la ville fut enfuite rétablie;les nouveaux
habitants reprirent le foin de ces Jeux,
& continuerent de les donner avec beaucoup de régularité. Les Romains y furent admis dans la fuite, & les célébrerent avec tant de pompe & d'appareil,

qu'outre les exercices ordinaires, on y
donnoit le ſpeƈtacle de la chaſſe, dans
laquelle on faiſoit paroître les animaux
les plus rares; la ville de Corinthe n'é-
pargnant rien pour plaire à ſes vainqueurs: & ce qui augmentoit encore leur
célébrité , c'eſt qu'ils ſervoient d'époque aux Corinthiens & aux habitants de
l'Iſthme. Une couronne de feuilles de
Pin étoit la récompenſe de ceux qui rem-
portoient la viƈtoire dans ces Jeux.

CHAPITRE IX.

*Des Jeux Scéniques : des prix propo-
ſés pour les Poëtes Tragiques dans
les Jeux de la Grece.*

ON range parmi les Jeux de la Scene,
les combats des Poëtes Tragiques,
& ceux des Muſiciens & Joueurs d'inſtruments, qui y diſputoient le prix. Rien
n'égaloit la paſſion extrême qu'avoient
les Grecs pour ces ſpeƈtacles , que l'ardeur avec laquelle s'y préparoient ceux
qui devoient les donner. Ces Jeux étoient,
comme on l'a dit, conſacrés à Bacchus,
à Appollon, à Vénus, & à Minerve, & ne

commençoient jamais fans qu'on eût offert auparavant à ces Divinités les facrifices ordinaires. L'Automne, temps auquel on fait la vendange, étoit la faifon qu'on choififfoit fur-tout pour la repréfentation des Tragédies, parce que ces Spectacles étoient fpécialement confacrés à Bacchus. Les Poëtes Tragiques qui vouloient y difputer le prix, étoient obligés de préparer quatre pieces, trois Tragédies & une Satyre ; c'eft ce qu'on appelloit *Tetralogie*. Ces pieces, qui n'étoient guere repréfentées que dans ces occafions, quoiqu'il foit arrivé quelquefois qu'on les ait reprifes, devoient avoir quelque rapport entr'elles; mais la Satyre n'étoit qu'une farce, affez femblable à celles qu'on jouoit autrefois fur nos Théatres, ainfi qu'il paroît par le *Cyclope* d'Euripide, la feule Piece de cette efpece qui nous refte. Il eft aifé de juger que ces Satyres étoient extrêmement libres, & pleines de bouffonneries, & dès-là uniquement deftinées à réjouir le peuple & à attirer fon fuffrage. Il eft étonnant que les premiers Génies des Athéniens fe foient abbaiffés à dégrader le Cothurne jufqu'à un Comique fi bas & fi bouffon.

C'eft de cette forte, c'eft-à-dire, en

y

y joignant les quatres pieces, qu'Efchile difputoit le prix avec fes contemporains: mais fi nous en croyons Suidas, Sopho-cle commença par oppofer Tragédie à Tragédie, & il y a apparence qu'on en ufa ainfi dans la fuite. En effet, c'étoit une chofe bien finguliere de faire con-courirainfi des Pieces Tragiques & Co-miques, quatre à quatre, puifqu'il pou-voit fort bien arriver qu'un ou deux Ou-vrages d'un Poëte, l'emportaffent fur un pareil nombre de ceux de fon concur-rent, & que les deux pieces du premier fuffent en même temps inférieures à cel-les du dernier.

Lorfque toutes ces repréfentations étoient finies, pendant lefquelles on avoit exactement recueilli les fuffrages, on les comptoit, & on couronnoit publique-ment celui qui avoit fur fon concurrent, l'avantage du nombre de ces fuffrages. Le Poëte couronné prenoit le titre de Poëte *Laureat*, parce que c'étoit d'une couronne de laurier qu'on lui ceignoit la tête, Cette récompenfe, toute frivole qu'elle puiffe paroître à des ames merce-naires, combloit l'ambition de ces grands hommes, & leur attiroit les diftinctions les plus flatteufes. Au refte, l'ufage de couronner les Poëtes a duré long-temps.

Tome VIII. G

Héros ou demi-Dieux.
L. VIII. C. IX

sur-tout en Italie, sur quoi on pourra consulter la Dissertation de M. l'Abbé du Reinel qui va paroître dans les Volumes des Mémoires de l'Académie des Belles-Lettres qu'on imprime actuellement.

Quant aux Jeux où l'on proposoit des prix de Poësie & de Musique, l'une n'allant guere sans l'autre, il y en avoit parmi les Grecs dès les premiers temps, & en assez grand nombre. Ces sortes de combats étoient admis dans les grands Jeux, c'est-à-dire, dans les Jeux Pythiques, dans les Néméens, & dans ceux de l'Isthme : pour les Olympiques, la chose est un peu douteuse, du moins pour les temps Héroïques. En effet, Suetone (1) qui nous apprend que Neron y disputa le prix de la Musique, ajoute que ce fut contre la coutume : *Olympiæ quoque præter consuetudinem Musicum Agona commisit.* Mais, comme le remarque fort judicieusement M. Burette (*a*), peut-être que ces mots, *contre la coutume, par extraordinaire*, ne regardent que la saison, ou le temps auquel cet Empereur fit célébrer ces Jeux. En effet, si nous en croyons Athenée (2), Cléomene *le Rapsode* y chanta le Poëme

(1) In Nerone.

(a) Liv. 14 c. 1.

(*a*) Remarques sur le Traité de la Musique, par Plutarque.

d'Empedocle, intitulé *les Expiations*,& le chanta de mémoire. On peut ajouter à cette preuve, la remarque de Pausa- nias (1) qui nous apprend qu'il y avoit près d'Olympie un *Gymnase*, appellé *Lalichmien*, ouvert à ceux qui vouloient s'exercer à l'envi dans les combats d'esprit, ou littéraires, de toute espece, & d'où apparemment ceux de la Poësie musicale n'étoit pas exclus. Le sçavant Académicien que je viens de nommer, ajoute à ces preuves, l'autorité d'Elien [2] qui rapporte que Xenoclés & Euripide disputerent le prix de la Poësie dramatique, dans ces mêmes Jeux, dès la LXXXI. Olympiade; & on trouve à la fin de la Chronique d'Eusebe, que dans la XCVI. il y eut un prix proposé pour les Joueurs de trompette, que Timée l'Eléen gagna.

Quoi qu'il en soit de ces combats par rapport aux Jeux Olympiques, il est sûr qu'ils étoient ordinaires dans les trois autres que j'ai nommés, sur-tout dans les Pythiques, dont ils faisoient la premiere & la plus considérable partie.

Mais ce n'étoit pas seulement dans les grands Jeux de la Grece qu'on proposoit ces prix de poësie & de musique; on les admettoit encore dans plusieurs au-

G ij

HEROS
ou demi-
Dieux.
L. VIII. C. IX.
(1) Traité
de la Musique

tres qui étoient célébrés dans différentes villes de la Grece, telles qu'Argos & Sicyone, comme nous l'apprenons de Plutarque ; (1) Thebes ainsi qu'on peut le tirer du Chapitre 25. du Livre 15. d'Elien ; qui raconte que ce fut dans cette ville que Pindare fut vaincu dans cette sorte de combat par Corinne ; & Lacédémone, dans les Jeux Carniens (*a*), qu'on célébroit à l'honneur d'Apollon, ou Terfandre fut le premier qui rem-

(2) Plutar-
que, ibidem.
(3) Idem. ib.
(4) Platon,
dans son Ion.

porta le prix (2); Athenes pendant la fête des *pressoirs* (3) & celle des Panathenées; Epidaure, dans celles d'Esculape (4); Ithome, ville de Messenie, pendant la fête de Jupiter comme le dit expressé-

(5) Liv. 4.

ment Paufanias, (5) Delos, Samos, Dion

(*a*) Je ne sçai si j'ai rapporté ailleurs l'origine de ces Jeux ; en tout cas la voici. La fête *Carnea* avoit été insti-tuée à Sparte dans la 26 Olympiade, & telle en fut l'oc-casion suivant Paufanias, Liv. 5 c. 13. Un Acarnanien nommé Carnus, Devin fameux, qu'Apollon même avoit inspiré. ayant été tué par Hippotus fils Philax, Apol-lon frappa de peste tout le camp des Doriens. On bannit le meurtrier, & on appaisa les Manes de Carnus par des Expiations ordonnées dans cette vûe sous le nom de fêtes *Carniennes*. D'autres, suivant le même Auteur, donnent à cette fête, & au surnom de *Carnien* que portoit Apol-:lon, une origine toure différente, & disent que les Grecs pour construire le Cheval de bois, ayant coupé, sur le mont Ida une grande quantité de Cornoüilliers κράνεαι dans un bois consacré à Apollon, irriterent par-là ce Dieu contr'eux ; & que pour le fléchir, ils établirent un culte en son honneur, lui donnent le nom de *Carnien*, en transposant les lettres du nom de l'arbre qui avoit causé leur disgrace.

en Macédoine , & encore plusieurs autres villes , donnoient le Spectacle de
ces Jeux.

Dans ces sortes de combats on accompagnoit la voix avec quelqu'Instrument,
sur-tout avec la Cithare ; mais je crois
que quelquefois on disputoit à la voix
seule sans Instrument; comme avec quelque Instrument sans y joindre la voix.

Vitruve (1) observe qu'un des Ptole-
mées consacra à Apollon cette sorte de
combat , apparemment dans le temps
qu'il fut admis dans l'Egypte mais dès le
temps les plus reculés, car on en ignore
l'origine , les Grecs l'avoient dédié aux
Dieux que j'ai nommés. Je dis dès le
temps le plus reculés, car nous apprenons
de Pausanias & d'Hygin que cette sorte
de combat fut donné dant les Jeux qu'A-
caste fit célébrer en l'honneur de son
pere Pelias , après le rétour des Argonautes. J'ai fait voir déja que Linus ,
Thamyris,& quelques autres y avoient
été vainqueursdans cestemps héroïques.
Les Poëtes & les Musiciens marquoient
beaucoup d'empressement pour cesJeux,
& venoient souvent de fort loin dans les
lieux où on les célébroit ; tant la gloire
d'y obtenir la victoire avoit alors de
charmes. Cette sorte de dispute, au reste

(1 In procum

devoit être fort amufante pour ceux qui en étoient les témoins.

Je ne dois pas oublier avant que de finir ce Chapitre, une Hiftoire que raconte Conon (1) ; car quoiqu'elle paroiffe un conte fait à plaifir, elle fe trouve cependant munie des bonnes autorités. Deux Muficiens dont l'un étoit de Locris, c'étoit Eunomus ; l'autre de Rhegium, c'étoit Ariftan (*a*), étant allés à Delphes pour difputer le prix de leur art, il arriva qu'une corde de la Cithare du premier s'étant caffée, on vit à l'inftant voler une Cigale, qui s'étant abattue fur la Cithare, fuppléa fi bien au défaut de la corde par fon chant, qu'Eunomus remporta la victoire. Le même Auteur ajoute que quoique les deux villes qu'il nomme ne fuffent féparées que par le fleuve Alex, les Cigales chantoient du coté de Locris & étoient muettes du coté du Rhegium. Ce qu'il y a de fingulier, eft que cette particularité fe trouve atteftée par Strabon, par Diodore de Sicile, Pline & Paufanis. Le premier de ces Auteurs en rend une raifon très-plaufible, qui eft que Rhegium eft un pays couvert & humide, ce qui

(*a*) Ce nom ne fe trouve pas dans Photius, mais Strabon qui rapporte le même conte, d'après Timée y a fuppléé.

rend cet infecte engourdi ; pendant
qu'il eſt ſec & découvert du coté de
Locris, ce qui laiſſe à la Cigale la liberté de chanter. Lorſqu'on ſçait, comme
la choſe n'eſt pas douteuſe aujourd'hui,
que le chant des Cigales n'eſt que le mou-
vement rapide de leurs ailes dans les
tempschauds,on trouve encoremeilleure
la raiſon de ce ſçavant & judicieux Géographe : à quoi on peut ajouter que c'eſt
ſans doute cette ſingularité qui a donné
lieu à la Fable. Les Habitans de Locris
avoient repréſenté en marbre Eunomus
avec une Cigale , ſans doute pour faire
croire que l'aventure étoit véritable.

HEROS
ou demi-
Dieux.
L. VIII C.IX

CHAPITRE X.

Suite du même ſujet.

APRÈS avoir parlé dans quelque
détail des principaux de ces Jeux,
de ceux qui les avoient inſtitués , & du
temps auquel on les repréſentoit, il eſt
à propos de donner du moins quelque
connoiſſance des autres , tant de ceux
qu'on célébroit dans la Grece , que de
ceux qui furent adoptés , ou nouvelle-

G v

ment inſtitués par les Romains: ce que je vais faire dans ce Chapitre, le plus briévement qu'il me ſera poſſible, à meſure que leurs noms ſe préſenteront.

Du Jeu Troyen, ou de la Jeuneſſe.

CE JEU où exercice, qu'Enée inſtitua dans les Jeux funéraires de ſon pere (1), étoit pour la Jeuneſſe, qui diviſée en pluſieurs eſcadrons, faiſoit paroître également ſon adreſſe & ſa valeur. Les Romains qui adopterent cette ſorte de combat le repréſentoit dans le Cirque. Sylla, au rapport de Plutarque (2), en danna le ſpectacle; mais les guerres civiles en interrompirent l'exercice juſqu'à Céſar qui le rétablit, comme le dit Suetone : *Trojam luſit turma duplex , majorum minorumque puerorum* (3) ; & depuis ce temps-là les repréſentations en furent aſſez fréquentes , puiſque le même Auteur nous apprend que Tibere, Caligula, Claude & Neron les donnerent au peuple Romain: mais aucuns des Empereurs ne le fit ni avec tant de pompe, ni ſi ſouvent qu'Auguſte , qui les fit repréſenter pour la premiere fois après la victoire d'Actium , l'an de Rome 726. Ce Prince choiſiſſoit pour cela parmi la Jeuneſſe Romaine , deux troupes, l'une d'un âge

(1) Virg.
Æneid. l. ʃ.

(2) In Syll.

(3) In Cæſ.

tendre, & l'autre d'un âge plus avancé ; *majorum minorumue delectu* , comme s'exprime Suetone ; perfuadé que par cet exercice il donneroit aux enfans de condition les moyens de fe former, & de faire paroître leur adreffe.

Je crois que pour en donner une idée jufte, je ne fçaurois mieux faire que de copier ce qu'en dit Virgile. " Après „ les différentes fortes de combats, dit ce „ Poëte, qu'Enée avoit fait donner dans „ les Jeux funébres de fon pere, il aver- „ tit fecrétement Periphate, Gouverneur „ d'Afcagne, de le faire avancer avec fa „ troupe , qu'on avoit difpofée dans un „ lieu écarté , à l'infçu des Spectateurs ; „ & à peine la carriere fut ouverte, qu'on „ vit s'avancer en bon ordre toute la „ jeune Nobleffe, dans un fuperbe appa- „ reil, montée fur des chevaux richement „ enharnachés, qui traverferent au petit „ pas l'arene , à la vue de leurs parens , „ & de tout le peuple Troyen & Sicilien „ qui admiroit l'ordonnance d'une mar- „ che fi bien concertée. Tous ces jeunes „ gens avoient l'armet en tête, couronné „ de laurier, deux javelots à la main, ar- „ més d'une pointe d'acier, & une chaîne „ d'or, en forme de collier qui leur tom- „ boit fur la poitrine. Cette troupe étoit

G v

„ partagée en trois brigades , chacune
„ compofée de douze cavaliers; fous les
„ ordres d'un chef, pour en régler les
„ évolutions. Après qu'ils eurent fait le
„ tour de la Lice , Periphate donna le
„ fignal, & ils partirent en même temps
„ pour fe renger à leur brigade. Au fe-
„ cond fignal ilstournerent bride,s'avan-
„ cerent de front les uns contre les autres
„ & préfenterent leurs armes. Quelque-
„ fois ou voyoit une des brigades rompue
„ & difperfee, fe rallier & revenir à la
„ charge : tantot c'étoit un veritable
„ combat , tantôt une marche paifible.
„ Prêts à fe choquer rudement , ils évi-
„ toient les coups avec adreffe, & cou-
„ loient legérement dans les intervalles,
„ imitant la mêlée confufe de deux ar-
„ mées. Enfuite par de nouvelles évolu-
„ tion ils fe développerent en un feul
„ efcadron, comme fi la paix les avoit
„ raffemblés fous un même drapeau. Le
„ fameux Labyrinthe de Crete , qui par
„ mille routes trompeufes jettoit dans un
„ égarement inévitable , n'avoit pas
„ plus de fentiers entrecoupés, tant cette
„ Jeuneffe fçavoit compaffer fes mouve-
„ mens,combattre de front ou en retraite
„ feindre une fuite & faire volteface , fe
„ rompre & fe rallier,,.

Tel étoit l'ordre de ces Jeux ; & lorfque dans la fuite Afcagne bâtit la ville
d'Albe la longue (1) , il remit en vogue
ce divertiffement militaire , & en apprit
l'exercice aux anciens Latins. Les Al-
bains l'ayant reçu de lui , le tranfmirent
à leurs defcendans. Rome enfin pour honorer la mémoire de fes ayeux , reprit
l'ufage de cet ancien caroufel, & la troupe de jeunes gens qu'on dreffoit à cet
exercice , s'appelloit encore du temps de
Virgile, la bande Troyenne.

Les Jeux d'Augufte.

TACITE nous apprend (1) que ces
Jeux furent inftitués en l'honneur d'Augufte, à la requête des Tribuns du peuple , qui demanderent la permiffion de
les donner à leurs propres dépens, & qu'on
en marquât la célébration dans les Faftes
publics. Mais ce que cet Hiftorien avan-
ce-là , n'eft pas exact , puifque ce ne fut
ni en cette occafion que ces Jeux furent
inftitués, ni qu'ils furent enregiftrés pour
la première fois dans les Faftes ; puifque
leur origine remonte à l'an 735. de Rome;
l'orfqu'Augufte après avoir parcouru la
Grece & la Sicile étant arrivé à Rome,
permit qu'on élevât un Autel à la Fortune de retour , *Fortunæ Reduçi* ; & que

HEROS
ou demi-
Dieux.
LVIII.C X.
(1) Virg. ib.

(1) Annal.
c. 15.

ce jour fut marqué dans les Fastes sous nom d'*Augustalia* (1) & ce fut huit ans après, sous le consulat d'Ælius Tubero, & de Paullus Fabius, que par un Arrêt du Sénat ces Jeux furent institués, & célébrés pour la premiere fois le quatrieme des Ides d'Octobre.

Des Jeux Capitolins.

CES Jeux furent établis par les Romains, suivant le rapport de Tite-Live, pour remercier les Dieux d'avoir sauvé le Capitole, lorsque les Gaulois ravagerent la ville de Rome; & pour en augmenter la célébrité, & en même temps prendre le soin de les renouveller dans les temps marqués, on institua un nouveau College de Prêtres : *Capitolinos Ludos*, dit cet Auteur, *solemnibus aliis addidimus ; Collegiumque ad id novum, autore Senatu condidimus.* On donnoit ordinairement dans ces Jeux trois sortes d'exercices, la course à cheval, la dispute de la voix & de la musique, & les combats Gymnastiques ; c'est-à-dire, tous ceux qui composoient le Pentathle (1).

Les Jeux de Cerès.

QUOIQUE les Grecs célébraſſent les grands & les petits myſteres à l'honneur de Cerès, ainſi que nous l'avons dit dans le quatrieme Livre du Tome V. ils n'y repréſentoient cependant pas des Jeux; ainſi ceux dont je parle ici,,doivent leur origine aux Romains, & ce fut ſelon Tacite (a), C. Mummius, pendant qu'il étoit Edile, qui en donna la premiere repréſentation dans le Cirque (b), mais il n'en fut pas l'Inſtituteur, puiſque nous apprenons de Tite-Live, que long-temps avant lui, & dès la ſeconde année de la guerre Punique, ſous la Diĉtature de Servilius Geminus, on en avoit donné le ſpeĉtacle. La célébration de ces Jeux, qui duroit huit jours, commençoit le jour de devant les Ides, ou le onzieme d'Avril.

Comme on renouvelloit dans ces Jeux le deuil de Cerès pour l'enlévement de ſa fille, ainſi que dans les myſteres d'Eléuſis, les Dames Romaines y paroiſ-

____

(a) *Tandem ſtatuere Circenſium ludorum die, qui Cereri celebratur, exequi deſtinata..* Annal. lib. 15.

(b) *Circus erat pompa celebris numeroque Deorum; Primaque ventoſis palma petetur equis.*
Hi Cereris ludi, &c. Ovid. Faſt. lib. 4. v. 39.

foient en habits blancs, avec des torches allumées à la main, pour repréfenter cette Déeffe cherchant fa chere Proferpine. Les hommes même qui y affiftoient, y venoient à jeun; car il n'étoit pas permis ce jour-là de rompre l'abftinence avant la nuit, celle du vin & des femmes étoit fur-tout recommandée, & obfervée avec beaucoup d'exactitude: la moindre fouilleure en banniffoit les Spectateurs, & le Héraut public avoit foin de commander à ceux qui auroient pu les profaner, de fortir de l'Affemblée. Il n'y alloit pas moins que de la vie, fi on étoit convaincu d'en avoir altéré la pureté. C'eft le témoignage qu'en rendent unanimement tous les Hiftoriens qui ont parlé de la célébration de ces Jeux, & il feroit facile de les citer. Du refte, on y donnoit les mêmes fpectacles que dans les autres Jeux, fur-tout celui de la courfe à cheval. Je crois qu'on les célébroit tous les cinq ans; c'étoit du moins après un pareil intervale que les Oracles Sibyllens avoient ordonné un jour de jeûne pour s'y préparer, auquel on joignoit un bain d'eau chaude, comme très-propre à la continence, & à la pureté avec laquelle on étoit obligé de s'y préfenter.

Les Jeux Actiaques.

AUGUSTE, selon Suetone (1), après la victoire qu'il remporta sur Marc-Antoine, fit bâtir la ville de Nicopolis, & y établit ces Jeux en l'honneur d'Apollon, pour y être renouvellés tous les cinq ans. Dion Chrysostôme (2) ajoute que dans leur célébration on admettoit les combats Gymniques, ceux de la Musique, & la course à cheval; que ce Prince leur donna le nom d'Actiaques, du Promontoire de ce nom, où Apollon, auquel il se croyoit redevable de l'avantage qu'il avoit remporté sur son ennemi, étoit spécialement honoré; qu'il en commit le soin aux quatre Colleges des Prêtres: sçavoir, des Pontifes, des Augures, des *Septemvirs*, & des *Quindecimvirs*; & qu'on les célébra ensuite à Rome dans le Stade qu'on fit pour cela dans le Champ de Mars. Il paroît par ces deux Auteurs qu'Auguste étoit l'instituteur de ces Jeux; mais Strabon, plus exact, nous apprend qu'on les célébroit au Promontoire d'Actium long-temps avant lui, & qu'il ne fit que les renouveller, en rendre le spectacle plus solemnel, & en établir la reprise tous les cinq ans; au lieu qu'auparavant

on les repréſentoit tous les trois ans : on y couronnoit les Vainqueurs, comme dans les autres Jeux.

Des Jeux Agonaux, des Jeux Aſtyces.

CES Jeux, qu'on célébroient à Rome avec beaucoup de magnificence, étoient ainſi nommés de la victime qu'on y immoloit, & qu'on appelloit *Agonia*. Comme le Tybre inondoit quelquefois la plaine où étoit le Cirque, on les répréſentoit près d'une porte de Rome, qui de-là prit le nom d'*Agonale*, ainſi que les monticules qui étoient auprès.

Les Jeux Aſtyces étoient Grecs d'origine, & en même temps *Scéniques* : les Romains les emprunterent des Athéniens, & l'Empereur Caligula les fit célébrer d'abord à Syracuſe; mais il y avoit alors long-temps que les Napolitains, qui étoient ſortis d'une Colonie Grecque, les repréſentoient. Les Sçavans ſont partagés ſur la ſignification du nom de ces Jeux : quelques-uns croient qu'il veut dire *Urbani*, parce qu'on les célébroit dans la ville, par oppoſition à ceux qu'on donnoit dans les campagnes, & qui pour cela étoient nommés *Ruſtici*. Auſone (1) qui dit que les Romains les avoient adop-

(1) Idyll. 10.

tés , semble les confondre avec les Jeux H E R O S ou demi-Dieux.
Actiaques; mais peut-être que la vérita-
ble prononciation de ce mot, est *Attiques* L. VIII. C. X
qui se trouve dans quelques manuscrits
de Suetone.

Des Jeux célébrés dans les Camps.

CES Jeux ne demandoient pas tant de
façons & de cérémonies que les autres :
c'étoit les Soldats eux-mêmes qui , ou
pour s'exercer , ou pour se désennuyer ,
les célébroient dans les Camps où ils se
trouvoient. Rien cependant n'étoit plus
propre à les tenir en haleine , que ces
sortes de combats , parmi lesquels, outre
la lutte, la course & les autres exercices,
il paroît qu'ils se battoient contre des
animaux les plus féroces. C'est ce qu'on
apprend d'un passage de Suetone , qui
dit que Tibere , pour faire voir qu'il
jouissoit d'une parfaite santé , car on
soupçonnoit le contraire , non seulement
assista à ces Jeux , mais attaqua lui-me-
me un sanglier à coups de fleches.

Des Jeux de Castor & de Pollux.

LES Romains qui honoroient ces
deux Héros d'un culte particulier, com-

HEROS ou demi-Dieux. L.VIII.C.X.

me je l'ai dit dans leur Hiftoire, établirent ces Jeux dans la guerre qu'ils eurent avec les Latins, qui venoient d'abandonner les Romains pour prendre le parti des Tarquins. Ce fut le Dictateur Aulus Pofthumus qui fit un vœu folemnel de faire repréfenter des Jeux en l'honneur de ces deux Héros, s'il étoit heureux dans cette expédition ; & le Sénat qui confirma le vœu d'Aulus Pofthumus, donna nn Arrêt pour faire continuer ces Jeux tous les ans (1). Rien n'étoit plus magnifique que la pompe qui les précédoit, & qui les accompagnoit, fi nous en croyons Denys d'Halicarnaffe. (2) Après les facrifices ordinaires, dit-il, ceux qui préfidoient à ces Jeux, fortoient du Capitole pour aller en ordre à travers le Marché jufqu'au Cirque (3), où on donnoit ce Spectacle : ils étoient précédés de leurs enfans, à cheval lorfqu'eux-mêmes étoient de l'ordre des chevaliers, pendant que les Plébéïens fortoient à pied. Les premiers formoient des efpeces d'efcadrons, & les autres des colomnes de fantaffins: pour montrer aux étrangers, qui accouroient en foule à ce fpectacle, & qu'on recevoit à cette occafion avec toute la diftinction poffible, la reffource que Rome avoit dans cette bril-

(1) Denys d'Halic.liv.7.

(2) Liv.7.

(3) Panvinus de Lud.Circ.

lante Jeunesse, prête à paroître dans peu au milieu de leurs armées. Cette marche, suivie des chars à deux & à quatre chevaux, & des autres cavaliers qui devoient courir dans le Cirque, étoit fermée par les Athletes qui devoient aussi y combattre.

Des Jeux Mégaléfiens célébrés en l'honneur de Cybele & des autres grands Dieux.

CES Jeux, institués par les Grecs & adoptés par les Romains, portoient le nom de grands Jeux, *Megalenfes,* à cause de celui de la Déesse en l'honneur de laquelle on les célébroit, & qui etoit appellée la Grande-Mere. Ciceron (1) qui nous apprend qu'un grand concours de peuple & d'étrangers affiftoient à ces Jeux, ajoute qu'on en donna le spectacle fur le mont Palatin, près du Temple, afin qu'ils fussent représentés en présence même de la Déesse. Leur célébration tomboit au jour d'avant les Ides d'Avril, qui étoit celui où les Romains avoient reçu son culte (a).

Quelques Auteurs ont confondu ces

(1) De Arufp.
c. 12.

(a) *Pertulere Deam pridié Idus Aprilis : ifque dies festus factus fuit in populus frequens dona Dea : Palatium tulit, Lectifterniumque & ludi fuere, Megalefia appellata. T. L. l. 29.*

HEROS
ou demi-
Dieux.
L. VIII. C. X.
(1) In Verr.
l. 5.

Jeux avec ceux des autres grands Dieux qui avoient le même nom ; mais Ciceron (1) les distingue nettement. Les derniers avoient été institués par l'ancien Tarquin; les autres ne le furent que lorsque les Romains firent venir de Pessinunte le culte de Cybele , l'an 542. de Rome , sous le Consulat de Cornelius Cethegus & de Cornelius Tuditanus. Le jour même de leur célébration étoit différent, puisque ceux de Cybele tomboient au jour de devant les Ides d'Avril , comme je le viens de dire , après Tite-Live , & ceux des grands Dieux , le jour qui précédoit les Kalendes de Septembre, ainsi

(2) L co.cit.

que nous l'apprend Ciceron (2).

Des Jeux Floreaux.

POUR entendre ce que j'ai à dire dans cet article , il faut se rappeller ce que j'ai rapporté ailleurs de la Déesse Flore, honorée à Rome dès la fondation de cette ville, ou du temps même de Romulus & de Numa. Elle avoit des Prêtres & des Fêtes , & elle étoit différente d'une Courtisane du même nom , qui institua héritier des biens qu'elle avoit gagnés dans un commerce infame , le Sénat & le Peuple Romain.

Ce ne fut pas, au reste, comme l'ont cru quelques Auteurs, fur le bien que cette femme laiſſa par ſon teſtament, qu'on inſtitua les Jeux Floreaux, & qu'on prenoit l'argent que coûtoit leur repréſentation ; mais des amendes aux-quelles avoient été condamnés ceux qui avoient été convaincus de Péculat, comme nous l'apprennent Ovide (3), & encore plus particuliérement les Médail-les, ſur leſquelles on voit le Génie du Peuple Romain, avec la figure d'un Be-lier, ou d'une Brebis, ſymboles du pé-culat. Ces Médailles qui ſont d'argent, furent frappées pendant l'Edilité de Po-blicius Malléolus, & l'inſtitution des Jeux tombe ſous le Conſulat de Clau-dius Centhon & de Marcus Sempronius, l'an de Rome 513. mais ce ne fut que l'an 580. que ces Jeux devinrent an-nuels, à l'occaſion d'une ſtérilité qui dura pluſieurs années, & qui avoit été annoncée par des Printemps froids & pleuvieux ; le Sénat, pour fléchir Flore & obtenir de meilleures recoltes, ayant donné cette année-là un Arrêt, pour faire célébrer tous les ans à la fin d'Avril (*a*) ces Jeux en l'honneur de cette

HEROS ou demi-Dieux. L.VIII.C.X.

[3] Faſt. L. 7. v.279.

(*a*) Le quatrieme des Kalendes de Mai.

Déeſſe, ce qui fut exécuté réguliérement dans la ſuite (*a*).

Quoique la dépenſe de ces Jeux ne fut pas priſe ſur le bien de la Courtiſane Flore, il falloit cependant que ce fut à l'occaſion de ſon teſtament qu'ils euſſent été inſtitués, quoique dans la ſuite on les eût dédiés à l'ancienne Flore, puiſqu'on y rappelloit le ſouvenir des déſordres de la derniere, par la liberté exceſſive, diſons plutôt par la licence effrénée & par l'impudence qui y régnoient, ainſi que je l'ai dit en ſon lieu, où j'ai rapporté ce qui étoit arrivé à Caton, qui en ſortit pour ne pas gêner le Peuple que ſa préſence incommodoit.

(a] *Convenere Patres, & ſi bene floreat annus,
    Numinibus noſtris annua feſta vovent.
Annuimus votis : Couſul cum Conſule Lænus
    Poſtthumio ludos perſolvere mihi.* Ovid. Faſt. lib. 5. v. 324.

CHAPITRE XI.

De quelques autres Jeux.

JE ne finirois point ſi je voulois parler dans quelque détail de tous les autres Jeux, puiſqu'il n'y avoit point de

villes conſidérables dans l'Empire Romain, qui ne ſe piquât d'en célébrer, ou à l'arrivée des Magiſtrats qui devoient les gouverner, ou à l'occaſion des Victoires & des autres avantages que remportoit la République. Les Magiſtrats ne manquoient pas auſſi d'en donner à leurs dépens, lorſqu'ils entroient en charge ; & quoique de toutes les charges l'Edilité fût la moins conſidérable, c'étoit pourtant pendant celle-là, qu'on faiſoit pour ces ſortes de Jeux la plus grande dépenſe, parce qu'on jugeoit par-là, de ce que ceux qui la poſſédoient, pouvoient faire lorſqu'ils en auroient obtenu de plus conſidérables. Enfin on en donnoit à la naiſſance des grands hommes, qu'on appelloit *Natalicii*, & en mille autres occaſions. Cpendant, comme parmi ces Jeux il y en a eu de fort célebres, quoiqu'ils ne fuſſent pas ordinairement annuels, comme la plûpart de ceux dont j'ai parlé juſqu'ici, il ne ſera pas hors de propos en finiſſant, d'en donner une idée ſommaire.

Des Jeux du Cirque.

QUOIQUE par les Jeux du Cirque on doive entendre ſeulement les com-

bats, les courſes, & les autres exerci-ces qui ſe faiſoient dans les lieux qui por-toient ce nom, & qui avoient été con-ſtruits pour y repréſenter toutes ces ſor-tes de Jeux, cependant les Antiquaires comprennent ſous ce nom, la courſe qui fut établie dans l'Iſthme de Corinthe par Oenomaüs Roi de Piſe, pour ſe dé-faire de ceux qui lui demandoient ſa fille Hippodamie en mariage, & dans laquelle Pelops fut vainqueur, ainſi que je l'ai dit en ſon lieu : ou cette autre courſe qu'Hercule inſtitua dans l'Elide, & dans laquelle ayant remporté la victoire, il reçut une couronne d'olivier, de la main du même Pelops (a) : *primus Her-cules hunc honorem habuit, manibus Pelo-pis*, comme le dit Lactance.

Romulus après l'enlévement des Sa-bines, fit célébrer les mêmes Jeux au milieu des Champs, car il n'y avoit point encore de lieu deſtiné à cet uſage. Ces Jeux des Romains portoient le nom de *Conſualia ;* & ſi Virgile donne le nom de Jeux du Cirque à ceux-là même que Ro-mulusfit repréſenter dans l'occaſion dont on vient de parler, c'eſt par anticipa-

(a) . . . . . *primùm Piſæa per arva,*
Hunc pius Alcides Pelopi certavit honorem,
Pulvereumque ferè crinem deterſit olivâ Stat.Theb.
l. 6.

tion

tion ; car ce ne fut que du tems de l'ancien Tarquin que le premier Cirque fut
conftruit. On donnoit auffi à ces Jeux
le nom de grand Jeux, *Ludi magni.* Je
ne m'étends pas davantage fur ces fortes
d'édifices, propres aux courfes des chars
& des chevaux, & qui étoient en grand
nombre à Rome & aux environs, parce
qu'on peut en voir les noms & les figures, dans Onuphrius Panvinus qui en
a fait un Traité exprès.

Des Jeux des Carrefours ou Compitales, & de quelques autres.

TARQUIN l'ancien ayant apperçu
un prodige dans le facré foyer de fes
Dieux Penates, établit ces Jeux, qui
furent célébrés dans la fuite à certains
tems marqués ; c'eft-à-dire, pendant
l'hiver, & environ le tems des Saturnales.

Les Jeux Equeftres étoient ceux
dont la célébration confiftoit en courfes
de chevaux, & les Romains en diftin-
guoient de deux fortes. Les *Décumanes*
étoient ceux qu'on reprèfentoit tous les
dix ans ; & que le Sénat avoit établis en
l'honneur d'Augufte, qui tous les cinq

ans , & quelquefois tous les dix ans, propofoit de quitter les rênes du Gouvernement, qu'il garda cependant toute fa vie. Ceux *des feuilles* étoient ainfi nommés , ou parce qu'on en étoit couronné , ou parce que le Peuple en jettoit fur les Vainqueurs (1.) Ceux des Gladiateurs prenoient leurs noms du combat à outrance de cette forte de combattans, qui s'y exerçoient avec une fureur & un acharnement inconcevable, & pour lefquels les Romains avoient une curiofité inhumaine. Les Gymniques avoient reçu le leur de la nudité des Athletes , & des cinq fortes de combats qui s'y donnoient , & qui formoient ce que les anciens nommoient la Gymnaftique. Les *Inftauratifs* étoient ceux qu'on repréfentoit une feconde fois. Les *Luftraux* , *Luftrales* ou *Rubigalia* , avoient été inftitués en l'honneur de Mars , & c'étoit pendant leur célébration qu'on purifioit les armes , les trompettes , &c. Les Jeux de Mars , qu'on célébroit le premier d'Août , avoient été inftitués en l'honneur de ce Dieu, pour éternifer la mémoire du Temple bâti en fon honneur du tems de l'Empereur Claude (2). Les Jeux nommés *Novendilles* étoient

(1)Ludifoliacei

(2) Dion , l 60.

les mêmes que ces Jeux funebres dont on a parlé, & qu'on donnoit à la mort de grands Hommes, ou des Empereurs. Les Palatins, *Palatini*, furent inftitués par Augufte en l'honneur de Jules-Céfar, & prirent ce nom du Temple qui étoit fur le mont Palatin, où on les célébroit tous les ans pendant huit jours, à commencer le 25 Décembre. Ceux des Pêcheurs, *Pifcatorii*, étoient renouvellés tous les ans au mois de Juin, par le Préteur de la ville en l'honneur de ceux des Pêcheurs fur le Tybre, dont le gain étoit porté dans le Temple de Vulcain, comme un tribut qu'on payoit aux morts. Les *Plébéiens* fe donnoient en l'honneur du Peuple, qui avoit tant contribué à étendre la Royauté. Les *Pontificaux* étoient ceux que donnoient les Pontifes qui entroient en charge, à l'imitation des Quêteurs, dont les Jeux portoient le nom de *Ludi Quæftorii Romani*, ou les jeux Romains avoient été inftitués par Tarquin l'ancien (1), en (1) Tit. Liv. l'honneur de Jupiter, de Junon, & de Minerve, ainfi que nous l'apprenons de Ciceron (2). Les *Sacerdotaux* étoient (2 in. Verr ceux que le peuple dans les Provinces obligeoit les Prêtres de leur donner.

H ij

Les *Triomphaux* , ceux qu'on repréfentoit à l'occcafion de quelque Triomphe.
Votifs , ceux aufquels on s'engageoit par
quelque vœu ; ceux-là étoient, ou publics , lorfque le vœu étoit public , ce
qui arrivoit ou dans les calamités publiques , ou au fort d'un combat , ou dans
d'autres occafions importantes ; ou particuliers , lorfque quelque perfonne pri-
vée les faifoit repréfenter. Les premiers
étoient donnés par les Magiftrats fur un
Arrêt du Sénat: nous avons une Infcription qui fait mention d'un de ces Jeux
votifs & publics, pour l'heureux retour
d'Augufte. *Ti. Claud. &c. Ludos Voti-*
vos pro reditu Imp. Cæf. Divi F. Au-
gufti.

Ludi Sigillares , s'appelloient ainfi à
caufe de petites figures, ou d'argent
ou de quelqu'autre métal, qu'on s'envoyoit mutuellement en figne d'amitié ,
& cela ordinairement durant les Saturnales. *Ludi Taurii* , étoient ceux qu'on
avoit inftitués à l'honneur des Dieux infernaux, à l'occafion de la pefte qu'a-
voit caufée, fous le regne de Tarquin
le Superbe, de la chair de Taureau qu'on
avoit expofée en vente.

Enfin les Jeux *Seculaires* , n'étoient

pas ainſi nommés, comme on le croit communément, parce qu'on les renouvelloit ſeulement tous les cent ans; mais lorſque certains Jeux qui ne ſe renouvelloient que rarement, étoient repréſentés plus d'une fois pendant la vie du même homme. C'eſt l'idée qu'en donne Ovide:

> *Juſſerat & Phœbo dici; quo tempore ludos*
> *Fecit, quos ætas aſpicit una ſemel.*
> Triſt. l. 2.

En effet, leur origine telle quelle eſt rapportée fort au long par Valere Maxime (1) & par Zoſime (2), n'avoit aucun rapport au nom qu'ils porterent dans la ſuite. Voluſius Valerius, dit le premier de ces deux Auteurs, ayant trois enfans, deux fils & une fille, qui étoient attaqués de la peſte qui ravageoit le canton où il demeuroit, & voyant les remedes des Médecins ſans effet, s'étant adreſſé au Génie de ſes Dieux Lares, entendit une voix qui lui ordonnoit de les porter ſur le bord du Tybre, & de leur en faire boire de l'eau. Il eut de la peine d'abord à obéir, attendu l'éloignement où il étoit de ce fleuve; mais enfin le mal & le danger

(1) Liv. II. c. 4
(2) Liv. 2.

augmentant, il prit le parti de se mettre en marche ; & étant arrivé près du Tybre, dans un lieu nommé Tarente, il leur donna à boire, & ils furent guéris. Pour remercier les Dieux d'un bienfait si signalé, il offrit des sacrifices de victimes noires à Pluton, à Proserpine, & aux autres Divinités infernales, pendant trois nuits consécutives. Valerius Publicola, continue le même Auteur (*a*), qui fut fait Consul lorsqu'on chassa Tarquin, croyant que la protection des Dieux étoit plus que jamais nécessaire aux Romains, renouvella l'an de Rome 245. les sacrifices de Volusius, qu'il fit offrir sur le même Autel & aux mêmes Dieux, & y ajouta des Jeux. Enfin nous apprenons de Varron, dont le témoignage est cité par Censorin (*b*), que les Romains consternés par différens prodiges qui arriverent coup sur coup, ayant consulté, suivant l'usage ordinaire, les Livres des Sibylles, apprirent qu'ils devoient renouveller les sacrifi-

(a *Primos Ludos saculares, exactis Regibus post Romam conditam anno 245. Valerius Publicola instituit,*
Antias apud Censor, de die natali. c. 17.

(b) *Cum multa portenta fierent.... & ideo libros Sibyllinos Decemviri adiissent, & Ditipatri, & proserpina Ludi Tarentini in Campo Martis fierent, & hostia furva immolarentur: utique ludi centesimo quoque anno fierent.* Varro apud eundem, loc. cit.

ces & les Jeux de Volusius, & les célébrer désormais tous les cent ans dans
le champ de Mars : c'est ainsi que ces
Jeux devinrent séculaires.

Rien, au reste, n'égaloit la solemnité
de ces Jeux. Dabord on envoyoit des
Hérauts dans toute l'Italie pour inviter
tout le monde à y venir, comme à une
solemnité à laquelle on n'assisteroit pas
deux fois ; & lorsque le tems de leur
célébration approchoit, les Consuls,
les Decemvirs, & ensuite les Empereurs
eux-mêmes alloient dans différens Temples offrir des sacrifices, & faisoient
distribuer au peuple les choses nécessai-
res, afin que chacun se mît en état d'expier ses crimes ; comme des torches,
du souffre & du bitume, & il n'y avoit
personne d'excepté que les Esclaves.
Le peuple ainsi muni de la matiere de
l'expiation, alloit en foule au Temple
de Diane qui étoit sur le mont Aventin,
& chacun donnoit à ses enfans de l'or-
ge, du bled, & des feves, pour offrir
le tout en sacrifice au Parques, dans le
dessein de les fléchir. Puis, lorsque la
premiere fête consacrée à ces Jeux arrivoit, on employoit trois jours & trois
nuits à offrir des victimes à Jupiter, à

Junon, à Neptune, à Vulcain, à Mars,
à Diane, à Vesta, à Vénus, à Hercule, à Saturne, aux Divinités des Fontaines, enfin aux Parques, à Proserpine, & à Pluton ; & tout cela à Tá-
rente même, lieu peu éloigné du
Champ de Mars, où se devoient donner
les Jeux.

La premiere nuit, à la seconde heure,
les Consuls du tems de la République,
& dans la suite les Empereurs eux-mêmes, accompagnés des Decemvirs qui
présidoient à cette solemnité, alloient
sur le bord du Tybre, où ils élevoient
trois Autels, sur lesquels ils immoloient
trois agneaux ; & après avoir arrosé les
Autels du sang de ces victimes, ils en
faisoient brûler le reste. Cette cérémonie étoit éclairée d'un grand nombre
de lampes, & accompagnée du chant de
plusieurs Hymnes en l'honneur des
Dieux, & terminée par l'offrande de
plusieurs victimes noires, telles qu'en
avoient autrefois immolé Volusius &
Publicola.

Pendant qu'on étoit occupé à ces
fonctions religieuses, des Ouvriers élevoient un Théatre, & préparoient le
lieu où devoient se faire les exercices

ordinaires aux Jeux : puis le lendemain matin on alloit au Capitole, où après avoir offert un sacrifice à Jupiter, on retournoit au lieu dont on vient de parler, & on commençoit à célébrer les Jeux en l'honneur d'Apollon & de Diane. Le lendemain les Dames Romaines alloient au même Capitole sacrifier à Junon : enfin l'Empereur lui-même accompagné des Décemvirs alloit le même jour offrir à chacune des Divinités que j'ai nommées, les victimes qui leur convenoient.

Le troisieme jour, vingt-sept jeunes garçons des meilleures familles, tous en robe : & autant de jeunes filles, se transportoient sur le Mont Palatin dans le Temple d'Apollon ; où ils chantoient à l'envi des Hymnes & des Cantiques, pour rendre les Dieux favorables à l'Empereur, au Sénat, & au Peuple Romain. Enfin pendant les trois jours & les trois nuits que duroit la solemnité de ces Jeux, tous les Théatres de Rome, les Cirques, & les autres lieux publics destinés à ces sortes de fêtes, étoient occupés par les spectacles qu'on y représentoit. On n'oublioit pas même les chasses, les combats de bêtes,

les Naumachies, &c. Le peuple paſſoit tout ce tems-là également dans la joie & dans la dévotion.

C'eſt ainſi que les Jeux des Grecs & des Romains étoient mêlés avec la Religion, & c'eſt ce qui m'a engagé à en donner l'Hiſtoire dans cette Mythologie.

F I N.

TABLE GENERALE
DES
MATIERES

Contenues dans les huit Tomes de cette Mythologie.

Le Chifre Romain désigne le Tome, & le Chifre Arabe la Page.

A

ABADIR, nom de la pierre dévorée par Saturne. III. *page* 302

Abas, fils de Lyncée Roi d'Argos, & son successeur VI. 49. VIII. 102.

Abeilles, qui nourrirent Jupiter. III. 333.

Abellio, Dieu des Gaulois. V. 474.

Abenaquis, Peuples de l'Amérique : leur Religion. I. 246

Aborigenes, pays des Aborigenes. III. 418. Hercule distribue à ses Soldats une partie de ce pays. VII. 29. Les Troyens s'unissent avec les Aborigenes sous le nom du peuple Latin. 403.

Abraham, fondateur du Judaïsme. I. 283. Si Sarug son pere fut le premier auteur de l'Idolâtrie : si Abraham a été lui-même Idolâtre. 301. 302. L'Idolâtrie plus anciénne qu'Abraham. 293. 334. III. 4. Qu'il étoit versé dans la connoissance des Astres. II. 187 Si le voyage des Argonautes ; est-il emprunté des voyages d'Abraham & de Moïse ? VI. 353. 354 Voyez *Patriarches*.

H vj

Abfyrthe fils d'Ætès & frere de Médée maſſacré par ſa ſœur. II. 163 VI. 422. 427. que ce meurtre eſt une calomnie des anciens Tragiques. 452. il eſt raconté diverſement par les Auteurs. 431.

Abyd.ne, ancien Auteur des Chaldéens : fragment de ſon hiſtoire I.   138. 146

Abyla, voyez *Calpé*.

Acacallide fille de Minos. I. mariée à Apollon. VI. 246. Enſuite avec Milet. VIII. 63. Voyez *Milet*.

Acacus fils de Lycaon : quelle Ville il fonda. VI. 33.

Acamas fils de Theſée. VI.   160.

Acara ou *Alquibila*. Tour, objet de Religion chez les Arabes. II.   420.

Acarnanie, contrée de l'Epire : origine de ce nom. VII. 42. Voyez *la Note*.

Acaſte, fils de Pelias, & couſin de Jaſon : un des Argonautes. VI. 375. fait célébrer des Jeux funebres en l'honneur de ſon pere. 438. *& ſuiv.* Pourſuit ſes ſœurs pour le meurtre de ſon pere. VII. 44. Aſtidamie femme d'Acaſte. Voyez *Aſtidamie Alceſte*.

Acca Laurentia, Nourrice de Romus & de Romulus. IV.   4 7.

Acca Laurentia ou *Larentia*, Courtiſane que les Romains honorerent ſous le nom de Flore. IV. 434 *& ſuiv.* Voyez *Jeux Foreaux*, *Flore*.

Accitains, Peuples d'Eſpagne, adoroient un Dieu de la guerre. V.   527.

Acephales ou hommes ſans tête. I.   127.

Acefidas & *Acefius* honorés en Grece comme des Héros. VI.   163.

Acerra, Inſtrument pour les ſacrifices. I.   482.

Aceſte Roi de Sicile : ſon Hiſtoire. VIII.   80.

Achaïe, contrée de la Grece : voyez *Acheus*.

Achante, Ville d'Egypte : l'eau du Nil y eſt employée dans une cérémonie religieuſe. V. 45.

Achéens, Peuples de Grece : voyez *Acheus*. Ils ſont chaſſés du Peleponeſe par les Heraclides. VII. 92.

Achelous, Fleuve d'Etolie : combat du Dieu de ce Fleuve avec Hercule. I. 50. Il est honoré en Etolie, pourquoi. IV. 279. Hercule lui arrache une corne : explication de cette Fable. 295. VII. 39. & *suiv.*

Acheron, Fleuve d'Epire : qualité de ses eaux. V. 56. & *suiv.* Pourquoi on a fait un Fleuve d'Enfer. 57. autres Fleuves nommés Acheron. V. 58. 59.

Acheruse, Lac d'Egypte. V. 4. C'est de ce Lac que les Grecs ont pris l'idée de leur Acheron. 45. Autre Lac de nom dans la Theosprotie, d'où sort l'Acheron. 56.

Acheus, qui donna son nom à l'Achaïe. VI. 102. Sa généalogie. 101. 104.

Achile, sa généalogie. VI. 93. VII. 338. 340. Thetis le plonge dans le Stix : son éducation. 341. Il est obligé de venir au siege de Troye. VI. 272. VII. 343. Il y conduit les Mirmidons. VI. 245. ses conquêtes pendant le siege. 254. Son courroux contre Agamemnon. 273. 344. Sa mort. 445. Il est honoré comme un demi-Dieu. 447. Voyez *Deidamie*, *Polixene*.

Achilées, fêtes en l'honneur d'Achille. I. 521.

Achiviens ou *Hevéens*, nom des Grecs, VI. 120. *ibid.* & 130.

Achlys, premier Etre dans le systême des Payens. I. 208.

Achor, voyez *Myagrus*.

Acis, changé en Fleuve. VII. 372.

Acmon, pere du Ciel. I. 208. Son histoire, sa mort & son Apotheose III. 272. 273.

Acmanie, deux Villes de ce nom bâties par Acmon. 272.

Acrœus, surnom de Jupiter. III. 349.

Acratus, Génie de la suite de Bacchus. VI. 163.

Acrisius ou *Acrise*, fils de Lyncée & pere de Danaé. VI. 49. Sa mort. 213. voyez *Danaé* & *Persée*.

Actéon, sa généalogie. VI. 127. sa mort. 129. est mis au nombre des demi-Dieux. 140.

Actéus, qui donna son nom au pays qui fut appellé Actique, où Cecrops fonda le Royaume d'Athenes. VI. 64.

Actiaques, fêtes Actiaques en l'honneur d'Apollon. I. 521. Jeux Actiaques institués par Auguste: pourquoi. VIII. 159. Voyez *Jeux Actiaques*.

Actique, pays de la Grece : d'où il tira ce nom. VI. 64. Voyez *la Note*.

Actium, Promontoire de l'Epire. I. 521. VIII. 159.

Actor, grand-Pere d'Achille. VI. 93. autre Actor Argonaute. 375.

Adad & Benadad, noms communs aux Rois de Syrie. Leur signification. I. 331.

Adam, les Rabbins croient qu'il fut créé avec les deux sexes. I. 144.

Adeona ou *Abeona*, deux Divinités Romaines. V. 386.

Adephagie, Déesse de la gourmandise: Temple qu'elle avoit en Sicile. V. 309.

Adès, nom de Pluton & des Enfers. I. 120. III. 343. V. 46. 147.

Admete. Roi de Pheres, époux d'Alceste, sa généalogie. VI. 98. un des Argonautes. 376. & des Chasseurs de Calydon. VII. 167.

Adod, Roi des Dieux chez les Phéniciens. I. 167.

Adonée, les Arabes adoroient le Soleil sous ce nom. I. 329.

Adonis, Dieu du Soleil chez les Phéniciens. I. 332. origine de la fable de Vénus & d'Adonis. 119 sa naissance, ses aventures, sa mort. VII. 13. & *suiv.* mis au rang des Dieux, pourquoi. 22. 23. son culte dans les Provinces voisines de la Syrie, & delà en Grece, & surtout à Athenes. 24. 29. fêtes établies en son honneur. 22. 25. 29. Adonis aimé de Proserpine dans les

Enfers. 14. Vénus le difpute à Proferpine. *ibid.*
& 33. dans fes fêtes on faifoit fuccéder la jóie à
la triftefle. 24. pourquoi 31. 36. *& fuiv.* origine
de foh culte. 12. 37. fa métamorphofe en Ane-
mone. 37. Voyez *Aftarté & Byblos.*

Adonis, Fleuve dont l'eau devient rouge en certains tems. VII.   22.

Adramelech & *Anamelech,* Dieu de Sepharvaim.
VII. 2. victimes qu'on leur offroit. 100. qui
étoient ces Divinités.   102.

Adramus, Dieu particulier à la Sicile, Ville qui lui
étoit confacrée. V.   301.

Adrafte Roi d'Argos : fon hiftoire. VI. 46 VII.
213. donne fes deux filles en Mariage à Polynice & à Tydée VII. 194. 195. 214. eft un des
fept Chefs de la guerre de Thebes. 195. fa généalogie, fes enfans. 213. 214. Fable du Cheval
d'Adrafte.   215. 216.

Adrafté, une des Nimphes qui nourrirent Jupiter.
III.   263.

Adraftée ou *Adraftie,* fille de Jupiter & de la Néceffité. V. 129 la même que Nemefis.   159.

Æa, Capitale de la Colchide. VI.   413.

Æacus ou *Æaque.* Voyez *Eaque.*

Ædo ou *Ædon,* fille de Pandare. Voyez *Pendare.*

Ædon fille de Pandarée. Voyez *Pandarée.*

Æea, Ifle ou Circé faifoit fon féjour. VI.   427.

Ægine. Voyez *Egine.*

Ægiochus, furnom de Jupiter. III.   359.

Ægipans. Voyez *Satyres.*

Ægobolle. Voyez *Egibole.*

Æello, l'une des Harpies. I. 196. VI.   405.

Ænon, nom de la premiere femme dans la Théogonie de Phéniciens. I.   156. 161.

Ærope, femme d'Atrée. VII. 312. Voyez *Atrée &
Thyefte.*

Ærumna ou l'inquiétude. I.   197.

Æs, Æfculanus & Æres, Dieux qui préfidoient à

la fabrique de la monnoie de cuivre. I. 359. V. 345. 346.

Ætalidès, l'un des Argonautes, fils de Mercure. VI. 376.

Æetés II. du nom, frere de Circé. VII. 383.

Æetés Roi de Colchos, pere de Médée. I. 204 331 tue Phryxus son gendre. VI. 360. veut faire périr les Argonautes. 413. Voyez *Jason*, *Phryxus*, les *Argonautes*.

Æther, sa formation suivant les Grecs. I. 193. 195

Æthra. Voyez *Ethra*.

Æthilie. pere d'Endymion. III. 270. VI. 92.

Æthlius, fils d'Eole, surnommé Jupiter. VI. 163.

Ætolie. Voyez *Etolie*.

Ætolus. Voyez *Etole*.

Æton, l'un des Chevaux du Soleil. IV. 146.

Agamede, frere de Trophonius. Sa mort. II. 28 29.

Agamemnon, sa généalogie. VI. 144. Haine héréditaire entre la maison de Priam & celle d'Agamemnon. VII. 239. il est Général de l'Armée des Grecs contre les Troyens. 244. il transfere le Royaume d'Argos à Mycenes. 314. sa mort. 317. 318.

Aganice, fable qu'on a débitée de cette fille. I. 79. Voyez *la Note*.

Aganippe ou *Hippocrene*, fontaine de Béotie. IV. 229.

Agapenor, fils d'Ancée, Roi d'Arcadie, se trouva au siege de Troye VI. 35.

Agavé, fille de Cadmus. I. 204. mere de Penthée, sa fureur. VI. 127. 128. reçoit les honneurs divins après sa mort. 140.

Age, ou siecle d'or, en quel tems on l'a placé. III. 434. Description de l'Age d'or. 447. d'où est venu l'idée de l'Age d'or. 448.

Agenor fils de Pleuron, ses enfans. VI. 92. 93.

Agenor Roi de Phenicie, sa généalogie, ses enfans. VI. 108 112. 115. Voyez *Europe*.

Agenoria, Déesse des Romains, qui donnoit du courage. I. 348. V. 335.

Ageronia ou *Angenoria*, Déesse du silence: fête instituée en son honneur: comme on la représentoit. V. 233. pourquoi on la joint à la Déesse Volupta. *ibid.*

Agesilaüs, nom de Pluton: ce qu'il signifie. V. 75.

Aglaïa, l'une des trois Graces. I. 203.

Aglaure ou *Agraule* fille de Cecrops: son culte inhumain dans l'Isle de Chipre. VI. 66. elle est changée en rocher. 68.

Aglibolus & *Malachbolus*, Dieux des Palmyreniens: comme ils étoient représentés. III. 106 & *suiv.*

Agonales ou *Agonies*, fêtes instituées par Numa Pompilius: d'où elles tiroient ce nom. I. 540.

Agonius, Divinité. Voyez *Agonales.*

Agrai ou *Agrus* ou *Agrotès*, nommés aussi *Aletæ* ou Titans. I 158.

Agranies, fêtes des Grecs. I. 521.

Agraulies, fêtes en l'honneur d'Agraule. Voyez *Aglaure.*

Agreus & *Haliéus*, inventeurs de la Pêche & de la Chasse. I. 158.

Agriones, fêtes, comment on les célébroit. I. 521.

Agrippa, un des Rois d'Albe. Temps de son regne. VII. 405.

Agrius fils d'Ulysse & de Circé. I. 204.

Agrius, un des Géants qui voulurent détrôner Jupiter. III. 269.

Agrotere, surnom de la Diane d'Athenes: quels sacrifices on lui offroit. I. 476.

Agrotès, fameuse divinité des Phéniciens. II. 405.

A Guy l'an neuf. Voyez *Guy.*

Ajax fils d'Oilée, Capitaine au siege de Troye. VII. 245. 351. viole Cassandre dans le Temple de Minerve 290. 352. sa mort. *ibid.* confiance des Locriens en sa valeur, même après sa mort. 355.

186 **T A B L E**

Ajax, fils de Télamon : la grandeur de sa taille. III. 316. Capitaine Grec au siege de Troye. VII. 255 difpute avec Ulyffe, les armes d'Achille : fon caractere, fa mort.   356 & fuiv.

Ajaxties, fêtes en l'honneur d'Ajax. I.   522.

Aichéera, Dieu des Arabes, quel il étoit. II.   421.

Aidonée Roi d'Epire, confondu fouvent avec Pluton. V. 88. 89. il y a eu deux Rois de ce nom.   90.

Aigle, Oifeau confacré à Jupiter. I. 460. pourquoi. IIL   332.

Aimené, Troyenne qui avoit un Temple en Grece. VI.   166..

Air, l'Air adoré fous le nom de Jupiter & de Junon. I. 343. Divination par le moyen de l'air. II.   121.

Aires, fêtes en l'honneur de Cerès. I.   523.

Aius Locutius, le Dieu des grands parleurs. I. 348. fon temple à Rome. II. 144. V.   235.

Alabandus, Fondateur de la Ville d'Alabanda en Carie : fon culte. V.   307.

Alacomenes, Fille d'Ogygès, nourrice de Minerve. Son culte. VI.   58. 59.

Alafparus, ce qu'il étoit dans le fyftême des Chaldéens. I.   148.

Alba un des Rois d'Albe, durée de fon regne. VII.   405.

Albe, Ville du pays Latin. Son Fondateur, fes Rois, la durée de ce Royaume. VII. 404. 405.

Albula, Ancien nom du Tybre. VII.   405.

Aleathées, fête des Grecs. I.   523

Alcée, pere d'Amphitryon. VI. 50 VII.   2.

Alcefte, fille de Pelias, femme d'Admette. VI. 98. elle eft pourfuivie pour le meurtre de fon pere. VII. 44. 45 Voyez *Admette*, *Acafte*

Alcibiade, pourquoi il fut banni. I.   434.

Alcide ou *Alcée*, premier nom d'Hercule. VII.   3. 9.

Alcime, *Alcimede* & *Alcine*, Héros de la Grece.
 VI. 164. 175.

Alcinoüs Roi des Phéaciens : ſes Jardins : reçoit
 Ulyſſe chez lui. VII. 387.

Alcippe, fille de Mars, ſon aventure qui donna
 lieu à l'établiſſement de l'Areopage. IV. 38. 39.

Alcmene mere d'Hercule. I. 203. III. 270. VII. 7.
 ſa généalogie. VI. 51. VII. 4. ſon mariage avec
 Amphitryon. VII. 6. naiſſance d'Hercule. 7. 8.

Alcmeon, fils d'Amphiaraüs : ſon hiſtoire & ſa
 mort. VII. 41. 207.

Alcon, un des Héros de la Grece. VI. 164.

Alcyone ou *Halcyone*, fille d'Atlas, une des Pleïades. I. 188. III. 437.

Alcyone, femme de Ceyx. VI. 94. Voyez *Ceix*

Alcyonée, un des Géants qui vouloient détrôner
 Jupiter. III. 267.

Alcyons, oiſeaux conſacrés à Thétis. I. 450 ſymbole de l'amour conjugal. VIII. 45.

Alea, ſurnom de Minerve. VI. 35. Voyez *Aleus*.

Alecto, l'une des Furies. V. 129.

Alector, fils de Magnès Roi de Magneſie. VI. 95.

Alées, fête célebre dans l'Arcadie. I. 522.

Alemanus, Roi de Boïens, & l'Hercule de leur
 Païs V. 578.

Aleto. Voyez *Agrai*.

Aletès, fils d'Egiſte & de Clytmeſte, tué par Oreſ-
 te. VII. 328.

Aletès, l'un des Heraclides. VII 93. Voyez *Si-
 ſyphe*.

Aleus, fils de Nyctimus Roi d'Arcadie ; fait bâtir
 le Temple de Minerve Aléa. VI. 35. fils qu'il
 eut de Cleobule ſa femme 377.

Alexandre, veut paſſer pour fils de Jupiter. II. 15.
 23. V. 353. 355. comment il fut admis aux Jeux
 Olimpiques. VIII. 131.

Alies, fêtes d'Apollon chez les Grecs. I. 523.

Alilat, Déeſſe des Arabes. I. 29. II. 418. III. 40.

IV.   210.
Alladius, Tyran d'Albe, fa témérité, fa mort.
   VII.   504.
Allegories, fi les fables font de fimples Allegories.
   I.   14. 15. 22. 35. & fuiv. 216. 259.
Alliance, Dieux qui préfidoient aux Alliances.
   III.   93.
Allirotius. Voyez *Alcippe*.
Alloa, une des fêtes de Cérès. I. 522 V.   106.
Aloés, ou fêtes des Aires. Voyez *Aires*.
Aloëus. Voyez *Aloides* & *Iphimedie*.
Aloides, Géants qui attaquerent Jupiter. III. 268.
   V. 201. explication de leur Hiftoire 203. & fuiv.
Alopis, changé en Renard. I.   132.
Alorus, c'étoit l'Adam des Chaldéens. I.   148.
Aloüs, fils du Soleil & d'Antiope. VI.   461.
Alpha, ou *Ilpha*, mot Phénicien. Equivoque à la-
   quelle il a donné lieu. I.   112.
Alphaga, autre mot Phénicien. I.   114.
Alphée, fleuve d'Elide. I. 199. fes amours pour la
   Fontaine Arethufe I. 114. V. 97. 98 Voyez
   Arethufe.
Alphéfibée, fille de Phégée, époufe Alcmeon, qui
   qui la répudie enfuite : comme elle eft vengée de
   cet affront. VII.   207. 208.
Alphitomentie, efpece de Divination. II.   122.
Alrunes, fuperftition des anciens Germains. V.
                                              548. & fuiv.
Althée femme d'Oenée, mere de Méleagre. Sa gé-
   néalogie. VI. 93. elle dévoue fon fils aux Furies.
   VII. 162. & fuiv. fon défefpoir.   171.
Amalthée, Chevre qui nourrit Jupiter. III. 343.
Ambryffus, un des Héros honorés dans la Grece.
   VI.   164.
Amanus, *Omanus* & *Anandratus*, Divinités des
   Perfes & des Cappadociens. III. 202. & fuiv.
Amafis, Roi d'Egypte : Temple d'une feule pierre
   qu'il fit conduire à Saïs. I.   389.

Amazones, pays qu'elles ont habité: guerres de Bellerophon, de Priam, d'Hercule contre elles. VI. 230. qui elles étoient, s'il y a eu véritablement des Amazones. VII. 46. *& suiv.* s'il y en a encore aujourd'hui. 49. Temples qu'elles avoient bâti. I. 390.

Ambarvales, fêtes de Cerès. I. 537.

Amberthkend, Livre qui contient les Dogmes des Indiens. I. 241.

Ambition, Divitité. I. 350.

Ambre, lieu où il croît. IV. 157. Voyez *Heliades*.

Ambroifie, un des Hyades. III. 445.

Ambroifie, fêtes en l'honneur de Bacchus. I. 523.

Ame univerfelle qui animoit tout l'Univers, imaginée par les Philofophes & les Poëtes. I. 299. 361. II. 203. 207.

Ame, Culte qu'on a rendu aux Ames. I. 318. *& suiv.* Etat des Ames. après la mort: opinion des Amériquains. I. 247. des Anciens. 315. 342. II. 290. IV. 360 361 des Egyptiens. V. 2 *& suiv.* des Philofophes Grecs. 10 *& suiv.* diftinction de l'Ame & de l'Ombre. 21 *& suiv.* Voyez *Elyfées*

Amelon, qui il étoit dans le fyftême des Chaldéens. I. 148

Amenon. I. 148

Amenophis Roi d'Egypte, s'il eft le même que Memnon. VII. 423

Amenthes, Dieu des Egyptiens, c'eft l'Ades des Grecs. V. 13 46

Amériquains, conformité de leur Religion avec celle des anciens Payens. I. 245 *& suiv.* il n'y a aucune Nation en Amérique qui n'adore le Soleil. 248 *& suiv.* 329

Amilcar, Divinité par les Carthaginois. II. 432

Amintor fils de Phraftor Roi d'Argos. VI. 12

Amithaon fils de Crethée, fes defcendans. VI. 97 361 oncle de Jafon. 365

Amitié, l'Amitié déifiée chez les Romains : comme on la repréfentoit V. 310

Ammon. Voyez Jupiter, *Cham*.

Ammon pere d'Adonis, & mari de Myrrha. III. 15 fa mort. 16

Amour, le plus ancien des Dieux : fa naiffance. I. 195 Amour bienfaifant, forti d'un œuf : fon union avec le Chaos. 105 autre origine de l'Amour felon Platon. 143 deux Dieux de l'Amour chez les Romains. 349 combien les anciens ont admis d'Amours. IV. 52. 73. 74. Culte de ce Dieu. 78

Amphiaraüs, fameux Devin. VI. 98 VII. 205 un des principaux Chefs de la guerre de Thébes, & un des Argonautes VI. 377 VII. 195 fa mort : fa famille. 198. 207. 209 Culte qu'on lui rendit après fa mort. 209. *& fuiv.*

Amphiarées, fêtes en l'honneur d'Amph'araüs. I. 523

Amphictyon Roi d'Athenes. VI. 70. 90. Auteur du Tribunal des Amphictyons : ce que c'étoit que ce Tribunal. 91

Amphidamas, l'un des Argonautes. VI. 377

Amphiloque fils d'Amphiraüs. VII.. 207

Amphion fils de Jupiter & d'Antiope. III. 270 VI. 133. pourquoi dit-on qu'il bâtit les murs de Thebes au fon de fa Lyre. 134. 135. Voyez *Zethus*.

Amphion, un des Argonautes, fils d'un Roi d'Arcadie. VI. 377

Amphis, *Anedophis* ou *Amemptinus*, qui il étoit chez les Chaldéens I. 248

Amphitrite femme de Neptune : fa généalogie. I. 103. IV. 309 étimologie de ce nom. deux Nereides auffi nommées Amphit'ites. 327

Amphitryon, fa naiffance. VI. 51 VII. 4 perd le Royaume de Mycenes : fa retraite à Thebes avec Alcmene qu'il époufe. VI. 52 VII. 6. Voyez *Alcmene*.

Amulius, le Mars des Latins, pere de Remus & de

Romulus. IV.   37
Amycleus, un des Héros honorés dans la Grece.
VI.   403
Amycus Roi de Bébrycie : pourquoi Pollux le fit
Périr. VI.   403
Amynus & Magus, ce qu'ils étoient chez les Phé-
niciens. I.   159
Anacées, fêtes en l'honneur de Castor & de Pol-
lux. I. 520. 536 VII.   130. 131
Anaces ou Anactes, signification de ce nom I.
523 nom donné à plusieurs Dieux. III. 132
son origine. 134 Voyez les Dioscures & Cabires
Anagogies, fêtes en l'honneur de Venus. I. 523
Anaitis, surnom de Diane ou de la Lune chez
les Cappadociens & les Arméniens. III. 108
IV. 210 fête en son honneur. I. 215 216 son
Temple en Armenie : sa statue d'or pillée. 219
Anaxagore puni de mort, pourquoi. I.   81
Anaxandra, Héroine d'Athenes. VI.   166
Anaxarete changée en rocher. VIII. 64 Voy. Iphis.
Anaxis, Héros honoré dans la Grece. VI.   164
Anaxo Mere d'Alcmene. VI. 51. VII.   4
Ancée Fils de Neptune & d'Astipalée, un des Ar-
gonautes. VI. 378 sa mort singuliere qui don-
ne lieu à un proverbe.   379
Anchise pere d'Enée. I. 204 sa généalogie. VII.
302 395 pourquoi il fut frappé de la foudre. 396
le tems & le lieu de sa mort.   397
Ancila ou Anciles. Voyez Boucliers sacrés
Anculi Anculæ Dieux des Valets & des Servan-
tes. I. 350 V   343
Andrémon gendre d'Oenée Roi de Calydon, qui
lui cede son Royaume. VII.   172
Androgée, fils de Minos. II. sa mort. VI. 262 &
suiv. Jeux funebres institués en son honneur.
273 278
Androgenies, fêtes en l'honneur d'Androgée I. 523
Androgynes, hommes monstrueux. I.   143

Andromaque, femme d'Hector, sa généalogie VII. 286 Voyez *la Note*. enfans qu'elle eut de Pyrrhus & d'Helenus. 287 comment les Poëtes l'ont représenté. 288

Andromede fille de Cephée & de Caffiopée, est exposée à un monstre marin : délivrée par Persée qu'elle épouse. VI. 203 104 ce qu'il y a de vrai dans son aventure. 205 les os du monstre apportée à Rome : leur dimension. 209 Andromede Constellation. VI. 214

Anembotus, un des Docteurs des Chaldéens. I. 147

Ageronales, fêtes en l'honneur d'Angerona. I. 541

Agerona. Voyez *Ageronia*.

Anges, Culte rendu aux Anges. I. 318 si les Géants sont sortis du commerce des Anges avec les filles des hommes I. 209 & *suiv*.

Animaux, Culte rendu aux Animaux par les Egyptiens. II. 373 de quelle nature étoit ce Culte. 382 & *suiv*. ceux qui en tuoient quelqu'un, punis de mort. 375 376. soin qu'on prenoit de les enterrer. 380. Animaux du Zodiaque. 389 Animaux consacrés à chaque Divinité. I. 458 459

Anius grand Prêtre d'Apollon à Délos. VII. 399 sa généalogie, ses filles changées en Pigeons. 418 Voyez *Oeno*.

Anna Perenna, Divinité Champêtre des Latins. Fêtes en son honneur. IV. 451 452

Annedots, Génies honnorés chez les Chaldéens. I. 210

Antandre, Ville de Phrygie, où Enée fit bâtir sa flotte. VII. 399

Antée Dieu des Egyptiens. II. 289

Antenor Prince Troyen : son intelligence avec les Grecs. VII. 278 281 393 se retira en Italie : Ville qu'il y bâtit. 394

Anteros ou le contr'Amour. Sa naissance. IV. 52 59 78 comme on le représentoit. 79

Antesion. Voyez *Tifamene*.

Anthée

Anthée, Géant fils de la Terre, son combat avec Hercule : Ville qu'il avoit fait bâtir en Afrique. VII. 3233

Antesphories, fêtes en l'honneur de Proserpine. I. 523

Anstiteries, fêtes des Grecs. I. 523

Anticlée fille de d'Autolycus mariée à Sisyphe. V. 185

Anticlée fille de Sisyphe mariée à Laerte. V. 185 VII. 365

Antigone fille d'Oepide. VII. 187; sa mort funeste. 217

Antiliban. Voyez *Liban*

Antinous. Folie de l'Empereur Adrien pour ce Favori II. 43. V. 353

Antiochus fils d'Hercule & de Médée, un des Héros Eponymes. VI. 159

Antiope fille de Nyctéus : ses aventures. III. 270 VI. 133. & suiv.

Antiope ou *Hippolite*, une des Amazones faite prisonniere d'Hercule. VII. 46

Antithées, mauvais Génies invoqués par les Magiciens. V. 305

Antion pere d'Ixion. V. 305. VI. 315 316

Antium. Ville d'Italie : Oracles qui s'y rendoient. II. 37. 41. 51

Anubis, Dieu Egiptien, pourquoi changé en chien. I. 116.

Anxur. Voyez *axur*.

Aonides, surnom des Muses. IV. 230

Aonie, nom de la Boétie. *ibid.*

Apalachites, Peuples de la Floride : leur Religion. I. 250

Apathie, mot Grec : sa signification. I. 233

Apaturies, fêtes des Athéniens : ce qui y donna lieu. I. 524.

Aphacite, Oracle de Venus Aphacite. II. 40

Aphea, Divinité des Egineres & des Crétois. V.

298. VI. 166
Aphrodifies, fêtes de Vénus. I. 525
Aphrodite, nom de Vénus. Ce qu'il fignifie. I.
117. 197. II. 418. IV. 57
Apidas. Voyez. *Azan*.
Apis, Dieu des Egiptiens : changé en Bœuf. I. 116.
figure de ce Bœuf. II. 331. fes funérailles : fon fuc-
ceffeur. 333. 334. qu'il y avoit deux Bœuf Apis.
334, Oracle du Dieu Apis. II. 37. 334
Apis Roi d'Athenes : fa généalogie. VI. 40. c'eft le
Jupiter Amant d'Io & de Niobé. II. 298. *& fuiv.*
en quel tems il vivoit III. 271
Apis Roi de Sicyone , fa généalogie & fes defcendans. VI. 45
Apollon , fes différens noms chez différens Peuples.
I. 28. III. 248. fa généalogie felon les Phéniciens. 165. felon les Egyptiens. 180. felon les
Grecs. 201. III. 271. Combien diftingue-t'on
d'Apollons. IV. 160. L'Apollon Egyptien, le modele de celui des Grecs 164 *& fuiv.* qui eft l'Apollon des Grecs. 167 *& fuiv.* çe Dieu prefque toujours confondu avec le Soleil. III. 464 IV. 138.
qu'il faut les diftinguer. 138. 162. *& fuiv.* Prince
Titan connu des Grecs fous le nom d'Apollon.
167. *& fuiv.* pourquoi chaffé du Ciel.. 196. Culte
qu'on lui rendoit : animaux qui lui étoient confacrés. 198. 199. les morts fubites attribués à ce
Dieu. I. 22. IV. 190. Oracles qu'il avoit en différens lieux. II. 17. *& fuiv.* 34. 35
Apollon Hyperboréen . Culte que lui rendoient les
Hyperboréens. III. 225 *& fuiv.*
Apollonies , fêtes en l'honneur d'Apollon. I. 525
Apon , nom d'une fontaine près de Padoue : vertu
qu'on lui attribuoit. II. 41
Apoftrophie ou *Averfative*, furnom de Vénus. IV. 53
Apotheofes , Origine de celles des Princes & des
grands hommes. I. 59. celle des Empereurs Ro-
mains V. 351. *& fuiv.*

Apparitions des Dieux ou *Theoptie*: croyance des Payens sur la préfence de leurs Dieux. III. 355

Appiades , Déeffes chez les Romains. V. 337

Arabes,leur ancienne Religion. I. 329 338 II. 416 & *fuiv.* quand ils embrafferent le Mahometifme. 423. noms qu'ils donnoient au Soleil. I. 329.

Arachné, métamorphofée en Araignée. I. 120. IV. 21

Araignée, opinion des Indiens que le monde eft un ouvrage filé par cet Infecte. I. 243

Aratées , fêtes en l'honneur d'Arates. I. 525

Aratus , un des Héros de la Grece. VI. 164

Arbres , les arbres ont été les premiers Temples des Dieux. I. 364. Voyez *Bois facrés*. Arbres. confacrées à certaines Divinités. I. 460

Arc-en-ciel. Voyez *Iris*.

Arcadie , fes premiers habitans : fes premiers Rois jufqu'à l'arrivée de Colonies d'Egypte & de Phénicie. VI. 31. & *fuiv*.

Arcas fils de Jupiter & de Califto. III. 270. fon hif-toire. VI. 34. Conftellation qu'il forme dans le Ciel. VIII. 88

Arcefilas fils de Jupiter & de Toredie III. 270

Arcefius Pere de Laërte ; fa généalogie. VI. 99 VIII. 42

Arthemore fils de Lycurgue tué par un Serpent, Jeux inftitués en fon honneur. VII. 197. 198. Voyez *Jeux Néméens*.

Archigalles Voyez *Galles*.

Archiprêtres & *Archiprêtreffes* chez les Grecs. I. 493. 494

Architecture inventée avant la fculpture. I. 364

Architis , Vénus Architis adorée fur le mont-Li-ban. III. 39

Archontes d'Athenes : leur inftitution. VI. 70. ori-gine de leur Sacerdoce, & de celui de leurs fem-mes : Vénération qu'on avoit pour eux. I. 493

Arculus Dieu des Romains, fes fonctions. V. 337

Ardée, Ville des Rutules brûlée : Oiseau sorti de ses cendres. VII.   419

Arduina, la Diane ou Déesse de la Chasse des Gaulois. V.   425

Arecie, Isle où les Argonautes aborderent allant en Colchide. VI.   412

Arenes de Nismes & d'Orange. VIII.   117

Aréopage, étymologie de ce nom : origine de ce Tribunal. IV. 38. 39. & VI.   70

Aréotopotés, ou le grand Buveur de Vin. VI. 159

Ares, non de Mars chez les Grecs. IV. 34. Voyez *Mars*.

Ares-Koïi, Voyez *Okki*.

Arethuse, Nymphe d'une Fontaine. I. 114. V. 81. Amours d'Alphée & d'Arethuse. V.   97

Argé, Nymphe changée en Biche. VIII.   97

Argés, un des Cyclopes. I.   196

Argie, Fille d'Adraste, femme de Polynice. VII.   195. 214.

Argo, nom du Vaisseau des Argonautes. VI   363 & *suiv.* Voyez *Navire Argo*.

Argonautes, causes de leur expédition. VI.   350 & *suiv.* nombre des Argonautes, leurs noms. 373. & *suiv.* leurs aventures dans le voyage. 398 & *suiv.* leur retour : il est raconté diversement. 422. & *suiv.* Epoque de cet événement. 440. & *suiv.*

Argos ou *Argus*, fils de Phrixus, un fils d'Athamas. VI.   360

Argos, Ville de Péloponese : fondation du Royaume d'Argos. II. 299. VI. 57. ses Rois jusqu'à l'arrivée de Danaüs.   40

Argus, fils de Jupiter & de Lardane. III.   270

Argus aux cent yeux, Gardien d'Io. II.   300

Argus quatrieme Roi d'Argos. II. 302. VI.   40

Argus fils d'Alector, bâtit la Navire Argo : fut un des Argonautes. VI.   368. 380

Argynnis, surnom donné à Vénus. IV.   67

Ariadne fille de Minos , favorife Théfée. VI. 276
& *fuiv.* Voyez *Théfée* , fa couronne changée en
Aftre. 283. 284
Ariadnées : Fêtes en l'honneur d'Ariadne. I. 526
Ariman. Voyez *Oromafe.*
Arimafpes , Peuples qu'on difoit n'avoir qu'un
œil. I. 325
Arion. Voyez *Orion.*
Arion , Poëte Lyrique de Lesbos , fauvé du nau-
frage par un Dauphin. VIII. 64. 65
Arion , nom du Cheval d'Adrafte. VII. 215
Arisba , premiere femme de Priam. VII. 284
VIII. 75
Ariftée , Dieu des Mouches à Miel. I. 349. quel il
étoit ; pourquoi on en a fait le Dien des Abeil-
les ; fon Apothéofe IV. 448. femme qu'il avoit
époufée. I. 104. fils qu'il en eut. VI. 129
Arifthenes , prend foin d'Efculape qu'il trouve ex-
pofé. V. 270
Arithmomantie , forte de Divination. II. 123
Arméniens , leurs Divinités. III. 209
& *fuiv.* 114.
Armiluftre , fête des Romains. I. 541
Arminius , Géneral des Chérufques : Dieu Tute-
laire du Pays. V. 557
Arné , Nymphe changée en Chouette. VIII. 74
Arnés , mere du Dieu des Vents : fes aventures :
fes enfants. IV. 375
Arnus , fameux Devin d'Apollon : Jeux funebres
en fon honneur. VII. 91. 92
Arfaces , Roi des Parthes , placé après fa mort par-
mi les Aftres. III. 214
Arfinoë , Ville d'Egypte : refpect qu'on y avoit
pour les Crocodilles. II. 376
Artémides. Voyez *Titanides.*
Artemifies , fêtes des Grecs , en l'honneur de Diane
Artemis. I. 526
Arthophilax , Conftellation. VIII. 88

Arts, Inventeurs des Arts. I. 101. 102. regardés comme des Dieux. 85. 346. Ancienneté des Arts en Egypte. 117. Culte qu'on leur rendoit : pourquoi joint à celui de la Pauvreté. V 312

Arvales, Prêtres chez les Romains. I. 518

Arueris, Dieu d'Egypte : modele de l'Apollon des Grecs. II. 288. sa mere grosse de lui en venant au monde. 294

Aruspices. Voyez *Haruspices*.

Asabinus, nom du Soleil chez les Ethiopiens. I. 239

Ascagne ou *Iule*, fils d'Enée & de Creuse. VII. 397. Fondateur du Royaume d'Albe. Durée de son regne. 404

Alcalaphe changé en Hibou. I. 131. V. 58. 82. pourquoi. 95

Ascalaphe, un des Argonautes. VI. 381

Ascalon, Divinités qu'on y adoroit. III. 3

Asclepies, fêtes en l'honneur d'Esculape. I. 526

Asclepios, nom d'Esculape. Voyez *Esculape*.

Asclepius fils de Sydic. I. 165

Asera, *Asero* ou *Aserim*, noms d'Astarté dans l'Ecriture Sainte. III. 11. 37. 39. Voyez *Astarté*.

Asera, Ville bâtie au bas de l'Hélicon. VI. 94

Asima, Dieu des Hemathiens. III. 2. 97. Comme on le représentoit. 98

Anes. Les Anes au poil roux en horreur aux Egyptiens II. 329. les Juifs accusés d'adorer la tête d'un Ane. 384. A qui on immoloit l'Ane. IV. 449

Asope, Roi de Béotie, & pere d'Egine. VII. 331. Voyez *Egine*.

Asope, Fleuve du pays des Phliasiens. VII. 432. Voyez *la Note*.

Asoth, Dieu qui y étoit honoré. III. 2. 3.

Aspasie, obligée de se faire Prêtresse du Soleil III. 149. 156 ou de Diane Anaïtis. 209

Aspersoir servant aux Sacrifices. I. 483

Assaracus, ayeul d'Anchise, sa généalogie. VII 302. 303. 395.

Affabinus, nom de Jupiter chez les Arabes. III. 358

Aftaroth, ou *Aftarté*, fignification de ce nom. I. 116. III. 10. Voyez *Aftarté*.

Aftarté, la grande Divinité des Peuples de Syrie : l'Aftaroth de l'Ecriture Sainte : la Vénus des Grecs. I. 29. III. 9. 10. mife au rang des Dieux : pourquoi. 12. 37. fon Culte toujours joint à celui de Baal dans les Livres Saints. 38. comment on la repréfentoit. 39. qu'Adonis repréfentoit le Soleil, & Aftarté la Lune. 10. & *fuiv.* 39. fon Temple à Hierapolis. 42.& à Babylone. 97.100

Aftarté, fille d'Uranus, fuivant la Theogonie des Phéniciens. I. 165. 167

Afterie, fa naiffance & fes enfans. I. 200

Afterion fils de Cometés, & *Afterius* fils de Nelée, tous deux du nombre des Argonautes VI.381.382

Afterius, Roi de Crete : le Jupiter qui enleva Europe : fa généalogie. VI. 109

Afterope, l'une des filles d'Atlas, & l'une des Pleïades. I. 188. III. 437

Aftiagée fille d'Ipheus, fes enfans. VI. 316

Aftianax, fils d Hector. VII. 286

Aftidamie fille d'Amintor : enfant qu'elle eut d'Hercule. VII. 64

Aftidamie, femme d'Acafte VII. 337. Voyez *Pelée*.

Aftioche, fils d'Eole Roi des Ifles Liparies. IV. 378

Aftioche, fille de Phalente, mere de Tlepoleme. VII. 64

Aftione. Voyez *Chriféis*.

Aftrabacus, un des Héros honorés dans la Grece. VI. 164

Aftrée, Déeffe qui préfidoit à la Juftice. I. 349

Aftres, divers fentimens fur leur formation. I. 141. 168. 180. 196. caufes du Culte qu'on leur a rendu. 288. 317. & *fuiv.* Voyez *Soleil*, *Lune*. Les Anciens ont cru les Aftres animés 322. Voyez *Conftellations* : foin qu'a éu Moïfe de Profcrire le

Culte des Aftres. 324. & *fuiv.*

Aftreus, fils de Créius & d'Eurybée. I. 199

Aftrologie, quels en furent les inventeurs. I. 185

Aftronomie, fcience bien diftinguée de l'Aftrologie. I. 187. qui fut le pere de l'Aftronomie. III. 463.

Aftices. Voyez *Jeux Aftyces*.

Afyles, des lieux d'Afyles chez les Payens. Leur origine, leurs privileges, leur fuppreffion à Rome. I. 423. & *fuiv.* 428

Atabirius, nom donné à Jupiter. III. 350

Atalante, fille de Schœnée, fa naiffance. VII. 175. fa légéreté à la courfe : comme elle y fut vaincue par Hippomene. 174. fon goût pour la chaffe. 176. elle fe trouve à la chaffe de Calydon. 167 176. elle eft changée en Lionne. 177. Voyez *Meleagre.*

A talante, fille de Menalion, fouvent confondue avec celle dont on vient de parler. VII. 174

Até, fille de Jupiter, fon caractere. I. 53. fut précipitée du Ciel. V. 250. VII. 13. Voyez *Difcorde*. & *Prieres.*

Atergatis. Voyez *Derceto.*

Athamas, Roi de Thebes en Béotie, pere de Phryxus & de Hellé. VI. 92. fes enfans. 98. fon Hiftoire. 355

Atharid, nom de Mercure chez les Arabes. III. 421

Athées, plus odieux à la Divinité que l'Idolâtrie. I. 289

Athéifme, s'il a commencé avant le Déluge. I. 29

Athené, fille de Chronos. I. 164. 168

Athené, fille de Cecrops : la Minerve des Grecs. Etymologie de ce nom IV. 8. Voyez *Minerve.*

Athenée, fête des Grecs. I. 533

Athenées, fêtes en l'honneur de Minerve. IV. 14

Athenes. Fondation de la Ville & du Royaume d'Athenes. VI. 64. Cecrops premier Roi : fes fucceffeurs. 70. Magiftrats qui fuccéderent aux Rois. *ibid.* Minerve y eft fpécialement honorée :

lui donne son nom IV. 13. 17. Tribut que Minos Roi de Crete impose aux Athéniens : comment ils eu furent affranchis. VI. 268. 273. & suiv. Voyez *Minos*, *Théfée*.

Athletes, leurs combats dans les Jeux. VIII. 127.

Atlantides, Peuples d'Afrique, leur Theogonie. I. 184. III. 441

Atlantides ou les filles d'Atlas, forment la Conftellation des Pleïades. I. 188. III. 437. 442 font auffi appellées Hefperides. 438

Atlas, trois Princes qui ont porté ce nom : où ils regnerent. III. 445

Atlas, un des Princes Titans, fes Etats. I. 187. fes enfans. 188. III. 437. s'adonna à l'Aftronomie. Ce qui a fait dire qu'il portoit le Ciel fur fes épaules. I. 38. 39. 44. 51. 201. III. 440. & qu'il s'en étoit répofé fur Hercule. 441. fa métamorphofe en Montagne. VI. 177. 201.

Atlas, Montagne d'Afrique. Voyez *l'Article précédent*.

Atrée & *Thiefte* : leur généalogie. VI. 144. leur haine mutuelle VII. 312. & suiv.

Atrides, nom donné à Agamemnon & à Menelas : s'ils étoient les enfans d'Atrée. VII. 315

Atropos, l'une des Parques, de qui elle étoit née. I. 197. 203. V. 143. fa fonction. 147. 151. étymologie de fon nom. 147. comment elle étoit repréfentée. 156

Atteftation de vie & de mœurs qu'on mettoit dans le cercueil d'un défunt : les Mofcovites pratiquent encore aujourd'hui cette coutume. V. 51

Atys, fes aventures avec Cybele diverfement racontées. IV. 407. & suiv. fa métamorphofe en Pin. 411

Avenir. S'il feroit avantageux de fçavoir l'avenir. II. 191. le defir de fçavoir l'avenir, fource de plufieurs fuperftitions. Voyez *Divination*, *Magie*, *Aftrologie*.

Aventin, Mons du pays Latin. D'où vient son nom. VII. 405. A qui on y rendoit les honneurs divins V. 356. VII. 29. 30

Averne, Lac près duquel les Poëtes plaçoient l'entrée de l'Enfer. V. 19. sa situation 33. étymologie de ce nom. 74

Averrunci, Dieux qu'on invoquoit contre les mauvais présages. I. 288. II. 148. 159

Avesta, nom du feu chez les Chaldéens. Livre de Zoroastre qui avoit le même nom. IV. 426

Augé, fille d'Aléus, fils qu'elle eut d'Hercule. VII. 64. 269. son mariage avec ce fils. 270

Augias Roi d'Elide, un des Argonautes. : sa généalogie. VI. 382. Hercule nétoye ses étables. VII. son ingratitude, sa mort. *ibid.*

Augiles ou *Augilites*, Peuples d'Afrique, leur Religion. II. 438

Augures, signification du mot *Augure*: ancienneté de l'art des Augures. II. 123. College d'Augures établi à Rome. 125. *& suiv.* maniere de tirer les Augures: Oiseaux dont on se servoit. 129. 134 comment les Gaulois tiroient les Augures V. 427. Bâton Augural. I. 484

Aulis, fille d'Ogygès, qui donna son nom à un bourg de la Béotie. VI. 58

Aulon, Arcadien, un des Héros honorés dans la Grece. VI. 164

Aurore, sa naissance. I. 199. les enfans qu'elle eut de Persé, de Tithon & de Céphale. 199. 204. ses amours avec Tithon. VII. 427. Voyez *Céphale* & *Tithon*.

Auspices. Voyez *Augures*.

Ausoniens, Peuples d'Italie du temps de Janus. III. 418

Autels, leur antiquité. I. 408. leurs formes : lieux où on en élevoit. 411. *& suiv.* respect des Payens pour les Autels. 415. point d'Autels pour les Dieux des Enfers. V. 176

Autoctones, signification de ce mot. VI.   24. 30

Autoleon. Voyez *Leucé*.

Autolycus, pere d'Anticlée. V. 185. sa généalogie.
  VIII.   46

Autolicus, un des Argonautes. VI.   384

Autonoé, fille de Cadmus, épouse d'Aristée. I. 204.
  mere d'Acteon. VI.   129.

Autopsie ou commerce intime avec les Dieux. II.
                                              176

Auxesia & *Damia* ou *Lamia*, Déesses honorées à
  Epidaure : Origine de leur Culte, guerre au sujet de leurs Statues. V. 302. 303. d'où elles
  étoient venües dans la Grece ; leur mort : fêtes
  établies en leur honneur.   304

Axinomantie, sorte de Divination II.   123

Axur ou *Anxur*, surnom de Jupiter, comme il
  étoit représenté. III.   369

Azan, fils d'Arcas, Roi d'Arcadie : les premiers
  Jeux funebres célébrés à l'occasion de sa mort.
  VI.   34

Azizus, surnom de Mars à Edesse. VI.   37

B

Baal, *Bel* ou *Baalsemen*, le Soleil adoré
  sous ces noms : ce qu'ils signifient. I. 156
  329. Que c'est le Moloch de l'Ecriture Sainte.
  III.   82. & suiv.

Baal-Beriht, Dieu des Sermens à Carthage. II. 430
  Dieu de l'Alliance chez les Phéniciens. III. 92
                                          & suiv.

Baal-Gad, Dieu des Assyriens. III.   84

Baal-Peor, Dieu des Syriens & des Arabes. II.
  420. III.   83

Baal-Phegor, Dieu des Moabites. III. 83. signification de ce nom : c'est le même que Priape. 86

Babel, Auteur du dessein de la Tour de Babel. I.
  137. 381. Destinée dans la suite à servir de Tem-

ple à Bélus : defcription de cette Tour. *ibid.* Si elle eft l'origine de la fable des Titans qui vouloient détrôner Jupiter. III. . 328. 329

Babylone, Capitale de la Chaldée : fon idolâtrie. III. 5

Bachanales, fêtes en l'honneur de Bacchus : comment on les célébroit à Rome. I. 537. *& fuiv.* pourquoi abolies. 535. IV. 267

Bacchantes, leurs différents noms. I. 505. IV. 247 Comme elles célébroient les fêtes de Bacchus. I. 537. IV. 247

Bacchus, combien de perfonnes ont porté ce nom. IV. 235. Le Bacchus des Egyptiens c'eft Ofiris. 232. 240. Que fon nom & fes myfteres furent portés fort tard dans la Grece. I. 124. IV. 233. 239. s'il eft le même que Moïfe. IV. 237. *& fuiv.* Bacchus Grec, fils de Semelé. I. 203. IV. 239. fa naiffance. 230. 240. fon voyage aux Indes. 242. fes différens noms. 245. fa defcente aux Enfers. 248. pourquoi la Pentere lui étoit confacrée. 252. comme on le repréfentoit ; explication des fymboles qui accompagnent fes figures. *ibid. & fuiv.* fêtes en fon honneur. Voyez *Orgies*, *Trieterides*, *Bacchanales.* Culte de Bacchns chez les Gaulois. V. 483

Bactriane, (la) fes premiers Hebitans III. 272

Bætiles, Pierres pour lefquelles on avoit de la vénération : leur origine III. 302. *& fuiv.*

Bague, origine de la premiere bague qu'on ait portée III. 449. 450. 465. Bague jettée dans la Mer par Minos, & rendue à Théfée par Amphitrite. VI. 283. 285

Bal, mot Carthaginois : ce qu'il fignifie. III. 84

Balba, Ville de Syrie. III. 105

Baptes, Prêtres de Cotytto, fort méprifés, & pourquoi. V. 117

Barbarifme, nom donné à la Religion depuis Adam jufqu'à Noé. I. 282

Bardes.

Bardes, Miniſtres de la Religion chez les Gaulois : quel étoit leur emploi : reſpect qu'on leur portoit. V. 389. *& ſuiv.*

Baſin, Roi des Francs, mis au nombre des Héros, & mérite les honneurs divins. V. 576

Bas-reliefs déterrés en 1711. dans la Cathédrale de Paris. V. 431. explication des figures qui y ſont repréſentées. 434. *& ſuiv.*

Baſſarides. Voyez *Bacchantes.*

Baton, parent & Ecuyer d'Amphiaraus. Sa mort VII. 210

Battus, ſon culte dans la Cyrenaique. II. 440. Fondateur du Royaume de Cyrene. *ibid.*

Battus, Berger changé en Pierre de touche. IV. 127

Baubo, vieille femme, hôteſſe de Cerès. V. 80

Baucis. Voyez *Philemon.*

Bebrycie, ancien nom de la Bithynie. VI. 403.

Bebryciens, ſe diſtinguoient dans le combat de Ceſte. VI. 404

Bed. Voyez *Beth.*

Beel-Phegor. Voyez *Baal-Phegor.*

Beelzebut, Divinité adorée à Accaron. I. 356. Signification de ce nom. Pouvoir qu'on lui attribuoit. III. 90. qualité que lui donne l'Ecriture Sainte. 91

Beelſemen. Voyez *Baal.*

Behergir, Bramine Indien. I. 241

Bel, quelle Divinité c'étoit ſuivant les Chaldéens. I. 140. III. 25

Belatucadua, ou *Belertucadès*, nom d'Apollon dans la Grande Bretagne. V. 466. 520

Belbuch, Génie adoré des Vandales, ce que ce nom ſignifie. V. 577

Belenus, Dieu des Gaulois : ſes différens noms. I. 28. V. 465. 466. Son origine. 468. ſon culte. 469

Belides, nom des Rois d'Argos deſcendans de Danaus. VI. 48

Tome *VII.* K

Belier à la Toiſon d'or. Voyez *Toiſon d'or. Argonau-*
tes. Autre Belier à la Toiſon d'or qui cauſa les
malheurs des Pelopides. VII.   309. 329

Beliſama, nom de Minerve chez les Gaulois. Comme ils la repréſentoient V.   470

Bellerophon, ſa généalogie. VI. 94. 219. d'où ce
nom lui fut donné. 219. 235. ſon hiſtoire &
ſes exploits. 219. *& ſuiv.* ſa poſtérité, ſa fin.
232. temps auquel il vivoit.   239. *& ſuiv.*

Bellinus. Voyez *Bellenus.*

Bellone, Déeſſe de la Guerre, ſa naiſſance, I. 345.
IV. 31. ſon culte en Cappadoce. III. 211. Pallas
confondue avec Bellone. IV. 12. qu'il faut les
diſtinguer. 31. comme on la repréſentoit. 32. 33

Belus, l'une des premieres Divinités d'Egypte. I.
27. nommé auſſi Jupiter.   28

Belus, la grande Divinité des Babyloniens III. 5. *&*
ſuiv. Culte du Soleil ſous le nom de Belus. I. 343.
III. 85. C'eſt le Nembrot de l'Ecriture Sainte :
il porta auſſi le nom de Mars. IV. 35. ſon Temple. I. 371. III. 5. augmenté par Nabuchodo-
noſor. I. 383. pillé & démoli par Xerxès. I. 384

Belus, Roi de Tyr & de Phenicie, pere de Pygmalion & d'Eliſe. VII.   413

Benadad. Voyez *Adad.*

Béotie, contrée de la Grece, d'où elle fut ainſi
nommée ; VI.   119

Berecinthe ou *Berecinthie*, ſurnom de Cybele : d'où
il eſt pris. IV. 415. V. 476. Culte de Cybele Be-
recynthie chez les Romains & chez les Gaulois.
Monumens qui la repréſentent.   476. *& ſuiv.*

Berginus, Dieu particulier aux Breſſans. V. 357

Berith. Voyez *Baal-Berith.*

Beroé, Dame Troyenne, excite les autres Troyen-
nes à brûler la flûte d'Enée. I.   73

Beroſe, ancien Auteur Chaldéen. Fragment de ſon
Hiſtoire. I.   138

Beruth, femme d'Hypſiſtus : ſes enfans I.   159

Berith, Ville de Phenicie. I.   168
Besa, Dieu peu connu, son oracle. II.   40
Besas ou *Bessas*, Dieu adoré à Abida. V.   302
Beth ou *Bed*, nom des Livres qui contiennent la
  Religion des Indiens. I.   240
Betiles. Voyez *Bætiles*.
Betique, ancien nom de l'Andaloufie. V. 71.
  Voyez *la Note*.
Betis, Fleuve d'Espagne, aujourd'hui le Guadal-
  quivir. V. 71. Voyez *la Note*.
Betylus, fils d'Uranus & de Gé. I.   159. 163
Bias, fils d'Amithaon : son mariage avec la fille de
  Nelée : ses defcendans. VI.   97. 98
Biblis, sa paffion pour son frere Caunus. Sa méta-
  morphofe en Fontaine. VIII.   61. & suiv.
Bibracte, Ville des Gaulois, honorée comme une
  Divinité. V.   497
Biche aux pieds d'airain, prife par Hercule VII. 23
Bicorniger, furnom donné à Bacchus ; pourquoi.
  IV.   247
Billets, Oracles qui se rendoient par des Billets ca-
  chetés. II. 40. 48. 55. maniere de diviner par
  des Billets jettés dans l'eau.   120
Bimater, furnom de Bacchus. IV.   245
Biton. Voyez *Cleobis*.
Bleds, Inventeurs de l'art de femer les Bleds, fe-
  lon les Phéniciens. I. 163. selon les Grecs.
  Voyez *Cerès*, *Triptoléme*.
Boédromie, fêtes d'Athenes, leur origine. I. 526
Bœufs adorés en Egypte. I. 355. les Bœufs d'Apol-
  lon volés par Mercure. IV. 127. Bœufs de Geryon. Voyez *Hercule*, *Cacus*.
Boyens, culte qu'ils rendoient à leur Hercule. V.
                                                  576
Bois facrés, leur origine dès le commencement de
  l'Idolâtrie. I. 364. 418. en ufage chez les anciens Gaulois. V. 581. 583. chez les Amériquains I. 247. où étoient ordinairement les

Bois sacrés ; défense de les couper ou dégrader.
I. 422. & suiv. Moïse défend de planter des Bois
autour des Autels du vrai Dieu, & ordonne de
couper ceux des Idoles. 420. & suiv. Autels bâtis
dans les Bois sacrés. 412

Bolomantie, espece de divination. II. 117

Bon, le bon Dieu ou le bon Génie, par qui invoqué. V. 309

Bonne Déesse, par qui elle étoit invoquée. I. 345
la Terre adorée sous ce nom. IV. 396. 400. fêtes qu'on célébroit à Rome en son honneur.
398. & suiv. Bonne Déesse Céleste. V. 341

Bonus Eventus, Divinité, comme on la représentoit. IV. 390. 456

Bonzes, Ministres de la Religion à la Chine & au
Japon. I. 237

Boôtés, ou le Chartier, Constellation. Voyez
Hippolite.

Borée, le vent Borée, de qui il nâquit. I. 202

Boréesines, fêtes en l'honneur de Borée. I. 526

Bornes des Champs, Dieu qui y présidoit. I. 348
Voyez. Terme.

Boucliers sacrés nommés *Anciles*. Origine de ces
Boucliers ; leur forme ; la fête des Boucliers sacrés. V. 44. & suiv.

Boucs, vénération des Egyptiens pour ces Animaux. I. 355. II. 279. 365. 385. raison de ce Culte. 365. 385. pourquoi on immoloit des Boucs à
Bacchus. IV. 262

Bous, Gâteaux qu'on offroit à Jupiter. I. 337

Brachmanes. Voyez *Bramines*.

Brahma, Dieu des Indiens ; ce que signifie ce
nom. I. 240

Bramines ou *Brachmanes*, Prêtres des Indes, leur
emploi, le respect qu'on a pour eux, leur
Théogonie. I. 240

Brebis ; Ville d'Egypte où elles étoient adorées.
I. 355. origine de ce culte. II. 283

Brefil, opinion des Brafiliens fur l'origine du mon-
   de. I.   244
Breffe, Ville d'Italie ; Dieux particuliers à cette
   Ville. V.   357. *& fuiv.*
Briarée, naiffance de ce Géant ; fa taille I.   196
Brimo & *Brizo*, deux Déeffes du fommeil chez les
   Grecs. V.   174
Brifeis, Captive d'Achille. VII. 454. Agamemnon
   la lui fit enlever.   273
Britomarte, fils de Jupiter & de Carné. III.   270
Britomartis, nom donné à Diane. IV.   206
Britomartis, fille de Jupiter & de Carmis ; fon
   Hiftoire, fon Apotheofe, fon culte chez les
   Eginetes. V. 298. Voyez *Aphea*.
Bromius, furnom de Bacchus. IV.   245
Brontes, un des Cyclopes. I.   196
Bubafte ou *Bubaftis*, nom de Diane en Egypte :
   ce qu'il fignifie. I. 120. II. 288. IV.   207
Bubafte, Ville d'Egypte où l'on adoroit les Chats. II.
   374. 376. Fête qu'on y célébroit en l'honneur de
   Diane, & qui fubfifte encore aujourd'hui. II.
                            400. *& fuiv*
Bubona, Déeffe des Bouviers. I. 348. IV.   453
Bunus. Voyez *Æeres*.
Buphagus, nom donné à Hercule. VI. 384. VII. 78
Buphonies, fête célébrée à Athenes ; d'où elle tiroit
   ce nom. I.   516
Bufiris, Dieu des Egyptiens. II. 289. ce qu'il
   étoit.   357
Bufiris, Ville d'Egypte ; fête qu'on y célébroit à
   l'honneur d'Ifis. II.   402
Bufiris, Roi d'Efpagne, qui voulut faire enlever
   les Hefperides, & fut tué par Hercule. III. 438
   VII.   33
Butès, un des Argonautes ; honoré à Athenes après
   fa mort comme un Héros. VI.   164. 392.
Butzen, un des premiers Dieux des Indiens. I. 240
Byblos, premiere Ville de Phénicie, I. 164. Adonis

ou Thamnus y étoit adoré. III. 3. Voyez *Isis.*

Byrsa, nom de la Citadelle de Carthage ; fable sur ce nom. VII.   415

C

C *A B I R E*, fille de Protée, mere des Dieux Cabires. III.   114

Cabires, origine de ces Dieux. III. 111. 113. leur nombre & leurs noms. 121. étymologie du mot *Cabire.* 116. les mysteres de ces Dieux en grande vénération, leur culte très-célebre en Samothrace. 117. & *suiv.* si l'on doit les confondre avec les Corybantes, les Curetes & les Dactyles Idéens. 121. & *suiv.*

Cabiria, surnom de Cerès. III.   124

Cabiries, fêtes en l'honneur des Cabires. I.   527

Cabrus, Dieu de la Ville de Phaselis. V.   306

Caca, Déesse des Romains. V.   334

Cacus, fameux brigand dans l'Italie, tué par Hercule. V. 334. VII.   28

Cadix. Voyez Gades.

Cadmia, Pierre ainsi nommée : son usage. III. 352. VI.   131

Cadmus, fils d'Agenor Roi de Phénicie, conduit une Colonie dans la Grece. VI. 107. & *suiv.* y établit le culte des Dieux de son pays. I. 121. III. 243. VI. 126. sa généalogie. 112. Fable des dents de Dragon qu'il sema ; son explication. 116. 117. Cadmus apprend aux Grecs l'usage des Lettres 123. il est obligé de se retirer en Illyrie. 120. histoire de sa famille. I. 204. VI. 127. & *suiv.* il est changé en Serpent avec sa femme. I. 112. 130. VI. 120. 121. sa postérité. 132. 142. culte rendu à plusieurs de sa famille. 139. 140. mine d'or & de cuivre qu'il avoit découverte. III.   339

Caducée de Mercure, son origine, ses usages & ses propriétés. IV. 124. 130. on a aussi donné le Caducée à Bacchus.   226

Caille, pourquoi on l'immoloit à Hercule VII. 71. propriété qu'on attribue à l'odeur de cet Oiseau. *ibid.* Latone changée en Caille. IV. 167. Voyez Latone.

Caïn, ses descendans : comment l'Auteur de la Théogonie des Phéniciens les rapporte. I. 159. *& suiv.* leurs désordres cause du Déluge. 160.　　283

Calaïs & *Zethés*, fils de Borée, du nombre des Argonautes. VI. 383. ils poursuivent les Harpyes. 406. 408. 409. signification de leurs noms : ils sont tués par Hercule. VII. 158. 159. pourquoi leur donne-t'on des cheveux azurés & des ailes.　　160

Calchas, Devin fameux de l'Armée des Grecs. VI. 449. VII. 246. prédis la durée du siege de Troye. 458. sa mort.　　459

Calciope, fille d'Æetés, mariée à Phryxus VI. 357. ses enfans.　　360

Calendes, à qui elles étoient consacrées. III.　　386

Calisto ou *Callisto*, fille de Lycaon, aimée de Jupiter. III. 270. VI. 34. elle est changée en Ourse, & devient Constellation. VIII.　　88

Calliope, l'une des neuf Muses. IV.　　224

Callipatire ou *Phevenia*, paroît aux Jeux Olympiques contre la loi qui en interdit l'entrée aux femmes. VIII.　　128

Callirhoé, fille de l'Océan, & femme de Chrysaor, ses enfans. I. 198. VI. 173. autre de ce nom, fille d'Achelous. Voyez *Alcmeon*.

Callirhoé, Princesse de Calydon, sa mort singuliere. VII. 179. Voyez *Corefus*.

Callistes, fêtes de l'Isle de Lesbos. I.　　527

Calomnie (la) érigée en Divinité. V.　　242

Calpé & *Abyla*, les Colonnes d'Hercule. I. 48. VII.　　37

Calpet, Roi d'Albe, durée de son regne, ses successeurs. VII.　　406

Calvin, pourquoi il rejette le Livre de la Sagesse. I.

Calybes, Forgerons, inventeurs de l'acier. III. 194. 456

Calyce, fille d'Eole . & mere d'Endymion. V. 92

Calycopis, nom de la Vénus, mere d'Enée. IV. 54. 102

Calydon, fils d'Endymion fonde une Ville de fon nom ; fes ancêtres, fa poftérité. VI. 92. 93. hiftoire de la fameufe Chaffe de Calydon : guerre dont elle fut l'occafion. III. 337. VII. 161. *& fuiv.* époque de cet événement. 178

Calypfo, Reine de l'Ifle d'Ogygie, fa généalogie : reçoît Ulyffe chez elle. VII. 384. 385. enfans qu'elle eut d'Ulyffe. I. 204

Cambyfe fe moque des Dieux d'Egypte. I 388. 437. III. 125. 137. 138. il tue le bœuf Apis, & fait fuftiger fes Prêtres. II. 333. 334

Camilles, Miniftres fubalternes des Temples. I. 518. III. 121

Camœna, Déeffe honorée à Rome. V. 341

Camœnæ, furnom des Mufes. IV. 227

Campé, perfonnage affez inconnu dans la Mythologie III. 265. 297. 16

Canache, fille d'Eole. VI. 92. enfans qu'elle eut de Neptune. 94

Canathos, Fontaine de Nauplie, fa propriété finguliere. III. 389

Canente, femme de Picus : métamorphofée en voix. IV. 474. 475. fon culte dans le pays Latin. V. 356

Canope, Dieu des Egyptiens : comme on le repréfentoit. II. 361. *& fuiv.*

Capanée, un des fept Chefs de la guerre de Thebes. VII. 196. 210. 213. comme il y périt. 198. fa femme fe jette dans fon bucher. 218. portrait de Cpahée. 218. 219

Capitolinus, furnom de Jupiter. III. 350. comment repréfenté. 371

Cappautas, Jupiter Cappautas. III. 354

Capricorne, signe du Zodiaque. II. 368. VIII. 89

Caprotines, fêtes de Junon. I. 541

Capys, fils d'Assaracus, grand pere d'Enée. VII. 303. 395

Caraïbes, Américquains, leur principale Divinité. I. 247

Cardea, Déesse des portes. 347. V. 337

Caries, fêtes en l'honneur de Diane. I. 527

Carmelus, Dieu des environs du Mont-Carmel. V. 297

Carmenta, mere d'Evandre. I. 542. VII. 29

Carmenta, femme d'Evandre. V. 356

Carmentales, fêtes en l'honneur de Carmenta mere d'Evandre. I. 542

Carna, Déesse des Romains, son Temple. V. 341

Carné, fille d'Eubalus, enfant qu'elle eut de Jupiter. III. 270

Carnea, Déesse invoquée pour les enfans. I. 346

Carnées, fêtes en l'honneur d'Apollon. I. 527

Carthage, sa fondation, fable à ce sujet. VII. 314. 315

Carthaginois, leur Origine ; leurs Divinités : Oracles qu'y rendoient certains Simulacres. II. 428. & *suiv*.. Culte que les Carthaginois rendoient à Saturne & à Junon. 430. & *suiv*. Hommes illustres qu'ils mirent au nombre de leurs Dieux. 432. & *suiv*.

Casius, surnom de Jupiter, comme on le représentoit. III. 351

Casque donné à Pluton par les Cyclopes. III. 265. ce Casque donné à Persée : sa propriété. VI. 178

Cassandre, fille de Priam prédisoit l'avenir. VII. 284. 288. & *suiv*. sa mort. 290. 317. 329

Cassiopée, mere d'Andromede. Voyez *Andromede*.

Cassiopée. Constel'ation. I. 342. VIII. 88

Castabale. Ville de Cilicie. Voyez *Perasie*.

Castalie, Fontaine au pied du Mont Parnasse. Fable qu'on en a débitée. I. 112. 113. IV. 228

Caftor & *Pollux*, leur naiffance. VII. 126. font appellés Diofcures 128. ce que c'eft que les feux de Caftor & de Pollux. 129. mort de Caftor. 131. immortalité de Pollux partagée avec Caftor : ce qui a donné lieu à cette fable. 133. leur culte. 134. & *fuiv.* comme ils font repréfentés fur les Bas-reliefs déterrés dans la Cathédrale de Paris. V. 440. fi les Gaulois ont eu connoiffance de ces Dieux *ibid.* qu'ils ont été du nombre des Argonautes VI. 381. VII. 126. & *fuiv.*

Catabathmes, Peuples d'Afrique, leurs Divinités. II. 439

Catoptromantie, forte de Divination. II. 122

Catius ou *Cautus*, Dieu des Romains. I. 349. V. 336

Cavales de Diomede nourries de chair humaine ; explication de cette fable. VII. 24. 25

Caunus, frere de Byblis. Voyez *Byblis.*

Cayftrius, un des Héros de la Grece qui avoit un Autel près du Fleuve Cayftre VI. 159

Cecropie. Voyez *Cecrops.*

Cecrops, originaire d'Egypte, conduit une Colonie en Grece IV. 18. en quel temps VI. 63. fonde le le Royaume d'Athenes. 64. y établit le culte de Minerve. IV. 18. V. 254. 261. VI. 64. pourquoi dit-on qu'il étoit moitié homme & moitié ferpent. III. 427. VI. 65. appella de fon nom le pays *Cecropie.* 67

Celée, fils de Cephale, Roi de Cephalénie, fa généalogie. VI. 99. VIII. 42

Céleus, honoré comme un Héros à Eleufis VI. 158

Ceinture de Vénus. Voyez *Cefte.*

Celeno, l'une des filles d'Atlas. I. 188. III. 437

Celeno, l'une des Harpies. VI. 405

Celme, changé en Diamant. VIII. 23

Celtes, origine de ce nom. I. 102. pays des Celtes : leur Religion. V. 371. & *fuiv.*

Celtiberiens, Peuples d'Efpagne, adoroient un Dieu fans nom. V. 528

Cenéus, furnom de Jupiter. III. 351

Cénée, un des Lapithes. VI. 336. & des Argonautes. 384

Centaures, leur origine. I. 23. leur naiffance. VI.
323. s'ils font poffibles. *ibid.* étymologie de ce
nom : qui étoient les Centaures de la fable. 326.
& fuiv.

Centaurus & *Lapithus*, fils d'Apollon & de Stilbia.
VI. 316

Cephale, fils de Deïonée : fes amours avec l'Aurore.
I. 132. VIII. 41. il tue par mégarde fa femme
Procris. 42. fes defcendans : s'il y a eu deux
Cephales. 43

Cephoé. Voyez *Andromede.* Conftellation qui porte fon nom. I. 342. VIII. 88

Cerambe, changé en Oifeau du temps du Déluge.
VIII. 72

Ceraftes, Peuples de l'Ifle de Chypre, changés en
Tauraux. VIII. 68

Cerbere, Chien des Enfers : d'où fut-il engendré.
I. 199. fa figure, fa fonction. V. 35. origine de ce
nom, & de cette fable. 45. 53. *& fuiv.* combat de
Pluton contre Hercule, pour avoir emmené le
Cerbere. VII. 24. 43

Cercopes, Peuples changés en Singes. I. 132. VIII.
69

Cercyon l'Arcadien, vaincu par Théfée. VII. 103

Cereales, fêtes en l'honneur de Cerès. I. 537

Cerès, fille de Saturne I. 200. mere de Plutus. 204.
V. 120. eft la Déeffe des Bleds. V. 78. fon culte
en Sicile. 83. *& fuiv.* origine de fon culte dans la
Grece & dans la Sicile. 91. *& fuiv.* ce que c'étoit
que les Myfteres de Cerès. 103. *& fuiv.* Voyez
Eleufis. comment on la repréfentoit. 115. quelles
victimes on lui immoloit. *ibid.* qu'elle eft l'Ifis des
Egyptiens. I. 182. pourquoi dit-on qu'elle a aimé
Jafion. I. 132. culte de Cerès chez les Gaulois. V.
485.

216   **T A B L E**

Cerf, à qui il étoit confacré. I.   460

Ceromantie, forte de Divination. II.   123

Ceryces, famille deftinée à fervir aux facrifices I. 492

Cefar, fon Apotheofe, Temple bâti en fon honneur V.   352

Cefte, ou Ceinture de Vénus, fes propriétés IV. 59. fut volé par Mercure.   125

Cefte, combat du Cefte. VIII.   108

Cetéens, Peuples de la Myfie, qui vinrent au fecours de Troye. VII.   445

Cethim, petit-fils de Japhet: où il s'établit. VI. 26. 28

Ceto mere des *Grées*, fa généalogie. I.   198

Ceus. Voyez *Cæus*.

Ceyx, Roi de Trachine: foin qu'il prit des enfans d'Hercule. VII. 89. il époufe Alcione. VI. 24. métamorphofe de Ceyx & d'Alcyonne en Alcyons. I. 130. VIII.   44

Chalcis, Ville de l'Eubée, d'où ainfi nommée. III.   337

Chaldéens; les plus anciens Peuples que l'on connoiffe: s'ils font les premiers Auteurs de l'Idolâtrie. I. 328. 334. III. 3. leur tradition fur l'origine du monde. I. 138. *& fuiv*. ils étoient adonnés à la Magie. II. 173. ils font inventeurs de l'Aftrologie. 185. III.   4

Cham, fils de Noé, que c'eft dans fa famille que l'Idolâtrie a commencé. I. 123. 304. on le croit le même que Menès, ou Ofiris Roi des Egyptiens. II. 337. c'eft le Jupiter Ammon. II. 436. III. 258.   371

Chamos, Dieu des Moabites: fignification de ce mot. III.   88

Champs Elifées. Voyez *Elyfées*

Chanaan, fils de Cham: où il s'établit. I.   304

Chandelier ou *Candelabre* pour les facrifices. I.   485

Changti, premier Dieu des Chinois. I.   228

Chaos, idée qu'en avoient les Chaldéens. I. 139. 140. les Phéniciens. 154. les Grecs, 193. 195. 205. le

Chaos

Chaos d'Ovide. 217. réflexions sur les différentes idées du Chaos. I. 221. II. 329

Chares. Voyez *Coloffe de Rhodes.*

Charifius, fils de Lycaon : quelle Ville il fonda. VI. 33

Charites, noms des trois Graces. Voyez *Graces.*

Charitities, fêtes qu'on célébroit à Rome. I. 527. 542

Charon. Etymologie de ce nom : origine de la Fable. I. 5. 6. de fa Barque. 43. 47. & *fuiv.* qui étoient ceux qui avoient droit de paffer dans fa Barque. 35. fa généalogie, fon portrait. 48. le droit de paffage 49. 50. divers fentimens fur Charon. 51. 52

Chartres ou *Pays Chartrain.* Les Bois de ce pays fameux autrefois pour les affemblées de Religion. V. 382. 415

Charybde. Voyez *Scylla.*

Chaffe-Mouches, Dieu Chaffe-Mouches. I. 356 III. 91. Voyez *Béelzebut.*

Chats, adorés chez les Egyptiens. II. 374. 376

Cheiromocrate, fameux Architecte du fecond Temple d'Ephefe. I. 393

Ché-kia ou *Cha-ka*, Idole des Chinois : fon hiftoire. I. 236

Cheloné, Nymphe changée en Tortue. III. 377

Chemien, Divinité des Caraïbes. I. 247

Chêne, Arbre confacré à Rhéa. I. 461. refpect des anciens Gaulois pour le Chêne. V. 380. 385

Cherfiphron ou *Ctefiphon*, Architecte du Temple d'Ephefe. I. 392

Cherfonefe Taurique. Voyez *Tauride.*

Cheval : à qui il étoit confacré I. 460

Cheval Pegafe.. Voyez *Pegafe.*

Cheval de Troye. VII. 279

Chevaux, leur Divinité Tutelaire. I. 348. IV. 461

Chevaux du Soleil. IV. 145. 147. qu'étoient les

Chevaux de Laomedon promis à Hercule. VII.
50. 51

Chevre qui nourrit Jupiter. Voyez *Amalthée.* Les
Chevres adorées en Egypte. I. 458. II. 283

Chien, Dieux à qui il étoit confacré. I. 458. adoré en Egypte. II. 357. 386. Voyez *Anubis.* Hommes à tête de Chien.. Voyez *Cynocéphales.* Chien
Conftellation. VIII. 84. 90

Chiendent, à qui il étoit confacré. I. 461

Chienne d'Erigone placée parmi les Aftres. VIII.
89. 90

Chiliombe, facrifice de mille animaux. I. 475

Chimere, par qui engendrée. I. 199. portrait de ce
Monftre, vaincu par Bellerophon. VI. 221. explication de cette fable. 221. *& fuiv.*

Chine, *Chinois.* Theogonie des Chinois. I. 226.
leurs Livres qu'ils appellent *Claffiques.* 227. leur
penchant pour la Magie. 231. la Secte des *Tao-
fé.* 233. Secte de *Ché-Kia.* 236. *& fuiv.*

Chiromantie, quelle fcience c'eft. II. 122

Chiron, célebre Centaure : fa naiffance. VI. 323.
Les principaux Princes de la Grece ont été fes
éleves. 338. 362. 398. VII. 341. fa mort : il forme la Conftellation du Sagittaire. VI. 339. VIII.
89. S'il fit un Calendrier pour les Argonautes.
VI. 342. 397. *& fuiv.*

Chloris, furnom de Melibée mere de Neftor. IV.
194. 195. fa généalogie : fes enfans, tous tués
par Hercule, à la réferve de Neftor. VI. 97

Chonidas, Gouverneur de Théfée, honoré par les
Athéniens comme un demi-Dieu. VII. 97

Chouette, Oifeau confacré à Minerve. I. 460. pourquoi. IV. 4

Chrefphonte, un des Heraclides. VII. 91. 93

Chrodo, Dieu des anciens Germains : comment
repréfenté. V. 572

Chronies, fête en l'honneur de Saturne. I. 527.
Voyez *Saturnales.*

Chronique de Paros. Voyez *Marbres*.

Chronologie des anciens Grecs peu certaine. VI. 9

Chronos ; le Saturne des Phéniciens. 159. fon Hiftoire. 163. *& fuiv.* un des huit grands Dieux des Egyptiens. 182. Voyez *Saturne*.

Chryafus, Roi d'Argos, defcendant d'Inachus. VI.   46

Chryfaor, forti du fang de Médufe, pere de Geryon. I. 204. VI. 173. étymologie de fon nom : explication de cette fable   189. 198. 199.

Chryfeis, Captive d'Agamemnon ; pourquoi il fut obligé de la rendre à fon pere. VII.   273

Chryfippe, fils de Pelops, tué par Atrée & Thyefte. VII.   311. 328

Chryfor, l'un des Dieux des Phéniciens. I.   161

Cidon, petit fils de Minos I. donna fon nom à la Ville de Cidonie. VI.   246

Ciel, origine du Ciel fuivant les Chaldéens. I. 140. fuivant les Phéniciens. 155. fuivant les Egyptiens. 176. fuivant les Atlantides. 184. fuivant les Grecs. 190. fon mariage avec la Terre & fes enfans. 194. *& fuiv.* comment il eft traité par Saturne.   196

Cigale, confacré à Apollon. I. 460. conte qu'on a débité d'une Cigale. VIII. 150. ce que c'eft que le chant des Cigales.   151

Cilix, fils d'Agenor, frere de Cadmus, qui donna fon nom à la Cilicie. VI.   115. 142

Cimmeriens, qui font les Cimmeriens dont parle Homere. I. 128. V.   17. 19.

Cinyras, accufé d'incefte avec fa fille Myrrha III.   13. *& fuiv.*

Circé, fœur d'Æétes Roi de Colchos, reçoit Médée & Jafon chez elle, puis les chaffe. VI. 427. pourquoi on a dit qu'elle étoit fille du Soleil ou d'Apollon. VII. 378. 379. & Magicienne. 382. arrivée d'Ulyffe chez elle. 378. elle change la Nymphe Scylla en Monftre. 374. fon culte en

Italie. 383. qu'il y a eu deux Princesses de ce nom. *ibid.*

Circoncision, si la mutilation d'Uranus & de Saturne fait allusion à la circoncision d'Abraham. III. 287

Cirqua. Voyez *Jeux du Cirque.*

Cisson métamorphosée en Pierre. IV. 253

Cissotonies, fêtes en l'honneur d'Hebé. I. 527

Cistophores, ce que c'est. IV. 263. Médailles aussi nommées *Cistophores.* 266

Cithæronius, surnom de Jupiter III. 351

Citheriades, surnom des Muses. IV. 228

Citheron, Roi de Platées, réconcilie Junon avec Jupiter. III. 378

Citheron, Montagne de la Béotie. III. 351

Cladée, honoré comme un Héros. VI. 164

Claros, Ville célebre par l'oracle d'Apollon. II. 34. 49

Claudia, Vestale dont la vertu étoit suspecte ; comme elle prouve son innocence. IV. 421.

Cledonismantie, sorte de Divination II. 122

Clémence (la) érigée en Divinité. I. 350. V. 239

Cleobis & *Biton*, leur piété envers leur mere : statues érigées en leur honneur : monument qui les représente. III. 394. *& suiv.*

Cleodee, fils d'Hillus, honoré comme un Héros. VI. 164

Cleomede, *Cleonée*, *Idem.* *ibid.*

Cleopatre, femme de Meléagre, pourquoi surnommée Alcyone, sa généalogie. VII. 164. 193. sa mort. *ibid.* Voyez *Meléagre.*

Clidomantie, espece de Divination. II. 122

Clio, la premiere des Muses : étymologie de ce nom ; invention qu'on lui attribue, & comme on la représente. IV. 223

Clitor, fils de Nyctimus Roi d'Arcadie, & son successeur. VI. 34

Cloacina, Déesse des Cloaques. I. 349. V. 329. 338

Clothere, fille de Pandare. Voyez *Pandare.*

Clotho, une des Parques : par qui engendrée. I. 197. 203. V. 147. leur emploi. 150. 151. étymologie de son nom. 147. comme elle est représentée.   156

Clusius & *Patulcius*, Dieux des Portes. I.   347

Clymene, fille de l'Océan, mere d'Atlas. I.   201 III.   435. 446

Clymenus, fils d'Oenée, Roi de Calydon. VI. 171

Clymenus, un des descendans d'Hercule Idéen, chassé de l'Epire par Endymion. VIII.   122

Clyte, femme de Cyzicus. Voyez *Cyzicus*.

Clytemnestre, fille de Tyndare & de Leda : ses aventures. VII.   314. & suiv.

Clytides. Voyez *Jamides*.

Clytie, sa métamorphose en Tournesol. I. 56. IV. 171

Clytius, Géant tué par Vulcain. III.   268

Cneph, premier principe dans la Théogonie des Égyptiens. I. 178. II. 286. 289. comme on le représentoit.   289

Coalemus, Dieu de l'Imprudence. I.   349

Cocalus, Roi de Sicile, reçoit Dédale chez lui : fait périr Minos. VI.   294

Cocyte, Fleuve ou Marais de l'Enfer. V. 5. 19. 36. 59

Cocytus, Médecin qui guérit Adonis. III.   20. 33

Codrus, dernier Roi d'Athenes. VI.   70

Cœlus. Voyez *Ciel*.

Cœus ou *Cæus*, fils du Ciel & de la Terre. I. 196 ses enfans.   199

Colax, fils de Jupiter & d'Ora. III.   270

Colisée de Rome ; reste de cet ancien Edifice. VIII.   117

Collatina, Déesse adorée à Rome. V.   341

Collier donné à Eriphile. Voyez *Eriphile*.

Collina, Déesse des Latins. IV.   458

Colombe (la) consacrée à Vénus. I. 460. IV. 64. Colombes qui nourrirent Jupiter. III. 332. Culte que les Assyriens & les Habitans d'Ascalon

rendoient aux Colombes. I. 355. III. 53

Colomnes d'Hercule. V. 522. VI. 193. VII. 36. 37. 65

Coloffe de Rhodes, une des fept merveilles du monde. I. 438

Comane, Vil!e de Cappadoce: culte qu'on y rendoit à Bellone. IV. 33

Combe, changé en Oifeau. VIII. 73

Cométo, fille de Ptérélas, fa perfidie envers fon pere, fa mort. VII. 6

Compitalia, fêtes ainfi nommées. IV. 489. 499

Comus, Dieu des feftins & de la joie. I. 349. fon portrait. V. 263. & fuiv.

Concorde (la) mife au rang des Divinités. I. 350 V. 223. fes Temples à Rome. 223

Conifalus, Dieu particulier aux Athéniens. V. 302

Conftellations, nom de plufieurs Conftellations. I. 341. VIII. 88. 89. on croyoit qu'elles étoient le féjour de l'ame de ceux dont elles portoient le nom. I. 340. II. 291

Confualés, fêtes en l'honneur du Dieu Confus. I. 539

Confus, un des Dieux de la Médecine. I. 350.

Contention (la), par qui engendrée : fes enfans. I. 197

Contrats, Divinités qui préfidoient à la foi des Contrats. V. 226. & fuiv.

Coq, (le) Dieux auxquels il étoit confacré. I. 460 pourquoi il l'étoit fpécialement à Minerve. IV. 4. 26

Corail (le) forti du fang de Médufe. VI. 197. 198

Corbeau confacré à Apollon. IV. 199

Corcyre. Voyez *Phéaciens*.

Corée; que les Peuples de la Corée attribuoient la Divinité aux Fleuves & aux Montagnes. I. 253

Corées, fêtes de Proferpine. I. 527

Coréfus, Prêtre de Bacchus ; fon amour pour Callirhoé. Voyez *Callirhoé*, Princeffe de Calydon.

DES MATIERES. 223

Corinthe, son premier nom : par qui bâtie. VI. 94

Corne d'abondance : d'où les Grecs l'ont fait venir
III. 331. V.   256

Cornes, s'il est possible qu'il en vienne aux hommes. VIII.   71

Corœbus donne son nom à la premiere Olympiade. Pourquoi elle est célebre. VIII.   124

Coronis, une des Hyades. III.   445

Coronis, mere d'Esculape. IV. 173. V. 269. 270.
Sa mort, & son changement en Corneille. 271.
271. Sa statue dans le Temple d'Esculape. 281
    308

Coronis, Ville de Chypre. Voyez *Salamine*.

Corybantes, Prêtres de Cybele, si l'on doit les
confondre avec les Cabires. III. 121. 122. 128
comment ils célebroient les fêtes de leur Déesse.
129. IV. 413. origine de ce nom.   413

Corybantiques, fêtes en l'honneur des Corybantes. I.   527

Corybas, fils de Jason & de Cybele. IV. 409.
femme qu'il épousa.   *ibid.*

Corythe, fils de Pâris & d'Oenone, tué par son
pere. VII.   452

Cosmogonies. Voyez *Théogonies*.

Costinomantie, sorte de Divination. II.   121

Cossutius : Citoyen Romain qui acheva le Temple
de Jupiter Olympien. I.   396

Cottus, Géant, fils du Ciel & de la Terre. I. 196.
relégué avec ses freres aux extrémités de la Terre.   202

Cotytto, Déesse de la débauche : ses fêtes. V. 117.
ses Prêtres. Voyez *Baptes*.

Coucou, le mont du Coucou, consacré à Jupiter :
pourquoi. III.   375

Couleuvre, honorée comme représentant Esculape. I.   356

Couronne d'Adriadne changée en Astre. VI. 283.
    & suiv. VIII. 88

224   TABLE

Courſe , un des exerc:ces qui ſe pratiquoient dans les Jeux. VIII.   107

Crainte , Divinité : fille de Mars & de Vénus. V. 246. 247. Comment elle étoit repréſentée. 248. ſon Temple à Rome & à Sparte 249. la crainte des maux, une des cauſes de l'Idolâtrie. I. 288.   316

Cranaus , ſecond Roi d'Athenes. VI.   70

Cranius , honoré comme un Héros. VI.   164

Créius , fils du Ciel & de la Terre. I.   196

Créon , Roi de Corinthe donne ſa fille à Jaſon. VI. 461. 462. Voyez *la Note*. Sa mort attribuée à Médée.   463

Créon , Roi de Thebes, reçoit Amphitryon chaſſé de Mycenes. VI. 6. marie ſa fille Megare avec Hercule. 14. & ſa fille Jocaſte à Laïus. 182. puis à Oedipe. 187. Voyez *Laïus* , *Oedipe*.

Crépitus, Divinité, comment elle étoit repréſentée. I. 349. V.   338

Crés , fils de Jupiter Roi de Crete. III.   282

Crete , Iſle de Crete : Jupiter y fut élevé & y mourut. III. 276. 280. Teuctame premier Roi Grec en Crete. VI. 100. Liſte des Rois de Crete. 298. ſes premiers Habitans.   299

Créthée , fils d'Eole : ſes freres & ſœurs. VI. 92. ſes enfans & leurs deſcendans.   97

Crétois , d'où ils ont tiré leur nom. I.   103

Creuſe , fille d'Erechthée Roi d'Athenes, mere de Janus. III. 417. mere auſſi d'Ion & d'Achéus. VI.   101

Creuſe , mariée à Pénée, ſes enfans & leurs deſcendans. VI.   316

Creuſe , fille de Priam, femme d'Enée. VII. 284. 397. ſa mort.   286

Crinifus , changé en Ourſe. VIII.   79

Criobole , ſorte de ſacrifice I.   480

Crocodile , amphibie en grande vénération à Arſinoé II. 376. & regardé avec horreur dans le

reſte de l'Egypte. 379. comment il eſt le ſymbole de la Divinité. 383

Crœſus, Roi de Lydie : de qui il deſcendoit VII. 64

Croix, la Croix ſe trouve ſouvent parmi les ſymboles des Divinités Egyptiennes. II. 409

Ctſiphon. Voyez *Cherſiphron*.

Chthonius, ſurnom de Mercure. IV. 133

Cuiraſſes & *Javelots*, leur uſage porté dans la Grece ou inventé par Cadmus. VI. 119

Cunina, Déeſſe qu'on invoquoit pour les enfans : ſon emploi. I. 345. V. 331

Cupidon, fils de Vénus. I. 197. IV. 51. 60. les Amours de Cupidon & de Pſiché. 81. & ſuiv. Voyez *Amour*.

Curetes, qui ils étoient. III. 336. ils éleverent Jupiter. 264. 276. leur origine : Etymologie de leurs noms. 336. l'inſtitution des Jeux Olympiques leur eſt dûe. 339. ils eurent des Temples après leur mort. 341. qu'il ne faut pas les confondre avec les Cabites. III. 121. 128

Cyane, Nymphe de Sicile changée en Fontaine. V. 80 vénération pour cette Fontaine. 85. fondement de cette Fable. 96

Cyanées ou *Symplégades*. Ecueils à l'entrée du Pont Euxin. VI. 410. les Argonautes paſſent entre ces Ecueils. 411. ce qu'en diſoit la Fable. I. 127

Cyanippe, fils d'Adraſte. VII. 214

Cybele, la Terre adorée ſous ce nom. I. 343. IV. 396. Hiſtoire de Cybele ſuivant Diodore de Sicile. IV. 180. 405. qu'il y a eu pluſieurs Cybeles 412. ſon Culte, ſes Fêtes, ſes Prêtres & ſes Prêtreſſes. 413. & ſuiv. ſes différens noms. 415. pourquoi l'appelle-t-on la Mere des Dieux. *ibid.* & 416 Statue de Cybele apportée à Rome. 420

Cyclopes, par qui engendrés : leur figure, leur emploi. I. 196. armes qu'ils firent pour les Dieux. III. 265. 305. Apollon tue les Cyclopes. IV. 196. leur Hiſtoire, étymologie de leur nom.

Pourquoi les dit-on Forgerons de Vulcain, &
Anthropophages. VII. 367. & *suiv.* Culte qu'on
léur a rendu. 370. pourquoi paſſoient-ils pour
enfans du Ciel & de la Terre, & pour des
Géants. 373

Cydippe, nom d'une des Nymphes. IV. 365

Cygne, Oiſeau conſacré à Vénus. IV. 64. & à
Apollon. 199

Cygnus, frere de Phaéton : ſa métamorphoſe en
Cygne. IV. 148. 156. 159. 158. 162

Cygnus, fils de Neptune, auſſi métamorphoſé en
Cygne. VII. 253. autres Princes du même nom.
IV. 159

Cylindus, fils de Phryxus & de Calciope. VI. 360

Cyllabarus, amant de la femme de Diomede. VII.
363

Cyllen, fils d'Elatus Roi de Phocide, donna ſon
nom au Mont Cyllene. VI. 34. 35

Cyllene, Montagne d'Arcadie. VI. 35

Cyniſea, Héroïne qui remporta le prix aux Jeux
Olympiques. VI. 166

Cymopolie, fille de Neptune mariée à Briarée. I. 202

Cymoduſe, nom d'une Nymphe. IV. 365

Cymothoé, autre Nymphe. *ibid.*

Cynocéphales, quelle eſpece d'animaux. II. 361

Cynophories, fêtes célébrées à Argos. I. 527

Cynopolis, Ville d'Egypte ; quels Animaux y
étoient adorés. I. 355

Cynoſargés, ſurnom donné à Hercule. VII. 78

Cypariſſe, jeune homme changé en Cyprès. IV. 175

Cyppus, Capitaine Romain. Cornes qui lui vinrent
à la tête. VIII. 70. 71

Cypre, naiſſance de Vénus dans cette Iſle. I. 195.
IV. 50

Cyprès, conſacré à Pluton. I. 459. ſymbole de la
triſteſſe ; on s'en ſervoit dans les funérailles.
VI. 175

Cyprine, ſurnom de Vénus. I. 197

Cyrénaïque, contrée d'Afrique, par qui elle fut peuplée : Dieu qu'on y honoroit. II. 439
Cythere, Isle, sa situation : elle étoit consacrée à Vénus, pourquoi. I. 197. IV. 57. son Temple à Cythere. ibid.
Cytherée, surnom de Vénus. I. 197. IV. 65
Cyzicus, Roi de Cyzique. Jason le tue sans le vouloir, & lui bâtit un Temple. IV. 402. Clyte femme de Cyzicus se pend de désespoir. 403
Cyzique, Ville au pied du Mont Dyndime. VI. 402

D.

DACES, quels étoient les Dieux de ces Peuples. III. 233
Dactiles de Crete : différens des Cabyres. III. 121. 128. 129. les mêmes que les Curetes. 336. d'où vient le nom de Dactyle. ibid.
Dactiliomantie, sorte de Divination ; comment on la pratiquoit. II. 122
Dadès, fêtes des Grecs : d'où elles prirent ce nom. I. 527
Daduque, Daduche ou Lampedophore, Ministre de la Religion chez les Grecs. I. 497. IV. 266. V. 111
Dagon ou Siton, quel étoit ce Dieu dans le systême des Phéniciens. I. 159. 168. étymologie de ce nom. III. 56. célebre Divinité des Philistins : son Temple à Asoth. 58. c'est le Derceto des Grecs. I. 119
Daimogorgon ou Démogorgon. Signification de ce nom. I. 207. IV. 391. qui étoit ce Dieu. ibid. ses enfans. 392. 393. explication de cette Fable. 393
Damastès, Géant qu'on appelloit Procuste, tué par Thesée. Pourquoi. VII. 103
Damium, fête en l'honneur de la bonne Déesse surnommée Damia. IV. 399. signification

de ce nom. 400. Voyez *la Note.*

Danaé, fille d'Acrisius mere de Persée. III. 261. 270. VI. 167. exposée sur la mer avec son fils. 169. son retour dans la Grece.   213

Danaé ou *Amymome*, fille de Danaus : Neptune lui fait violence. IV.   307

Danaides, leur supplice dans le Tartare. V. 38. ce qui a donné lieu à cette fable.   198. 199

Danaus, son arrivée dans la Grece. VI. 47. s'empare du Royaume d'Argos. 48. marie ses cinquante filles avec les cinquante fils d'Egyptus son frere. 48. 49. Voyez *Danaïdes.*

Danube, Fleuve honoré par les Scythes. IV. 279

Daonus ou *Daos*, un des Dieux des Chaldéens. I.   148

Daphnæus, surnom d'Apollon. IV.   204

Daphné, fille de Penée, aimée d'Appollon. I. 133. IV.   169. 170

Daphné, Fauxbourg d'Antioche. Il y avoit un Oracle & une Statue d'Apollon. IV.   171

Daphnéphores & *Daphnéphories*, fêtes ainsi nommées. I.   531

Daphnis, métamorphosé en Rocher. VIII.   21

Dardanie, premier nom de la Ville de Troye. VII.   301

Dardanus, fils de Jupiter & d'Electre. III. 270. IV. 408. V. 121. sa retraite en Phrygie. IV. 418. son Histoire. VII.   301

Daulias, surnom de Philomele. VIII. 11. Voyez *Daulis*, Ville.

Daulis, fête des Argiens. I.   528

Daulis, Ville de Phocide. I. 104. fameuse par l'aventure de Progné & de Philomele. VIII. 9. 11

Dauphin, Constellation. IV. 309. VIII. 66. 91. Dauphin qui porta Arion sur son dos. VIII. 65. Affection des Dauphins pour les hommes. *ibid.*

Decearte, fils de Lycaon Roi d'Arcadie. VI. 33

Dédale, sa généalogie. VI. 305. fut le plus sçavant Artiste

Artiste de la Grece. *ibid.* sa retraite en Crete. 269. 308. ses ouvrages. 306. 309. sa jalousie contre son neveu. 307. Voyez *Talus.* Il est enfermé avec son fils dans le Labyrinthe qu'il avoit construit. 287. comme il s'échappa delà : fable de ses aîles. I. 44. 45. VI. 288. sa retraite en Sicile. 289

Dédales, fêtes des Grecs. I. 528

Dédalion. Voyez *Deïon.*

Déesses Meres, quelles étoient ces Déesses : Culte qu'on leur rendoit, & en quel pays. V. 503. & suiv.

Déidamie, mariée à Pirithoüs. Voyez *Hippodamie.*

Déjanire, fille d'Oenée Roi de Calydon, épouse Hercule. VII. 44. comme elle fut cause de la mort de ce Héros. 56. & suiv. enfans qu'elle eut d'Hercule. 64

Déion, fils d'Eole. VI. 920. épouse Diomédé fille de Xurus. 97

Deion ou *Dédalion,* frere de Ceyx. VIII. 44. 46. changé en Epervier. 47.

Deionée. Voyez *Eionée.*

Déionée, fils d'Eurytus Roi d'Oecalie : Peuples qui sont venus de lui. VII. 101

Déiopée, nom d'une Nymphe. IV. 365

Déipyle ou *Déiphile,* fille d'Adraste : son mariage avec Tydée. VII. 195. 214

Délies, fêtes ainsi nommées. I. 528

Délos, Isle où nâquit Apollon. IV. 161. origine de cette Isle suivant les Poëtes. 164. 166

Delphes. Voyez *Temple de Delphes. Oracle de Delphes.*

Delphinies, fête célébrée à Egine. I. 528

Déluge universel : le souvenir de cet événement conservé chez tous les Peuples. I. 21. 93. VI. 85. Tradition des Chaldéens sur le Déluge. I. 149. Déluge d'Ogygès : époque de cet événement. VI. 54. & suiv. Déluge de Deucalion

74. 76. en quel temps arrivé.   81. *& suiv.*

Demaroon, le Jupiter des Phéniciens. I. 166. 167

Demi-Déeſſes, combien on en connoît chez les Grecs. V.   294

Demi-Dieux, ou enfans des Dieux. I. 202. leur origine. 207. prodigieux nombre de Demi-Dieux. 357. *& ſuiv.* où ils habitoient. II. 236. Voyez *Génies*, *Héros.*

Demon de Socrate. II.   255

Démonaſſe, fille d'Amphiraus. VII.   204. 209

Démonax Mantinéen : Culte qu'il établit dans la Cyrenaïque. II.   440

Démophoon, fils de Théſée & de Phédre. VII. 122. alla au ſiége de Troye. VI. 346. Voyez *Æthra.* Les amours de Phillis & de Démophoon. VIII. 77. Voyez *Phillis.*

Derceto ou *Atergatis*, métamorphoſée en Poiſſon. I. 119. ſi elle eſt la même qu'Aſtarté. III. 47. 54

Déſanaus ou *Diſanaus*, nom de l'Hercule des Phéniciens. VII.   3

Deſtin, *Deſtinées*, idées que les Anciens en avoient. V. 145. 146. par qui engendré. I.   197

Déucalion, fils de Jupiter & d'Iodame. III.   270

Déucalion, fils de Promethée, ſon arrivée dans la Grece. VI. 72. Déluge arrivé de ſon temps. 74. *& ſuiv.* ſa poſtérité. 89. *& ſuiv.* ſa généalogie. 104. qu'il a bâti le premier Temple de la Grece : quel eſt ce Temple. I. 379. VI.   87.

Déucalion, fils de Minos II. & de Paſiphaé. VI. 281. 296. marie Phedre ſa ſœur à Théſée. 281. 300

Deverra, Déeſſe Tutelaire des enfans. I. 345. 346

Deverrona, Déeſſe qui préſidoit à la récolte des fruits. I.   348

Devins, leur emploi & leurs fonctions chez les Grecs & les Romains. I.   464

Dexoüemens, *Devotio* en Latin : Dévoüemens particuliers : formule du Dévoüement public : Dé-

vøüement des criminels. I. 561

Deux, le nombre de deux regardé en Italie comme malheureux. V. 76

Dez, par qui fut inventé le jeu de Dez. VII. 259

Diamaſtigote. Voyez *Flagellation*.

Dianaſte, nom d'une Nymphe. IV. 365

Diane, qu'il y a eu pluſieurs Déeſſes de ce nom. IV. 206. 207. qu'elle eſt ſouvent priſe pour la Lune. 206. 208. ſes différens noms & ſes différentes fonctions. 210. & *ſuiv*. Culte qu'on lui rendoit en différens pays. 214. ſur-tout chez les Gaulois. V. 488. comme on la repréſente. IV. 214. ſes Oracles. II. 37.

Diane Perraſie. Voyez *Caſtaballe*.

Dicé, fille de Tethys. I. 203. préſidoit à la Juſtice. 349.

Dictæus, ſurnom de Jupiter. III. 350. 358.

Dicté, Antre où nâquit Jupiter. III. 264

Didon, ſurnom de la Princeſſe Eliſe : ce qu'il ſignifie : ſon hiſtoire : ſes amours avec Enée : ſa mort. Culte qu'on lui rendit après ſa mort. VII. 413. & *ſuiv*.

Didyme, Oracle qui y étoit. II. 35

Dieſpiter. Voyez *Lucerius*.

Dieux, le prétendu commerce des Dieux avec les femmes, ſource de pluſieurs fables. I. 128. idée que les Poëtes ont donné des Dieux. 190. & *ſuiv*. ſi Homere a dû repréſenter les Dieux autrement qu'il a fait. 214

Dieux, particuliers à chaque Nation ou à certaines Villes, ou Dieux Topiques. I. 353. & *ſuiv*.

De la nature des Dieux. II. 194. les Dieux ont-ils tous été des hommes ? y en a-t-il eu du moins qui l'ont été. 202. & *ſuiv*. des enfans des Dieux. 229. diviſion des Dieux en pluſieurs claſſes. 233. & *ſuiv*.

Des Dieux des Egyptiens. II. 278. 342. 397

Des Dieux des Arabes. II. 416

Des Dieux des Ethiopiens II.   424

Des Dieux des Carthaginois & de quelques autres Peuples d'Afrique. II.   428

Des Dieux des Chaldéens & des Babyloniens. III.   3

Des Dieux Syriens & Phéniciens qu'on ne connoît que par l'Ecriture Sainte. III.   63. 96

Des Dieux de Tadmor ou de Palmyre. III.   102

Des Dieux Cabires. III.   110

Des Dieux Anaces ou Anactes. III.   132

Des Dieux Pataïques. III.   137

Des Dieux Palices. III.   140

Des Dieux des Perses. III.   148

De quelques autres Dieux des Perses, de ceux des Parthes, des Cappadociens, & des Arméniens. III.   202. & suiv.

Des Dieux des Scythes. III.   215

Des Dieux des Peuples du Nord. III.   225. & suiv.

Des Dieux des Grecs & des Romains, & des autres Peuples de l'Occident. III.   236. 253

Des Dieux du Ciel. III. 254. IV.   1

Des Dieux de la Mer, des Fleuves & des Fontaines. IV.   270

Des Dieux de la Terre. IV.   388

Des Dieux Lares. IV.   487

Des Dieux Pénates. IV.   493

Des Dieux de l'Enfer. V.   1. 70

Des Dieux Manes. V.   162

Autres Dieux adorés par les Grecs & les Romains. V.   207. & suiv.

Des Dieux des Festins & de la joie. V.   263

Des Dieux de la Médecine. V.   266

Des Dieux particuliers aux Grecs, & à quelques Peuples d'Asie. V.   290

Des Dieux particuliers aux Romains. V.   313

Des Dieux particuliers à l'Italie. V.   355

Des Dieux des Gaulois. V. 362. 462. 472. & suiv.

Des Dieux des Habitans de la Grande-Bretagne.
V. 519
Des Dieux des anciens Ibériens ou Espagnols.
V. 522
Des Dieux des Germains. V. 529. *& suiv.*
Diipolie, fête célébrée à Athenes. I. 526
Dindyme, Mere de Cybele. IV. 406
Dindyme, Montagne de Phrygie, d'où Cybele fut
nommée Dyndimene. IV. 415. VI. 402
Dinocrate ou *Dinocharés*, Architecte du second
Temple d'Ephese. I. 393
Die, premier nom de Cérès. V. 77
Diocleïdes, fêtes en l'honneur de Dioclés. I. 531
Dioclétien, Prédiction que lui fait une Druydesse.
V. 423
Diomede, premier nom de Jason. VI. 362
Diomede, fils de Tydée. VI. 362. ses exploits au
siege de Troye. VII. 265. *& suiv.* 274. 361. *&
suiv.* se retira dans la grande Grece, au retour
de cette guerre: Ville qu'il y bâtit. 206. 363. 364.
refusa de donner du secours contre Énée. 364
Diomede, Roi de Thrace tué par Hercule. Pour-
quoi. VII. 24
Diomedé, fille de Xutus. Voyez *Deionée.*
Dioné, fille d'Uranus. I. 165
Dioné, nom d'une Nymphe. IV. 365
Dioné, mere de Vénus. III. 271. IV. 51. 52
Dionysiaques, fêtes de Bachus. I. 532
Dionysius. Voyez *Liber.*
Dioscures, nom donné à Castor & à Pollux. VII.
128. Voyez *Cabires.*
Dircé, femme de Lycus: sa cruauté envers An-
tiope. VI. 134. son supplice. *ibid.* sa métamor-
phose en Fontaine. 139
Dis, nom de Pluton chez les Celtes. I. 76
Discorde (la) mise au nombre des Déesses. I. 350.
V. 250. elle est chassée de l'Olympe. Son Por-
trait. 251. 252

TABLE

234

Difque, dont on fe fervoit dans les facrifices. I. 485

Dithyrambus, furnom de Bacchus. IV. 246

Divination, qu'eft-ce que cette fcience: ancienneté de fon ufage. II. 115. combien de fortes de Divinations, & comment elles fe faifoient. 117

Divinités, idée qu'en avoient les Philofophes Payens. II. 195

Divinités Allégoriques & Phifiques inventées pour les différens âges, pour les différentes profef-fions & actions de la vie. I. 344. les vertus & les vices érigés en Divinités. V. 209. 240. & *fuiv*. Divinités affignées aux affections & aux paf-fions: Divinités qui préfidoient à chaque partie du corps. I. 345. & *fuiv*.

Divipotes, Divinités Romaines. V. 334

Dodanim, petit-fils de Japhet. VI. 26. où il alla s'établir. 28

Dodonæus, furnom de Jupiter. III. 350

Dodone. Voyez *Oracle de Dodone*.

Dolabre, Inftrument pour les facrifices. I. 485

Dolichénius, nom de Jupiter. III. 350. monument qui repréfente Jupiter Dolichénius: étymolo-gie de ce nom. V. 475. 476

Domiduca, furnom de Junon. III. 385

Domiducus, Dieu qui préfidoit aux mariages: fa fonction. I. 345. III. 402

Dompteurs de Monftres & redreffeur des Torts: d'où eft venu cette idée. I. 64

Doryclés, un des Héros de la Grece. VI. 165

Doriens, Peuples de la Grece. VI. 100

Doris, Mere des Néréides. I. 198. IV. 327

Dorfane, nom de l'Hercule Indien. VII. 3

Dorus, petit-fils de Deucalion: où il s'établit. VI. 92. 99. fes defcendans. 100

Dorycus. Voyez *Ericie*.

Dofithée, nom d'une Nymphe. IV. 365

Doxo, Idem. ibid.

Dragon, (le) confacré à Bacchus & à Minerve. I.

460. IV. 4. Dragon du Jardin des Hesperides.
I. 52. 115. 197. III. 446. VI. 201. Dragons
qui gardoient la Toison d'or. I. 52. 115. VI.
415. 418. Dragon de Cadmus. VI. 116. 420.
Dragon volant de la Chine. I. 239. Dragons vo-
lans du Char de Médée. VI. 456. 461. Dragon
dont l'on a formé le Cerbere. V.   53

Druydes, principaux Ministres de la Religion chez
les Gaulois : où ils se retiroient. V. 366. 367.
Parallele des Druydes & des Mages Persans. 372.
idée qu'ils avoient de la Divinité. 375. étymologie du nom de *Druydes*. 390 leur origine : leur
maniere de vivre : leurs fonctions : leur science : leur autorité dans la Nation. 391. & suiv.
leurs superstitions. 405. leurs maximes. 416.
quand leur ordre fut aboli.   423. 424

Druydesses, quelles étoient ces femmes : leur au-
torité : elles prédisoient l'avenir. V. 419. & suiv.
Druydesses qui vivoient comme les Vestales des
Romains.   488

Dryades, Nymphes des Bois : leur Culte. IV. 358.
    361

Drymo, nom d'une Nymphe. IV.   365
Dryope, métamorphosée en arbre. VIII.   67
Duikelaïtes, Peuples de l'Arabie : leur Religion.
II.   421
Duysanien, surnom d'Hercule. V.   457
Dulichie, Isle où régnoit Ulysse. VII.   365
Dusarès, Dieu des Arabes. II.   420
Dyctinnies, fêtes en l'honneur de Diane Dictin-
ne. I.   531
Dynamne, nom d'une Nymphe. IV.   365
Dzohara, Déesse des Arabes. II.   421
Dzol, Divinité des mêmes Peuples.   ibid.

E

EA, *Eea* ou *Æa*. Voyez *Æa*.

Eacus ou *Eaque*, un des Juges des Enfers. V. 36. 45. 68. de qui il étoit fils. 69. 70. fa grande équité. VI. 93. VII. 331. qui étoient fes fujets. 333. fes enfans.   335

Eau, fous quels noms elle fut adorée. I. 343. Culte rendu à l'Eau. IV. 271. *& fuiv.* chez les anciens Perfes. 273. chez les Egyptiens. 274. *& fuiv.* chez les Indiens & les Peuples au Nord des Palus Meotides. 278 chez les Grecs & chez les Romains. 279. caufes qui donnerent lieu à ce Culte. 281. *& fuiv.* facrifices qu'on offroit aux Dieux des Eaux.   286. *& fuiv.*

Eau Luftrale, fon ufage. I.   495

Eauhadnés, *Euhadnés*. Voyez *Oannés*.

Echidna, Monftre femelle. Sa figure. Ses enfans. I.   198

Echion, pere de Pentée. VI.   128. 142

Echion, fils de Mercure, un des Argonautes. VI.   386

Eclair, adoré comme une Divinité. IV.   457

Eclipfes, fables débitées fur la caufe des Eclipfes. I.   78

Echo; Nymphe amoureufe de Narciffe. VIII. 20

Educa & *Edulia*, Déeffes des Romains : leurs fonctions. V.   341

Edula ou *Edufa*, Déeffe tutelaire des enfans. I. 346. V.   331

Egée, Roi d'Athenes. VI. 70. fa généalogie. 263. pere de Théfée. VII. 96. fon commerce prétendu avec Médée. VI. 466. VII. 104. fait affaffiner Androgée. VI. 262. fa mort; donne fon nom à la Mer Egée.   280

Egeon, un des Dieux de la Mer. Sa généalogie : fa mort. IV.   354

Egeria, Déesse qui présidoit aux accouchemens. I. 345. V. 330. Junon avoit aussi ce nom. III. 385

Egerie, Nymphe que consultoit Numa. VI. 248

Egeste. Voyez *Elimus*.

Egeste, fille d'Hippotas, mere d'Aceste Roi de Sicile. VIII. 79. 80. Voyez *Crinisus*.

Egialée, Fondateur du Royaume de Sicyone. VI. 41. & *suiv*.

Egialée, fils d'Adraste tué à la guerre des Epigones. VII. 201. 214

Egibole ou *Ægobole*, espece de sacrifice. I. 480

Egide, Bouclier de Minerve: description de cette armure. IV. 4. 25. 29. 30. VI. 71. son origine.

Egide, Monstre qui vomissoit du feu. IV. 29

Egine, fille d'Asope Roi de Béotie, mere d'Eaque. VI. 93. métamorphosée en Isle de son nom. VII. 332. situation de cette Isle, ses Habitans. 333. 334

Egiste, fils de Thyeste. Sa naissance. VII. 312. ses crimes, sa mort. 313. 317. 319

Eglé, une des filles d'Esculape. V. 274

Egophore, surnom de Junon. VII. 55

Egregores ou *Anges* du Ciel. I. 212

Egypte, premier Théatre de l'Idolâtrie & des Fables. I. 117. aussi bien que des Arts & des Sciences. 83. Temples d'Egypte: leur magnificence. 369. les abominations de l'Egypte. II. 279

Egyptiens, leur Cosmogonie & Théogonie. I. 175. & *suiv*. quels ont été leurs Dieux. II. 278. & *suiv*. qui étoient leurs huit grands Dieux. 288

Egyptus, frere de Danaus. Ses cinquante fils égorgés par leurs femmes. V. 38. 198. VI. 48. 49. Voyez *Lyncée*.

Eimarmené, fille d'Uranus. I. 165

Eimarmené, Déesse, la même chez les Grecs que le Destin. V. 258

Eionée ou *Déionée*, Ixion son gendre le fait périr: pourquoi. VI. 317

Elaphobolies , fêtes d'Athenes. I.   5̇2̇9

Elara , mere du Géant Tityus. V.   187

Elatée , Ville de Phocide , par qui bâtie. VI.   34

Elatus , fils d'Arcas : quelle Ville il fonda.   *ibid.*

Electra , fille de l'Ocean , & mere d'Iris. I.   198

Electre , nom d'une Nymphe. IV.   365

Electre , fille d'Atlas : une des Pleïades. III. 437
   Voyez *Pleïades.*

Electre , fille d'Agamemnon , sœur d'Oreste. VII.
   317. 318. mariée à Pylade ami d'Oreste.   32̇5

Electrides , prétendues Isles. IV.   158

Electriou , pere d'Alcméne : sa généalogie. VI. 51.
   VII. 3. son histoire. 4. sa mort.   5

Eleusis , Ville de l'Attique. V. 82. ce que c'est que
   les Mysteres d'Eleusis. 107. *& suiv.* pourquoi
   il étoit défendu de les révéler.   114

Eleutherius , surnom de Jupiter. I.   531

Eleutheries , fêtes en l'honneur de Jupiter.   *ibid.*

Elide , Pays de la Grece , de qui il a pris son nom.
   VI.   28

Elimus & *Eegeste* , Troyens qui s'établirent en Sicile. VII.   400

Elion ou *Hypsistus* , signification de ce nom. Divinité des Phéniciens. I.   159

Elios ou *le Soleil* , un des huit grands Dieux des
   Egyptiens. I.   288

Elis ou *Elisa* , petit-fils de Japhet. où il s'établit.
   VI. 28.   *ibid.*

Elise. Voyez *Didon.*

Eliud , fils des Nephelim. I.   211

Ellotés , surnom de Minerve. IV.   24

Eloïm , Dieux du parti de Chronos. I.   164

Eloquence , fausse éloquence des Orateurs : source
   de plusieurs fables. I.   59. 60

Elpe , fille de Polyphéme. VII.   372

Elphenor , Roi d'Eubée : Thésée se réfugie chez lui.
   VII. 120. alla au siege de Troye avec le fils
   de Thésée.   121

Elisées. Les Champs Elysées. D'où les Grecs en ont-ils tiré l'idée. V. 3. 11. *& suiv.* Temps que les Ames y devoient demeurer. 14. 30. description de ces Champs Elysées. 30. 33. où les Poëtes les plaçoient. I. 64. V. 29

Ematuries ou *Hématuries*, fêtes en l'honneur de Pelops. I. 522. V. 32

Emeriones, un des Héros honorés dans la Grece. VI. 158

Emithée, Demi-Déesse honorée à Castabé Ville de Carie. V. 294. *& suiv.*

Enac & ses descendans, appellés Géants dans l'Ecriture Sainte. III. 310. si c'est Inachus. Voyez *Inachus.*

Encelade, Géant, s'il est le même que Typhon, II. 314. 326. sa défaite dans le combat des Géants contre les Dieux. III. 268

Encenies, fêtes ainsi nommées. I. 533

Encensoir, ou *Thuribulum*, Instrument dont on se servoit dans les sacrifices. I. 483

Enclabrès, instrument pour les sacrifices. I. 485

Endéide ou *Endéis*, mere de Pelée. VII. 103. 335

Endocus, éleve de Dédale, son habileté. VI. 314

Endovillicus, Dieu des Espagnols. V. 524

Endymion, fils d'Æthilie, Roi d'Elide. IV. 216. Autre Endymion, Berger du Mont Latmus. I. 133. IV. 216. Fable des amours de Diane & d'Endymion. I. 78. 133. IV. 215. VIII. 122

Eneas Sylvius, Roi d'Albe. VII. 405

Enée. Sa généalogie. I. 204. VII. 395. 398. ses actions au siege de Troye. 398. 399. son arrivée en Italie, sa mort. 400. *& suiv.* son Apothéose. 404. il est soupçonné de trahison, & d'avoir favorisé les Grecs pour la prise de Troye. 273. 393. opinion de ceux qui ont crû qu'Enée n'étoit jamais sorti de la Troade. 305. 406. ses prétendues amours avec Didon. 413. Vaisseau d'Enée changés en Nymphes 419. quelle étoit la Vénus

sa mere. 395. 396

Eneide. Analyse de ce Poëme dépouillé de toutes fictions. L. 68

Enfans, Enfans nourris par des Animaux : origine de ces fables. I. 116. Divinités Tutelaires des Enfans. 346. *& suiv.* Enfans immolés aux Dieux. 252. 255. 452

Enfans des Dieux. D'où le grand nombre qu'on leur en a donné. I. 196. *& suiv.* III. 261. Distinction des différens enfans des Dieux. II. 229. *& suiv.* Voyez *Demi-Dieux.*

Enfer, Dieux des Enfers. V. 1. *& suiv.* D'où les Grecs ont pris tout ce qu'ils ont débité de l'Enfer. 3. 43. sentimens des Philosophes Grecs sur ce sujet. 9. *& suiv.* sentimens des Poëtes, & description qu'ils en ont fait. 14 26. *& s.* des Fleuves d'Enfer. 56. *& suiv.* des portes de l'Enfer. 65. voyages de plusieurs Héros aux Enfers. 66. 67

Enna, Prairies d'Enna. V. 79. 83. Voyez *Proserpine.*

Envie, (l') Divinité : son portrait. V. 245

Enyo, surnom de Bellone. IV. 31

Enyo, une des filles de Phorcys. I. 198

Eole, petit-fils de Deucalion. VI. 92. donne aux Helleniens le nom d'Eoliens. VI. 92. ses enfans. *ibid.*

Eole, Dieu des Vents. I. 55. 79. 112. 343. 349. mis au nombre des Dieux de la Mer : où il régnoit. IV. 367. reçoit Ulysse chez lui. 368. sa généalogie 375. ses enfans. 372. 375

Eolies ou *Eoliennes*, Isles où régnoit Eole. IV. 367. 373. leur situation. *ibid. &* 374. on y plaçoit les Forges de Vulcain. 104

Eories, fêtes des Grecs. I. 522.

Eous, un des Chevaux du Soleil. IV. 146

Epaphus, fils de Jupiter & d'Io. II. 299. son différent avec Phaëton. IV. 146. 152

Epée, symbole du Dieu Mars chez les Scytes. I. 366.

366. IV. 37. 46. l'Epée de Mars volée par Mercure. IV. 126

Epervier, en vénération chez les Egyptiens. II.
377. Confacré à Junon. III. 392. & à Apollon.
Pourquoi. IV. 198

Ephefe, Temple de la Diane d'Ephefe. I. 390. in-
cendie de ce Temple. Conftruction d'un fecond
Temple. 393

Ephire. Voyez *Corinthe*.

Epheflies & *Epheftries*, fêtes ainfi nommées. I. 528.

Ephialte & *Otus*, deux des Géants qui firent la
guerre aux Dieux : leur généalogie, leur naiffance & leur taille. III. 268. V. 201. 205. VI. 94.
avanture de Mars avec ces deux Géants. V. 203.
204. autre avanture de Neptune avec ces
Géants. III. 318. leur mort. V. 206. ils ont les
premiers confacré aux Mufes le Mont Helicon.
V. 203. VI. 94. Pourquoi on a dit, firent la guerre aux Dieux. VI. 94. & condamnés au Tartare. V. 201. Voyez *Aloides*.

Ephire, nom d'une Nymphe. IV. 365

Epicafte, mere d'Œdipe, fa mort tragique. VII.
188. 189

Epicafte, fille d'Egée. VII. 64

Epidaure, Ville de Peloponefe, la premiere où fut
porté dans la Grece le culte d'Efculape. V. 268.
Voyez *Efculape*.

Epidelius, furnom d'Appollon. IV. 202.

Epidotes, Dieux qui préfidoient à la croiffance des
Enfans. I. 346

Epigée, nommé dans la fuite Uranus. Voyez *Uranus*.

Epigones, Guerre des Epigones. Ce que c'eft.
VII. 200.

Epimeletes, Miniftres de la Religion. I. 493. V. 112.

Epimethée, fa généalogie. I. 205. III. 446. époufe
Pandore. 448. Voyez *Pandore*. Il eft changé en
Singe. 457.

Epiphanes, furnom de Jupiter. III. 355

Tome VIII. N

Epitus, Roi de Mycenes : ses successeurs appellés de son nom Epitides. VII. 93

Eponymes, Héros Eponymes. VI. 159

Epopée, Roi de Sicyone, époux d'Antiope. VI. 137. sa mort. 138

Epopée, Roi de Lesbos. Voyez *Nyctimene*.

Epoques principales des temps fabuleux. VI. 9. Epoques de l'Histoire Universelle. 41. Epoque célébre parmi les Grecs. VIII. 124

Epulons, Ordre des Prêtres chez les Romains. I. 515. leurs priviléges. 516

Epunda. Voyez *Vallonia*.

Epytus, Roi d'Arcadie, sa généalogie. VI. 34. sa mort. 35

Equitation, ou l'usage d'aller à Cheval. Si cet Art est plus récent que le siége de Troye. VII. 138. 139

Equité (l'), Déesse, comment représentée. V. 137 souvent confondue avec Astrée & Dicé. 238

Equivoque des mots de différentes Langues, source de plusieurs fables. I. 30. 49. 103. 111. & *suiv.*

Erato, une des neuf Muses : signification de ce nom. IV. 224,

Ercéus, surnom de Jupiter. I. 348

Erébe, par qui engendré ; son union avec la nuit ; leurs productions. I. 196

Erece, nom d'une Nymphe. IV. 365

Erechthée, Roi d'Athénes, ayeul maternel de Janus. III. 417. mis au rang des Dieux par les Athéniens. 430. sa mort. V. 103. VIII. 13. honoré comme un des Héros Eponymes. VI. 160. serment singulier de ses filles. VIII. 13

Ergane, Déesse, par qui honorée. VI. 162

Ergane, surnom de Minerve. IV. 25. 26

Erginus, Argonaute : pourquoi le dit-on fils de Neptune. VI. 386

Erichtonius, Roi d'Athenes. Fable de sa naissance. VI. 68. inventa l'usage des Chariots. 69. il for-

me la Conftellation du Bootés. VIII. 88

Erichtonius, fils de Dardanus, Roi de Troye. VII. 301

Eridan, Fleuve d'Italie, aujourd'hui *le Pô*. Conjecture fur l'origine de ce nom. IV. 155. Eridan, Conftellation. VIII. 89

Erigone, fille d'Icarius : fa mort. Fêtes inftituées en l'honneur du pere & de la fille. VIII. 84. Conftellations qu'ils forment dans le Ciel. 84. 89

Erigone, fille d'Egifte & de Clytemneftre, fœur & femme d'Orefte. VII. 326. fut confacrée au fervice de Diane, 328

Eriphyle, femme d'Amphiaraus. VI. 98. fa généalogie. VII. 206. vendit fon mari pour un Collier. 196. 206

Erifichton. Sa faim canine : fe dévore lui-même. VIII. 74

Erminful. Voyez *Irminful*.

Eros, fils de Chronos. I. 165

Eroftrate, Incendiaire du Temple d'Ephefe. I. 393

Erotides, fêtes en l'honneur de Cupidon. I. 530

Erycie, Canton de la Sicile. VII. 56

Erycine, furnom de Venus. IV. 67. 77. Voyez *Eryx*, *Montagne*.

Erymanthe, Forêt d'Arcadie : le Sanglier d'Erymanthe. VII. 22

Erynnies, furnom des Furies. Son étymologie. V. 130

Erypile, comment il devint furieux : & puis guéri de fa folie. IV. 255. fon Hiftoire. VII. 442

Eryx, Roi de Sicile : vaincu par Hercule. VII. 56

Eryx, Montagne de Sicile : Temple de Venus qui y étoit : ouvrage qu'y fit Dédale pour ce Temple. VI. 313

Efacus, fils de Priam : fujet de fa mort. Sa métamorphofe en plongeon. VII. 284. VIII. 75. prédifoit l'avenir : prédiction qu'il fit à fon pere. 76

Eschinades, Isles nouvellement formées. Fables sur ces Isles. VII.   41

Esculape. Qu'il faut chercher le véritable Esculape dans l'Egypte ou dans la Phénicie. V. 268. qu'il y a eu plusieurs Esculapes. 267. 277. de l'Esculape Grec : sa naissance. 269. fictions qu'on y a mêlées. *ibid. & suiv.* passa pour le Dieu de la Médecine. 272. 277. ses descendans. 274. son culte répandu en plusieurs contrées. 278. *& suiv.* comment son culte fut établi à Rome. 282. 283. comme on le représentoit. 279. 283. Constellation qu'il formoit dans le Ciel. 273. si Esculape a été un des Argonautes. V. 273. VI.   381

Esculapies, fêtes des Romains. I.   540

Eson, fils de Crethée. VI. 97. Pelias usurpe la couronne qui lui appartenoit. 361. fut pere de Jason. 362. s'il est vrai qu'il fut rajeuni par Médée.   454. *& suiv.*

Espagne, d'où elle a pris son nom. I. 103. Pays autrefois plein de mines d'or & d'argent. V. 71. 72. Pluton y avoit établi son Royaume. 73. Religion des anciens Espagnols. V. 522. *& suiv.*

Espérance (l') Divinité des Romains. Comme elle est représentée. V.   212. *& suiv.*

Esprit universel répandu dans l'Univers. I.   299

Esprits, l'Idolâtrie des Esprits : causes de cette Idolâtrie. I.   313

Esus ou *Hésus*, grande Divinté des Gaulois : quel étoit ce Dieu. V. 435. 442. *& suiv.* Comme il est représenté sur des Bas-reliefs. 445. quand son Culte commença à diminuer.   460

Esymnéte, surnom de Bacchus. IV.   256

Eteocrétes, anciens Habitans de l'Isle de Créte. VI.   299

Eternité d'un Etre souverain, reconnue par les Payens. I. 207. l'Eternité, Déesse Romaine. V.   215

Eternuemens, présages qu'on en tiroit. II. 145

Etésipe, fils d'Hercule & de Déjanire. VII. 64

Etheole, Roi d'Orchomene, appellé le pere des Graces; pourquoi. IV. 95

Ethéocle & *Polynice*, fils d'Œdipe & de Jocaste. VII. 187. origine de leur haine mutuelle. Leur mort. 193. & *suiv.* leurs divisions manifestées après leur mort. 202. on leur rendit les honneurs héroïques. *ibid.* les Poëtes les placent néanmoins dans le Tartare. V. 206

Ethéocle, un des sept Chefs de la Guerre de Thebes. Son portrait. VII. 220

Ethiopie, que les Anciens ont connu deux Ethiopies. VI. 206

Ethiopiens, quels étoient leurs Dieux. II. 424. ils consacroient au Soleil le Cinnamome : comment ils cueilloient cette plante. 425. 426

Ethra, femme d'Egée & mere de Thésée. VII. 96 97. devient Esclave d'Hélene. 116. fut rendue à son petit-fils après la prise de Troye. 117

Etoiles, Voyez *Astres*.

Etolus, fils d'Endymion, donna son nom à l'Etolie. VI. 92. ses descendans. 92. 93

Etoliens, guerre des Etoliens & des Curéres sous les murs de Calydon. VI. 162

Etre Souverain, ou premier Etre : quelle idée en ont eu les Payens. I. 207. les Chinois. 228. & *suiv.* les Philosophes. 299

Etruriens ou *Toscans*, habiles dans la science des Augures. II. 124. 125. 137. 140

Evan, surnom de Bacchus. IV. 245

Evandre, Arcadien d'origine, conduit une Colonie en Italie. VI. 29. reçoit Hercule chez lui & l'honore, même de son vivant, comme un Dieu. 30. s'attire la vénération des Peuples. 29. reçut d'eux après sa mort les honneurs Divins. V. 356 il apporta en Italie le Culte de Pan & les Luperpales. II. 368. V. 355

246 · · T A B L E

Eubages ou *Vates*, Miniftres de la Religion chez les Gaulois. V. 389. 390

Euchécrates enléve la Pithie de Delphes : Loi à ce fujet. II. 22. 23

Eudore, une des Hyades III. 445. IV. 365

Evémerion, honoré à Sicyone comme un Dieu. V. 308

Evérodacus ou *Evédorifcus.* Ce qu'il étoit dans la Théogonie des Chaldéens. I. 148

Evéres, le plus jeune des fils de Ptérélas furvit à fes freres. VII. 5

Evéres, fils d'Hercule & de Parthénope. VII. 64

Eumée, ancien domeftique d'Ulyffe. Son maitre fe cache chez lui. VII. 387

Euménides, furnom des Furies : ce qu'il fignifie. V. 130

Euménides, fêtes des Furies. I. 530

Eumolpe, Hiérophante des Myftéres Eleufiens. V. 102

Eunomie, fille de Jupiter & de Thémis. I. 203

Eunomius, Muficien de Locris : fervice que lui rendit une Cigale. VIII. 150

Evocations : combien il y en avoit de fortes. I. 558. la plus folemnelle & la plus ancienne. II. 181. 182. ce que les Magiciens croyoient évoquer, en évoquant les ames des morts. 184

Evohé, cri des Bacchantes. IV. 244. 258. 262

Euphemus, un des Argonautes & leur Pilote. VI. 386. Hiftoire de la Motte de terre donnée à Euphémus par le Triton. 434

Euphrofyne, l'une des trois Graces. I. 203. Voyez *Graces.*

Euriganée, feconde femme d'Œdipe. VII. 191. 192. fa mort. 217

Eurifés, mot Gaulois qui fe trouve dans une infcription : ce qu'il fignifie. V. 435

Eurithaniens, Peuples d'Etolie : Ulyffe après fa mort reçoit dans leur pays les honneurs héroïques. VII. 330

Europe, fille d'Agénor Roi de Phénicie. Son enlévement. I. 112. VI. 108. ses enfans. III. 270. VI. 111. reçoit les honneurs divins en Créte sous le nom de Minerve, & chez les Sidoniens sous le nom d'Astarté. VI. 114. quel est le Jupiter qui enleva Europe. III. 261

Europe, une des parties du monde : d'où elle a pris son nom. I. 102. VI. 114

Europe, nom d'une Nymphe. IV. 365

Eurotas, Fleuve de Laconie honoré par les Lacédémoniens. IV. 280

Euryale, une des gorgones. I. 198. VI. 172

Euryalus, un des Argonautes, & un des chefs des Argiens au siége de Troye. VI. 387. VII. 245

Euribate, un des Argonautes, celebre au jeu du Palet. VI. 382. 439

Eurybie ou *Euribée*, fille de Pontus & de la Terre. I. 198. ses enfans. 199

Eurybie, nom d'une Nymphe. IV. 365

Eurydice, femme d'Orphée. Sa mort : Orphée la va chercher aux Enfers. VII. 147. 152. Voyez *Orphée*.

Eurylnus, fils de Menecée, un des Héros Grecs. VI. 160

Eurymédon, Géant aimé de Junon. III. 380

Eurymedon, Ecuyer d'Agamemnon tué avec lui. VII. 318

Euryméne, nom d'une Nymphe. IV. 355

Eurynome, mere des trois Graces. I. 203

Eurypile, Prince de la Cyrenaique qui rendit service aux Argonautes : fable à ce sujet. VI. 435

Eurypile, petit-fils d'Hercule : son Histoire & sa mort. VII. 442. & *suiv.*

Euristée, Roi de Mycenes : sa généalogie. VI. 52. VII. 11. il persécute Hercule & ses enfans. 13. & *suiv.* 89. il est tué par Hillus fils d'Hercule. 90

Euryte, fils d'Augias, tué avec son pere par Hercule. VI. 387

Euryte, Roi d'Oecalie tué par Hercule : pourquoi. VII.　　　　56

Euritus, un des Géants qui firent la guerre aux Dieux. Sa mort. III.　　　　268

Euterpe, l'une des Mufes : comment repréfentée, invention qu'on lui attribue. IV.　　　　223

Expiation, quel acte de Religion c'étoit. II. 158. il y en avoit de plufieurs fortes. Expiations pour les Prodiges. 160. Expiation de l'homicide. 161. Expiation des Villes. 164. Expiation des Armées. 165. Expiations particulieres.　　　　166. 167

Extifpices, maniere de deviner par l'infpection des entrailles. I. 471. étymologie de ce mot. II.　　　　137

F

FABLES. Divifion des Fables. I. 6. 52. divers fyftêmes propofés pour l'explication des Fables. 14. 16. 29. & *fuiv*. 22. 25. Pays où les Fables ont pris naiffance. 26. 27. Conjectures fur l'origine des Fables. 24. & *fuiv*. que la Grece a été le pays le plus fertile en Fables.　　　　133

Fabulinus, Dieu Tutélaire des enfans. I. 346. V.　　　　331

Farine employée dans les facrifices. I. 447. 469

Fatalités attachées à la Ville de Troye. VII. 260. & *fuiv*.

Fatua, Femme de Faunus, auffi nommée *Fauna*. Sa chafteté la fit honorer fous le nom de Bonne-Déeffe. IV.　　　　401. 470

Faveur (la), mife au nombre des Divinités. V. 311. 341

Faula, Déeffe, Maîtreffe d'Hercule. V.　　　　336

Faulx de Saturne I. 196. III. 287. & *fuiv*. pourquoi on le repréfentoit avec une Faulx à la main. III.　　　　290.

Fauna. Voyez *Fatua.*

Faunales, fêtes des Romains. I. 542

Faunus, Roi d'Italie, en quel temps il vivoit. IV. 469. pourquoi le dit-on fils de Mars : pourquoi on en fit une Divinité Champêtre. *ibid.* sa généalogie. 473. on le confond souvent avec Pan & Sylvanus. II. 370. IV. 472

Féciales, quelles étoient les Fonctions de ces Prêtres. I. 518

Fécondité (la), Déesse Romaine : qui elle étoit. V. 239

Félicité (la), Déesse Romaine : sentiment de S. Augustin sur cette Déesse. V. 209. 210

Femmes de l'Isle de Cos changées en Vaches. VIII. 72. les Femmes exclues des Jeux Olympiques. 127

Fer, l'Art de forger le Fer, comment & quand il fut trouvé. III. 338. V. 257. 258

Férales, fête des Morts, instituée par Enée. I. 543

Férétrius, surnom de Jupiter. III. 347

Féronia, Déesse qui fut en grande vénération dans toute l'Italie. V. 339

Férule, Plante : sa proprieté. III. 456

Fessoria, Déesse qui présidoit au repos. V. 335

Festins, les Festins de Religion. I. 464. Festins pour les Dieux. 515. Dieu des Festins. V. 263.

Fêtes des Grecs. I. 519. & *suiv.* Fêtes des Romains. 535. & *suiv.* Motifs de l'institution des Fêtes Romaines. I. 545. Fêtes des Egyptiens & autres Peuples. II. 378. & *suiv.*

Fetriæ Deæ, Divinités Romaines. V 333

Feu, qui trouva l'usage du Feu suivant les Phéniciens. I. 156. Feu dérobé dans le Ciel par Promethée. III. 448. sens de cette Fable. 455. 456

Feu sacré, Ancienneté du Culte du Feu chez les Chaldéens. I. 310. IV. 425. chez les anciens Perses. I. 310. III. 148. chez les Romains. IV. 422. & *suiv.* chez les Gaulois V. 377. Ce Culte

subsiste encore aujourd'hui aux Indes. I. 310 & en plusieurs pays de l'Amérique. IV. 426. sous quels noms le Feu adoré. I. 343. II. 288. comment on lui sacrifioit chez les Perses. III. 151. Divination par le Feu. Voyez *Pyromantie.*

Feux de Castor & de Pollux, ce que c'est. VII. 129

Feux nocturnes, qui paroissoient au Ciel, ce que c'est. II. 152.   156

Fidius, qui étoit cette Divinité. I. 351. *& suiv.*

Fievre (la), Divinité. I. 288. 349. V.   241

Filoux, Dieux des Filoux. I.   345

Flagellation (Fête de la) ou Diamastigote : où, & comment elle étoit célébrée. I.   531

Flamines, Prêtres des Romains : leur nombre, leurs Priviléges : la vénération qu'on avoit pour eux. I. 510.   *& suiv.*

Flaminiques, femmes des Flamines. I.   513

Fléches, les Fléches d'Appollon. IV. 185. 189. Fléches empoisonnées d'Hercule. 192. VII. 19. 262

Fleuves. De qui on les fait naître. I. 199. leur nombre. *ibid.* chaque Fleuve avoit une Divinité tutélaire. II. 80. IV. 272. le Culte rendu aux Fleuves fut universel. 278. sur quoi il étoit fondé. 282. *& suiv.* comment on leur sacrifioit. III. 154. IV. 286 *& suiv.* Fleuves d'Enfer. V. 56. fondement de leur Fable.   61

Flora, Déesse qui présidoit aux Bleds. I.   347

Floraux, Jeux Floraux, par qui institués. IV. 433. comment ils se célebroient, & en quel temps. 442. VIII. 164. Caton s'abstient d'y assister. IV.   343. 344

Flore, la Terre adorée sous ce nom. I.   343

Flore, fameuse courtisanne de Rome : son Histoire. IV. 438. on en fit la Déesse des Fleurs. 434. & I. 348. qu'il y avoit une Déesse Flore avant la Fondation de Rome. IV.   436. 437

Floride, les Peuples de ce Pays adorent le Soleil. I.   250

Fluonia, furnom de Junon. I. 344

Flûte, origine de la Flûte. Voyez *Pan Marfyas.*

Flux & Reflux de la Mer : opinion des Philofophes Chinois fur ce fujet. I. 256

Flyas, Déeffe des Germains : comme on la repréfentoit. V. 574

Fo ou *Foé*, Idole des Indiens. I. 236

Foi ou *Fidius*, Divinité qui avoit des Temples, & qui étoit en grande vénération. I. 351. V. 226. & fuiv.

Fontaine, Divinité tutélaire donnée à chaque Fontaine. I. 80. Fontaines qui rendoient des Oracles. II. 37. 38. vénération pour la Fontaine d'Amphiaraus. VII. 210

Fontinales, fêtes Romaines. I. 543

Forculus, Dieu des Portes. I. 347. V. 337

Fordicales, fêtes Romaines. I. 543

Fornacales, fêtes en l'honneur de la Déeffe *Fornax.* I. 543

Fortune (la), Divinité qui n'eft autre que le Deftin. V. 253. 254. origine de fon Culte dans la Grece. Comme on la repréfentoit. 256. 257. 261. lieux où elle fut honorée : qu'on la confondoit avec les forts. 258. Temples érigés en fon honneur. I. 355. V. 258. 259. Culte rendu auffi à la mauvaife fortune. 262

Foffes pour les Sacrifices aux Dieux d'Enfer. V. 176

Foudre de Jupiter, forgée par les Cyclopes. I. 196. Dieux qui avoient le pouvoir de lancer la Foudre. III. 393. comme la Foudre eft repréfentée. 363. Jupiter invoqué fous le nom de *Fulgora* contre la Foudre & le Tonnerre. V. 336

Fourmis, Divinités des Theffaliens. I. 356. pourquoi les Grecs tiroient leur origine des fourmis de la Forêt d'Egine. VII. 334

Fraude, Divinité : comme on la repréfentoit. V. 233

Fructufée, Déeffe de la récolte. IV. 458. V. 341

Fruits de la Terre offerts aux Dieux. I. 442

Fulgora. Voyez *Foudre.*

Funérailles des Egyptiens, origine de l'Enfer des Grecs : defcription des Cérémonies qui s'y pratiquoient. V.　　3. *& fuiv.*

Furies , le Dogme des Furies fagement inventé. V. 125. d'où on le fait naître. 126. leurs fonctions, leur nombre , leurs noms. 128. *& fuiv.* Culte qu'on leur rendoit , leurs Temples , leurs facrifices. 133. *& fuiv.* comme on les repréfentoit.　　139. 140

Furina , Déeffe des Voleurs chez les Romains. L. 143. elle avoit un Prêtre nommé *Flamen Furinalis* , & des fêtes nommées *Furinales.* I. 544. que c'eft la même que les Furies. V.　　137.

G

*G*A D , nom d'un fils de Zelpha , fervante de Lia : ce qu'il fignifie. I. 293. V.　　255

Gades ou *Cadis* , Ville d'Efpagne : culte qu'on y rendoit à Hercule. Son Temple magnifique. II. 435. 441. V. 523. punition d'un Roi qui voulut piller ce Temple. VII. 38. comme Mars y étoit repréfenté. V.　　527

Galanthis , Efclave d'Alcméne changée en Bélette : pourquoi. VII.　　10

Galatée , Nymphe aimée de Polyphéme. VII. 372

Galavies , fêtes d'Apollon, d'où ainfi nommées. I.　　529

Galuxaura , nom d'une Nymphe. IV.　　364

Galles ou *Archi-Galles* , Prêtres de Cybéle : gens très-méprifables. I. 499. d'où ils prirent ce nom. *ibid.* leur portrait. I. 496. fe mutiloient en l'honneur d'Atys. 502. leur Chef fe nommoit Archigalle. Son habillement. I. 502. & 503. ils furent auffi nommés *Corybantes.* III. 121.

Gamelia , furnom de Junon : fête des nôces célébrée en fon honneur. I.　　533.

Gamelion.

Gamelion, nom du mois de Janvier chez les Grecs. I. 533

Gange, vénération des Indiens pour ce Fleuve, & qui subsiste aujourd'hui. IV. 278

Ganyméde, fils de Tros, Roi de Troye, enlevé par Tantale, Roi de Lydie. VII. 239. pourquoi le dit-on enlevé par Jupiter changé en Aigle. 240 & I. 50. III. 271. V. 198

Garamantis, enfans qu'elle eut de Jupiter. III. 270

Gaulois, leur Religion. V. 364. & *suiv*. d'où l'ont-ils reçue. 368. & *suiv*. comparaison de leur Religion avec celle des anciens Perses. 372. changemens de leur Religion depuis Jules César. 376. leurs Temples, leurs Bois sacrés. 380. & *suiv*. leurs Ministres de Religion. 388. & *suiv*. 419. Voyez *Druydes*. Leurs superstitions. 405. des Dieux des Gaulois, *depuis* 462. *jusqu'à* 518

Gaures, ou *Guebres*, ou *Pharsis*, Peuples de Perse : leur Religion. I. 334. III. 148

Gaza, Ville des Philistins : leur Divinité III. 3. 60

Gé, sœur & femme d'Uranus. I. 163

Géants, leur généalogie dans le système des Phéniciens. I. 156. de qui ils naquirent, suivant les Grecs. 196. que signifie le commerce des Anges avec les filles des hommes, d'où on les fait naître. 209. & *suiv*. Géants qui entreprirent de détrôner Jupiter. III. 265. leur portrait. 266 noms des principaux, leur combat, leur défaite. 267. 269. explication de cette fable des Géants qui font la guerre aux Dieux. 306. & *suiv*. S'il y a eu de véritables Géants. sentimens différens sur cela. *ibid*. & *suiv*. témoignages de l'Ecriture Sainte qui en prouve l'existence. 310 311. témoignage des Auteurs profanes, Poëtes. & Historiens 311. & *suiv*. des Voyageurs modernes. 319. examen de toutes ces preuves. 320. & *suiv*.

Génius Autotthone, explication de ce mot. I. 158

Gélanor, Roi d'Argos. VI. 40. détrôné par Danaus. 48

Gémeaux (les),,Signe du Zodiaque. VIII. 88

Généa & *Génus*, qui ils étoient, suivant les Phéniciens. I. 156

Générations, les dix premieres générations suivant les Chaldéens. I. 148. suivant les Phéniciens. 156. & *suiv.* les dix secondes générations. 162. usage des Grecs de compter par génération dans les temps fabuleux : durée qu'ils donnoient à chaque génération. VI. 10

Génies, de la nature des Génies. II. 245. croyance des Philosophes Platoniciens touchant leur existence. 244. & *suiv.* ce qu'ils croyoient de leur nature. 252. 253. dans quelle Classe des Dieux les mettoient-ils. 242. Culte qu'on leur rendit. 254. Culte qu'on leur rend encore dans les pays idolâtres, & sur-tout en Amérique. I. 247. 314. qu'étoit-ce que le Génie de Socrate. II. 250. 255. Génie donné à chaque homme. I. 390. II. 249. 254. d'où est venu l'idée des Génies. I. 210. qui étoient les bons Génies & les Génies souterrains. 206. des Génies familiers des Gaulois. V. 494. Génies tutélaires des Provinces & des Villes des Gaules. 497

Géographie, l'ignorance de cette science, une des sources des Fables. I. 126

Géomantie, espéce de Divination. II. 121

Gérané. Voyez *Œnoé.*

Géraniens. Voyez *Pagéens.*

Géréres, nom des quatorze femmes qui assistoient la Reine des sacrifices à Athenes. I. 494

Geresties, fêtes de Neptune. I. 529

Germains, origine de ces Peuples. V. 529 leur Religion assez conforme à celle des Gaulois. 529. 539. 540. quels étoient leurs Dieux. 532. & *suiv.* 543. 544. qu'ils n'avoient pour Temples que leurs Bois. 539. 543. leurs superf-

titions. 545. & *suiv.* de quelques Divinités particulieres. 553. & *suiv.* de leurs Héros. 595. du grand respect qu'ils avoient pour leurs femmes.   542. 553

Geronthées, fête du Dieu Mars ; d'où ainsi nommées. I.   529

Geryon, Géant à trois têtes. Sa naissance. I. 198. explication de sa fable. VII. 25. Hercule lui enleve ses Bœufs.   *ibid.*

Getes, Dieux de ces Peuples. III.   233

Gigantophontis, surnom de Minerve. IV.   24

Ginnes, sortes de Génies. I.   216

Gladiateurs, leurs combats. VIII. 110. fureur de ces combats.   111. 112. 170

Gland, qu'il n'a pu être la nourriture de l'homme. I.   83

Glaucé, fille de Créon, épouse de Jason. Médée la fit périr. VI.   462

Glaucis, nom d'une Nymphe. IV.   365

Glaucus, Pêcheur changé en Dieu Marin. IV. 354 355. comment il étoit représenté. 355. explication de cette fable. 356. son apparition aux Argonautes. IV. 357. VI.   388

Glaucus, fils de Minos second du nom. VI. 296

Glaucus, pere de Bellérophon. VI. 94. un des Argonautes. 388. sa mort.   439

Glaucus, autre Argonaute qui se noya, fut mis au nombre des Dieux de la Mer. VI.   388. 401

Glaucus, petit-fils de Bellérophon. VI. 232. il assiste au siége de Troye.   448

Goétie, espece de Magie : son objet, ce qu'on y pratique. II.   175

Gorgones, leur naissance. I. 198. ce qu'en ont dit les Poëtes & les Historiens. VI. 171. & *suiv.* explications différentes qu'on a donné sur les fables des Gorgones. 179. & *suiv.* ce qu'il y a de plus vraisemblable. 192. & *suiv.* qu'il y a dans

256 **TABLE**

la Lybie un animal appellé *Gorgone* : sa figure. 181

Gorgophone, fille de Persée, épouse de Périeres, Roi de Messenie. VI. 95. VII. 4

Graces (les), leur naissance, leur nombre, & leurs noms. I. 203. IV. 91. leurs attributs. 97. 98. 99. comme on les représentoit. 93. & *suiv.* culte qu'on leur rendit. 95. Monumens qui leur furent consacrés. 96. 97.

Gradivus, surnom de Mars comme Dieu de la Guerre. IV. 41

Grande-Bretagne ou *Angleterre*, Religion de ses Peuples, semblable à celle des Gaulois. Leurs Dieux. V. 519. & *suiv.*

Grande-Mere, nom donné à la Terre ou à Cybele. IV. 399. & *suiv.*

Gréce (la), qu'il n'y eut jamais de pays plus fertile en fables. I. 133. 134. état de l'ancienne Gréce ; histoire de ses premiers Habitans. I. 82. III. 236. & *suiv.* VI. 21. & *suiv.* premieres Colonies qui y arriverent. VI. 36. & *suiv.*

Grecs (les), leur Théogonie tirée d'Orphée & d'Hésiode. I. 190. 188. & *suiv.* que c'est un composé monstrueux d'Histoire & de Fable. 203. 205. qui sont ceux qu'ils ont regardés comme des Dieux. I. 84. 209. que leur Religion est la plus monstrueuse & la plus superstitieuse de toutes les Religions. 133. 205. IV. 344

Grées, nom de deux des filles de Phorcys : d'où vient ce nom. I. 198. IV. 350. VI. 192. 198

Griffons, à qui ces animaux étoient consacrés. I. 460

Grue, danse de la Grue instituée par Thésée. Pourquoi. VI. 285

Grues, leurs combats contre les Pygmées. Voyez *Pygmées.*

Guadalethe, Fleuve d'Espagne : qu'il pourroit être le Lethé, Fleuve d'Enfer. V. 74

Guadalquivir, autre Fleuve d'Espagne, autrefois le Bétis. V. 72. *à la Note.*

Guébres ou *Gaures*. Voyez *Gaures*.

Guy de Chêne, Cérémonie du Guy de Chêne: description de cette Plante: usage qu'en faisoient les Druydes. Comment ils le cueilloient, & en quel endroit. V. 411. *& suiv.* origine de ces mots, *A Guy-l'an-neuf*, dont on se sert encore aujourd'hui en plusieurs Provinces de France. 414. 415

Gyare. Voyez *Mycone*.

Gygès, un des Titans, naissance de ce Géant. I. 196. il est relegué au fond du Tartare. 201

Gymnastique, ce que c'étoit que la Gymnastique des Anciens. Etymologie de ce mot. VIII. 106. de quels exercices étoit-elle composée. 98. 170

Gymniques, Jeux Gymniques, comment on y combattoit: pourquoi ainsi nommés. V. 113

Gymnosophistes des Indes. Si les Druydes en descendoient. V. 391

H

HACHE, la Hache de Jupiter Labradæus, adorée par les Cariens. III. 360. Voyez *Labradæus*

Hadéilites, Nation d'Arabes: Dieu qu'ils adoroient. II. 421

Halcyone, fille d'Atlas. I. 188

Halcyon. Voyez *Alcyone*.

Halia, nom d'une Nymphe. IV. 365

Halieus. Voyez *Agraus*.

Hamadryades, quelles Nymphes c'étoient. IV. 361

Hammon, un des plus grands Dieux d'Egypte, aussi nommé Jupiter. I. 27. 28. II. 288. qui adoroient les Egyptiens sous ce nom. I. 343

Harmonie ou *Hermione*, de qui elle naquit: son mari & ses enfans. I. 203. IV. 409. VI. 127.

funefte préfent que lui fait Vulcain. *ibid.* étymologie de fon nom. 123. 139

Harpalice, Fable d'Higin. VIII. 66

Harpédophorus, furnom de Mercure. IV. 132

Harpocrate, Dieu du filence : pourquoi le repré-
fente-t'on tenant un doigt fur fa bouche. I. 317.
348. II. 352. 353. 388. C'eft l'Orus des Egyptiens ou le Soleil. *même tome.* 353. 354

Harpies, de qui elles étoient filles : leurs noms &
leur nombre. I. 198. VI. 405. leur figure. *ibid.*
mal qu'elles faifoient. 406. explication de leur
fable. *ibid. &* 407

Harufpices ou *Arufpices*, forte de Devins chez les
Romains : leurs fonctions. I. 464. 471. II. 137.
qui étoient les plus fçavans de tous les Harufpices. 137. 138. origine de cette fcience. *ibid. &
fuiv.* d'où ils tiroient leurs préfages. 141. 143

Haut-Lieux ou *Lieux élevés*, la coutume d'y facrifier très-ancienne. I. 250. 412. Voyez *Bois
facrés.*

Hébé, Déeffe de la Jeuneffe. I. 345. 348. De qui
elle étoit née, & comment. I. 203. III. 380
pourquoi dit-on qu'elle rajeunit Idolas. I. 132.
VI. 389. fon mariage dans le Ciel avec Hercule. I. 203. VII. 64

Hécate, Déeffe qui préfide à la guerre : fa généalogie. I. 200. pouvoir qu'elle reçut de Jupiter. *ibid.*

Hécate, Déeffe qui préfidoit aux accouchemens.
I. 345. & aux fonges. VII. 294. la triple Hécate. Voyez *Diane.*

Hécatombœus, furnom de Jupiter. III. 359

Hécatombe, facrifice de cent animaux. I. 475

Hécatombées, fêtes des Grecs. I. 529

Hécatomchires, leur naiffance. I. 208.

Hécatomphonies, fêtes des Lacédémoniens. I. 529

Hector, fils de Priam : deftinée de Troye attachée
à fa vie. VII. 272. fes exploits. 274. il eft tué
par Achille. 275. on lui rendit les honneurs Di-

vins après sa mort. 285
Hécube, seconde femme de Priam : ses enfans.
VII. 284. songe funeste qu'elle eut étant en-
ceinte de Pâris. 451. ce qu'elle devint après la
prise de Troye. 291. 293. de qui elle étoit fille.
294
Hélene, fille de Tyndare : sa naissance. VII. 126.
127. 455. est enlevée par Thésée. 113. rame-
née par ses freres & mariée à Ménélas. 115. 116.
enlevée encore par Pâris. 233. 242. sa mort.
457. on lui érigea des Temples. *ibid.* difficultés
de Chronologie sur son âge. 459. *& suiv.*
Hélenus, fils de Priam & d'Hécube. VII. 224. 284.
épousa Andromaque, & succeda à Pyrrhus, Roi
d'Epire. 286. ses enfans. 287. prédisoit l'avenir.
286. VIII. 77
Héliades (les), sœurs de Phaëton changées en Arbres. IV. 155. 156. quelle sorte d'Arbres. 156.
& suiv.
Helicon, Montagne de Béotie consacrée aux Muses. IV. 222. 227
Héliconiades, surnom des Muses. *ibid.*
Hélinophages, Peuples voisins des Troglodites,
pourquoi ainsi nommés. I. 239
Héliogabale, (l'Empereur), plaisir singulier qu'il se
donnoit aux dépens des Parasites. VI. 321
Hélion, fils de Rhéa, sa sagesse, sa mort : donne
son nom au Soleil. I. 186
Héliopolis, Ville d'Egypte : son culte pour le Bœuf.
VI. 354. Oracle d'Apollon qui y étoit. II. 16.
fête qu'on y célébroit. II. 403. on y adoroit aussi
le Bœuf Apis, nommé Mnevis. 334
Hélius ou *Hélios*, ou le Soleil. Voyez *Elios*.
Hellé, fille d'Athamas, sœur de Phrixus. VI. 98.
355. sa mort. 357. donna son nom à l'Hellespont.
ibid.
Hellen, fils de Deucalion. VI. 76. 90. où il regna.
91. ses descendans. 92. privilége de ses descen-

260 **TABLE**

dans. VIII. 131

Helléniens, d'où les Grecs prirent-ils ce nom. VI. 76. 92. VII. 131

Hellénifme, une des quatre anciennes Religions : Plus ancienne que le Judaifme. I. 283

Hellefpont, Mer de l'Archipel, d'où elle a pris fon nom VI. 357

Hellotes, furnom d'Europe : fon étymologie. VI. 112

Hellotia, fête en l'honneur d'Europe. *ibid.*

Hellotis, furnom de Minerve : pourquoi il lui fut donné VI. 113

Hélopone, Centaure : fa mort. VI. 336

Hémation, fils de l'Aurore & de Tithon. I. 204

Hématuries. Voyez *Ematuries.*

Hemus, Roi de Trace, & Rhodope fa femme changés en Montagnes. VIII. 21

Hénétes, Peuples d'Italie, aujourd'hui les Véni-tiens. VII. 395

Héniochus, ou *Auriga*, le Cocher, Conftellation. VIII. 88

Hénoc, Livre fuppofé d'Hénoc : très-ancien. I. 210. 286

Hépatofcopie, forte de Divination. II. 118

Hépheftrée, une des fêtes des Lampes. I. 533 Voyez *Lampes.*

Hépheftus. Voyez *Vulcain.*

Hera, furnom de Junon. III. 374. nom donné à Ifis. I. 183

Héraclées, fêtes en l'honneur d'Hercule. I. 530

Héraclides, ou Defcendans d'Hercule : chaffés du Péloponefe, s'en rendent maîtres enfuite. VI. 71. VII. 92. leur retour fait une époque princi-pale de l'hiftoire. 94

Herbe, les premieres offrandes faites aux Dieux n'étoient que d'Herbe. I. 445. ce qu'on leur fubf-titua. 446. & *fuiv.*

Hercule, qu'il y a eu plusieurs Héros de ce nom.
VI. 1. 2. qu'on a attribué à un seul les exploits
de tous les autres. I. 77. VI. 3. VII.   66
Hercule Phénicien, est le plus ancien de tous. I. 166.
Voyez *la Note* & II. 285. son Temple à
Tyr. II. 285. son culte porté à Carthage, & de-
là répandu en Afrique & en Europe. 434. 441.
c'est lui qui trouva l'art de teindre en pourpre.
VII.   65
Hercule Egyptien, un des douze grands Dieux d'E-
gypte. II. 284. celui qui fit élever ces fameuses
Colonnes près de Cadis. V. 522. VII.   51
Hercule Idéen, ou de Créte, qui institua les Jeux
Olympiques. I. 108. VI. 1. VIII.   120
Hercule Grec, que son nom a été pris de celui des
Egyptiens. II. 284. sa généalogie. I. 203. VII.
3. *& suiv.* sa naissance. 7. comment il est assujeti
à Eurysthée. 11. 12. Junon le persécute. III. 392.
VII. 14. il écrase deux serpens au berceau. 16.
explication des Travaux d'Hercule. *ibid & suiv.*
il délivre les Hespérides de leurs Ravisseurs. III.
438. VII. 33. pourquoi dit-on qu'Atlas se re-
posoit sur lui du fardeau du monde. III. 440.
des Colonnes d'Hercule. I. 48. V. 522. VI.
193. VII. 37. 65. il tue l'Aigle qui dévoroit
Promethée. III. 449. VII. 39. arrache une corne au Fleuve Acheloüs. I. 50. IV. 297. VII. 40.
il descend aux Enfers. V. 50. V. 89. VII. 41.
combat contre la Mort, & délivre Alceste. 45.
défait les Amazones. 46. 47. délivre Hésione,
se vange de Laomédon. 50. 51. demeure trois
jours dans le ventre d'un Monstre. 52. sa mort
causée par Déjanire. 56. *& suiv.* ses femmes &
ses enfans. 63. 64. son Apothéose & son Culte.
69. 72. son mariage dans le Ciel avec Hébé. I.
203. VII. 64. ses différens noms. 72. *& suiv.*
comme on le représentoit. 88. ses Fléches. Voyez

Fléches. fes defcendans. Voyez *Héraclides.* Explications des avantures attribuées à Hercule, & des fables qu'on y a mêlées.   64. *& fuiv.*

Héres, Déeffe des Héritiers. V. 339. furnommé *Martea.*   347

Hermaphrodite, fils de Mercure & de Venus. VIII. 22. étymologie de ce nom. *ibid.* Voyez *la Note* & *Salmacis.*

Hermapollons, ftatues d'Apollon. I.   434
Hermathenes, ftatues de Minerve.   *ibid.*
Hermées, fêtes de Mercure. I.   530
Herméros, ftatues de Cupidon. L.   434
Hermés, ftatues de Mercure : leur figure.   *ibid.*
Hermés, furnom de Mercure : ce qu'il fignifie. IV.   111. 116

Hermés-Trifmegifte, c'eft le Thor ou Thaut des Phéniciens. I. 152. 173. un des grands Philofophes des Egyptiens. 179. Ouvrages qu'on lui attribue : temps auquel il vivoit. IV.   116. 117

Hormione, femme de Cadmus. Voyez *Harmonie.*

Hermione, fille de Ménélas & d'Héléne femme d'Orefte. VII.   355

Hermoniens, Peuples qu'on difoit voifins de l'Enfer, & qui pour cela ne payoit rien pour paffer la Barque de Caron. V.   50

Hermotime, Divinité des Clazoméniens. VI. 162

Héros, origine du nom de Héros. VI. 149. quel a été le temps le plus fécond en Héros. L. 106. 107. qu'il falloit defcendre des Dieux pour être Héros. I. 86. que les fiftions des Poëtes affoibliffent la gloire des Héros, au lieu de la relever. 57. 61. Culte qu'on rendoit aux Héros, diftingué de celui des Dieux. II. 224. *& fuiv.* VI. 150. *& fuiv.* en quel temps commença ce Culte. 155. 156. qu'entendoit-on par le Tombeau des Héros. 154. 155. des Héros & des Héroïnes de la Gréce & d'Italie, & où ils étoient honorés. I. 356. *& fuiv.* VI.   157. *& fuiv.*

Herſœus, ſurnom de Jupiter. III. 360

Herſé, fille de Cécrops, aimée de Mercure. VI. 68. eut un Temple à Athénes. 70

Herſilie, femme de Romulus, miſe au rang des Déeſſes ſous le nom de *Horata*. V. 351

Herta, nom ſous lequel les Germains honoroient la Terre. V. 535

Herviones. Voyez *Ingevons*.

Héſione, fille de Laomédon, expoſée à un Monſtre Marin : délivrée par Hercule : mariée à Télamon I. 51. VI. 375. VII. 50. 51. 241

Heſpérides, leur généalogie : leur emploi. I. 197. III. 445. VII. 33. Pommes d'or du Jardin des Heſpérides. I. 52. III. 445. VII. 34. 35. enlevement des Heſpérides, & leur retour. III. 438. VII. 33

Heſpérie, quels pays portoient ce nom. III. 445

Heſpéris, femme d'Atlas : ſes enfans. III. 438

Heſpéritis, quel pays c'étoit. ibid.

Heſpérus, freres d'Atlas. III. 438. 445. VII. 33

Heſpérus, fils d'Atlas, Conſtellation. I. 187. III. 437

Héſus. Voyez *Eſus*.

Hévéens. Voyez *Achiviens*.

Hierapolis, ou Ville ſacrée en Syrie, où Aſtarté étoit la plus honorée. III. 42. & ſuiv.

Hierarchie des Prêtres chez les Grecs. I. 488. & ſuiv. chez les Romains. 506. & ſuiv.

Hiérax, changé en Epervier : fondement de cette métamorphoſe. I. 132

Hiérocoraces, nom des Prêtres de Mithras. III. 194

Hiérogliphes : ſi l'on peut trouver le dénouement de toutes les fables dans l'explication des Hiérogliphes. I. 16. ce que c'eſt que les Hiéroglyphes des Egyptiens. II. 407

Hiérophantes, Prêtres célébres à Athénes : étymologie de ce nom, leurs fonctions : honneur qu'on leur portoit. I. 490. 491. quelles qualités ils de-

voient avoir pour ce Sacerdoce. V. 111. 112

Hiérophantides, femmes des Hiérophantes: leurs fonctions. I. 491

Hilare, femme de Castor parmi les Héroïnes. VI. 166. VII. 131. Voyez *Phœbéa*.

Hilaries, fêtes en l'honneur de Cybele. I. 544. IV. 398

Hillus ou *Hilus*, fils d'Hercule & de Déjanire. VII. 40. épouse Iolé qui avoit été aimée de son pere. 64. tue Euristée. 90. & est tué dans un combat singulier. 91

Hippo, Nymphe. IV. 365

Hippo-Centaures, quels Monstres c'étoient. VI. 324. 327. explication de ce nom. 330

Hipocoon, un des Héros Eponymes. VI. 159. tué avec ses enfans par Hercule. VII. 155

Hippocréne, Fontaine de Béotie, son origine. I. 113. Voyez *Aganippe*.

Hippodamie, fille d'Œnomaus Roi de Pise : comment Pélops vint à bout de l'épouser. VII. 397. 308. ses enfans, sa mort. 311

Hippodamie, ou *Déidamie*, mariée à Pirithoüs. VI. 335. insulté par les Centaures le jour de ses noces. *ibid.*

Hippodamus, fils d'Acheloüs. VI. 93

Hippolite, fils de Thésée. Sa mort malheureuse. VI. 300. *& suiv.* VII. 119. il reçut les honneurs divins après sa mort : Constellation qu'il forme dans le Ciel. I. 341. VI. 302. 303. faux Hippolite qui parut en Italie. 302

Hippolite ou *Antiope*, Amazone, femme de Thésée, mere d'Hippolite. VI. 300. VII. 46. 119

Hippolochus, fils de Bellérophon. VI. 232. 448

Hippolytus, un des Géants qui firent la guerre à Jupiter. III. 269

Hippoméne, fils de Macarée. Voyez *Attalante*.

Hipppomone, mere d'Amphitrion. VII. 4

Hippona, Déesse des Chevaux & des Ecuries. I. 348.

348. 351. IV. 458
Hippothoé, mere de Taphius, de la race de Persée.
VI. 51. 104. VII. 4
Hippothoüs, fils d'Alopé : son histoire. VIII. 86. 87
Hippotus, pere d'Eole, second du nom : ses descendans. IV. 367 & *suiv.*
Hirie, mere de Cygnus, changée en étang. VIII. 73
Histoire. Que la tradition a précédé l'Histoire. I.
57. 58. Que les Fables renferment ordinai-
rement des traits d'Histoire. 35. & *suiv.* L'igno-
rance de l'Histoire, cause de bien des fables.
100. époque de l'Histoire ancienne. I. 104. uti-
lité de l'Histoire Grecque. VI. 7
Historiens, la vanité des Historiens, source de plu-
sieurs fables. I. 61. en quel temps commencent
les Historiens profanes. 105
Ho-Chang, nom de certains Ministres d'une Secte
chez les Chinois. I. 237
Hoang-Ho. Divinité Tartare, Histoire de sa fille.
I. 254
Holocauste, quelle sorte de sacrifice c'étoit. I. 463
Homere, honoré comme un demi-Dieu. VI. 159.
qu'il n'a pas inventé les fables qu'il a rapportées.
I. 213. 214
Homere Hébraïsant, Auteur de l'Homere Hé-
braïsant, son sentiment sur l'origine des Fables.
I. 98
Homerites, Nation Arabe ; à qui ils sacrifioient.
II. 420
Homicide, comment se faisoit l'expiation de l'Ho-
micide. II. 161 & *suiv.* III. 127. l'Homicide ho-
noré par les Corybantes. 127
Homme, formation de l'Homme suivant les Chal-
déens. I. 140. 141. 143. suivant les Phéniciens.
156. suivant Orphée. 194. suivant Aristophane.
206. suivant Ovide. 220. suivant les Bramines
des Indes. 241. suivant les Américains. 244
Honneur, Divinité, son temple près de celui de

266   **T A B L E**

la Vertu. I. 352. V.   220

Hora, fille d'Uranus. I.   165

Horées, fêtes des quatre faifons de l'année. I. 533

Horta, Déeffe de la Jeuneffe. V. 351. Voyez *Herfilie*.

Hofpitalis, furnom de Jupiter. III.   349

Hoftilina, Déeffe des Bleds. I. 347. IV.   459

Hyacinthe, favori d'Appollon, tué par ce Dieu, & changé en fleur. I. 50. 65. explication de cette fable. IV.   173

Hyacinthinées, fêtes en l'honneur d'Hyacinthe. I. 530. IV.   174

Hyades, qui elles étoient, leurs noms, leur nombre : étymologie de ce nom. III.   445

Hyagnis, pere de Marfias. IV. 179. invention qu'on lui attribue.   182

Hyale, nom d'une Nymphe. IV.   365

Hydre de Lerne, d'où elle étoit née. I. 199. tuée par Hercule : ce que fignifie cette fable. VII. 18. *& fuiv.*

Hydria, furnom de Canope, Dieu de l'Eau chez les Egyptiens ; comme ils le repréfentoient. Son Culte. II. 361. IV.   277

Hydromantie, efpece de Divination. II.   118

Hygeïa, furnom de Minerve. IV.   27

Hygieïa, fille d'Efculape, Déeffe de la fanté. I. 345. 350. V. 274. 286. comme on la repréfentoit : vénération des Romains pour cette Déeffe. 287

Hylas, favori d'Hercule : fa mort ; de qui il étoit né. VI. 174. VII.   211

Hymenée ou *Hymen*, Dieu du mariage. I. 345. origine de ce mot. Généalogie de ce Dieu : comme il étoit repréfenté. III.   397

Hymenées, fêtes de l'Hymen. III.   *ibid.*

Hymetius, furnom donné à Jupiter. III.   349

Hyperboréens, qui étoient ces Peuples : leur longue vie. I. 127. Culte particulier qu'ils rendoient à

Apollon. Raison de ce Culte. III. 225. & suiv.

Hyperion, fils d'Uranus, ses enfans, sa mort. I. 185

Hyperion, fils du Ciel & de la Terre. I. 196. III. 274. 463. ses enfans. I. 199. pourquoi on l'a fait pere du Soleil & de la Lune. III. 463. 464

Hypermnestre, fille de Danaüs: sa louable déso-béissance V. 199. VII. 49. Voyez *Lyncée*.

Hypoprophetes, ou Subdélégués des Prophétes, sorte de Ministres des Temples. I. 490

Hyppotés, pourquoi banni. Voyez *Arnus*.

Hypsiphile, fille de Thoas, Roi de Lemnos, sauve la vie à son pere. VI. 399. s'enfuit de Lemnos. Ses avantures. V. 196. enfans qu'elle eut de Jason. VI. 401

Hypsistus. Voyez *Elion Acmon*.

Hypsuranius. Voyez *Memrumus*.

Hyriéus, fait bâtir un édifice pour ses trésors : comment on le vole, & comment il découvre le Voleur. II. 28. 29

Kyriéus, pere d'Orion. Voyez *Orion*.

J.

JACRA, nom d'une Nymphe. IV. 365

Jagour ou *Jaug*, Dieu des Arabes. II. 421

Jamides & *Clytides*, deux familles destinées aux fonctions des Augures. II. 140

Jamnés & *Mambrés*, Magiciens dont parle S. Paul. II. 172

Janicule, Ville bâtie par Janus sur une Montagne de même nom. III. 418

Janira, nom d'une Nymphe. IV. 365

Janthé, nom d'une Nymphe. ibid.

Janus, Dieu des Portes. I. 347. le premier qui ait bâti des Temples en Italie. 370. son Histoire. III. 416. & suiv. pourquoi on lui donna deux visages. 418. 420. il fut regardé comme le Dieu de la Paix : son Temple. 419. Culte qu'on lui

268   T A B L E

rendit. 419. *& fuiv.* Epoque de fon arrivée en Italie.   418

Japet, fils d'Uranus, & frere de Saturne. I. 196. III. 274. 278. fes enfans. I. 201. III. 446. c'eſt le même que Japhet, fils de Noé. 237. 271. VI.   26

Japhet, fils de Noé. I. 27. où s'établirent fes deſcendans. 306. 307. III. 237. VI.   26. 27

Jardins, Dieux des Jardins. I. 345. 348. IV.   449

Jaſion, aimé de Cérès. I. 131. de qui il naquit. IV. 408. V. 121. épouſe Cybele : enfant qu'il eut d'elle : il eſt mis au rang des Dieux. IV. 409. enfant qu'il eut de Cérès. V.   120

Jaſo, Déeſſe de la maladie. I. 345. V. 274. 285.

Jaſon, ſa naiſſance & ſes avantures juſqu'au voïage de la Colchide. VI. 362. *& fuiv.* comment il fut engagé à ce voïage. 365. 366. il eſt déclaré chef des Argonautes. 373. il offre un ſacrifice avant le départ. 397. il eſt aimé de Médée, qui ſe rend maître de la Toiſon d'or. 414. *& fuiv.* explication des fables mêlées dans cette Hiſtoire. 429. 431 *& fuiv.* il ſe fait expier chez Circé du meurtre d'Abſyrte. 433. à ſon retour il ſe retire à Corinthe avec Médée. 454. 461. il répudie Médée après dix ans. 462. ſa mort.   471

Javan, fils de Japhet : Grecs qui deſcendent de lui. VI.   26. 27

Javelot, exercice du Javelot : comment il ſe faiſoit. VIII.   107. 110

Ibérie, Pays : où il étoit ſitué. III.   272

Ibériens, Religion de ces Peuples. V.   522

Ibis, Oiſeau en vénération aux Egyptiens : pourquoi. II.   382. 395

Icare, fils de Dédale : ſa mort. VI.   288

Icare, Iſle, d'où elle a pris ſon nom. I. 103. VI.   289

Icarienne (la Mer), d'où elle eſt ainſi nommée. VI.   289

Icarius, pere de Pénélope. II. 366. VII. 390. apprit de Bacchus l'art de planter la Vigne : pourquoi il consacra une statue à la pudeur. 391. sa famille : sa mort : Constellation qu'il forme dans le Ciel. VIII. 83

Icarus, Roi de Carie. VIII. 84

Ichnéumon, Animal en vénération chez les Egyptiens : pourquoi. II. 377. 396

Ictinus, Architecte du Temple d'Eleusis. I. 395

Ida, Nymphe qui nourrit Jupiter. III. 263

Ida, mere de Minos second. VI. 296

Ida, Montagne de l'Isle de Créte, d'où les Curetes prirent le nom d'Idéens. III. 336. comment on y découvrit du Fer. 338

Ida, Montagne de Phrygie. VII. 232. 399. 471

Idœus, un des noms de Jupiter. III. 350. 359

Idas, un des Argonautes, sa généalogie. VI. 338. comment il fut tué. VII. 331

Idmon, Devin célébre, un des Argonautes. Sa famille, sa mort. VI. 338. 412

Idolâtrie, en quel temps elle a commencé. I. 16. 123. 150. 285. & *suiv.* étymologie de ce mot. 281. 284. origine de l'Idolâtrie. 282. 295. 301. ses commencemens, ses progrès. 301. & *suiv.* réflexions générales sur l'Idolâtrie. II. 256. & *suiv.*

Idoles, signification de ce mot. 280. 281. quelles ont été les premieres Idoles. I. 156. 250. 337. 365. & *suiv.*

Idomenée, Roi de Créte : sa généalogie. VI. 297. VII. 472. se distingue au siége de Troye. VI. 298. VII. 245. 276. 472. s'il fut le Fondateur de Salente. 474. 475. Culte que lui rendirent les Crétois. 475. 476

Idothé, nom d'une Nymphe. IV. 365

Idyia, fille de l'Océan, mere de Médée. I. 204

Jephté, si le sacrifice de la fille de Jephté est le même que celui d'Iphigénie. I. 92. VII. 248

Jeuneſſe, Divinités qu'on lui aſſignoit. I. 345. Jeux de la Jeuneſſe. VIII. 100. 152. Voyez *Jeux Troyens.*

Jeux des Grecs & des Romains: ce que c'étoit: leur origine. VIII. 91. & *ſuiv.* en quel temps on les célébroit. 94. 101. à qui ils étoient conſacrés. 95. préparatifs pour ces Jeux: honneurs qu'on rendoit au Vainqueur. 96. 97. motifs de l'inſtitution de ces Jeux. 98. différentes eſpeces de Jeux. 94. 100. 101. Inſtituteurs de ces Jeux. 101. & *ſuiv.* lieux deſtinés à la célébration de ces Jeux.   118. 119

Jeux Olympiques. Voyez *Olympiques.*

Jeux Pithiens ou *Pytiques.* VIII. 133. Voyez *Pithiens.*

Jeux Néméens. 138. Voyez *Néméens.*

Jeux Iſthmiques. 141. Voyez *Iſthmiques.*

Jeux Gymniques. Voyez *Gymniques.*

Jeux Floraux. 164. Voyez *Floraux.*

Jeu Troyen ou de la *Jeuneſſe.* VIII.   152

Jeux Actiaques. 159. Voyez *Actiaques.*

Jeux Agonaux. 161. Voyez *Agonaux.*

Jeux Capitolins. 156. Voyez *Capitolins.*

Jeux de Cerès. 157. Voyez *Cerès.*

Jeux d'Auguſte. 155. Voyez *Auguſte.*

Jeux Aſtyces. 160. Voyez *Aſtyces.*

Jeux de Caſtor & de Pollux. 161. Voyez *Caſtor & Pollux.*

Jeux célébrés dans les Camps. VIII.   161

Jeux Mégaléſiens. 163. Voyez *Mégaléſiens.*

Jeux célébrés dans l'Empire Romain. VIII.   167

Jeux du Cirque.   *ibid.*

Jeux des Carrefours ou Compitales.   169

Jeux Décumanes.   *ibid.*

Jeux des Feuilles,   170

Jeux des Gladiateurs.   *ibid.*

Jeux Luſtraux ou *Rubigalia.*   *ibid.*

Jeux Inſtauratifs.   170

Jeux de Mars. Voyez *Mars.*   *ibid.*
Jeux Novendiles.   *ibid.*
Jeux Palatins.   171
Jeux des Pêcheurs, Pifcatorii.   *ibid.*
Jeux Plébéiens.   *ibid.*
Jeux Pontificaux.   *ibid.*
Jeux Sacerdotaux.   *ibid.*
Jeux appellés Quæftorii.   *ibid.*
Jeux Triomphaux.   172
Jeux Votifs.   *ibid.*
Jeux Sigillaires.   *ibid.*
Jeux appellés Taurii.   *ibid.*
Jeux Séculaires. VIII. 172. Voyez *Séculaires.*
Jéfabel, Reine d'Ifraël, y introduit le culte d'Aftarté. III. 38. fa généalogie.   *ibid.*
Ignorance des Lettres ou de l'Ecriture, fource de fables. I. 57. 58. comme l'ignorance de la Phi-lofophie. 77, celle de l'Hiftoire ancienne. 100. celle des Langues.   111. *& fuiv.*
Iliaque, Table Iliaque, où les principaux événe-mens du fiége de Troye font repréfentés. VII.   276
Iliffus, Fleuve de l'Attique, honoré par les Athé-niens. IV.   280
Ilithye, fœur d'Hébé. III. 380. la même que Luci-ne. 385. pourquoi portoit-on dans fon Temple une piéce de Monnoye.   *ibid.*
Illyriens, opinion finguliere qu'on avoit de ces Peuples. VI.   121
Ilus. Voyez *Chronos.*
Ilus, Roi de Troye, fait la guerre à Pélops. VII. 240. fa généalogie, fa poftérité: durée de fon regne.   302
Immarandus, fils d'Eumolpe, un des Héros de la Gréce. VI.   160
Impudence (l'impofture), Divinité. V.   242
Inachides, noms des defcendans d'Inachus. VI. 40
Inachus, d'où il étoit originaire. I. 88. VI. 37. en

quel temps il vivoit. 16. 17. 38. fonda le Royaume d'Argos 37. 40. sa postérité. 40. 53. donne
son nom au Fleuve Amphiloque , & en devient
le Dieu tutélaire.   39. 40
Inachus, nom d'un Fleuve. VI. 39. 52. dispute
entre Junon & Neptune pour ce Fleuve.   52
Indes Orientales, Dieux qu'on y adoroit. I. 20.
241. comment les Fables y ont été portées. 125..
opinion de ces Peuples sur les Eclipses de Lune.
79. *à la Note*. Théogonie des Indiens. 240. leur
opinion sur la formation du Monde. 243. de leurs
Hommes à deux visages.   255
Indigéte, surnom de Jupiter ; qui étoit ce Jupiter.
VII.   404
Influences des Astres : si elles peuvent agir sur les
Hommes. II.   186. 189
Ingévons, Herviones & Istevons, Peuples de Ger-
manie, de qui ils descendoient. V.   533. 569
Ino, fille de Cadmus. I. 204. VI. 98. son histoire.
I. 274. IV. 355. VI. 355. *& suiv*. Culte qu'on
lui rendit. IV. 352. sous quel nom elle fut ho-
norée à Rome.   353.
Inoées, fêtes en l'honneur d'Ino. I.   530.
Inscriptions, leur utilité pour la connoissance de
l'Histoire. I.   49
Intercido, Dieu tutélaire des enfans. I.   346
Intercidona, Déesse : de qui elle étoit tutélaire.
V.   341
Invincible, surnom de Jupiter. III.   357
Io, fille d'Inachus, changée en Vache. I. 119. II.
298. explication de cette fable. 299. 300. qu'il
ne faut pas la confondre avec l'Isis des Grecs.
                                                  302. 303
Jobate, Roi de Lycie, reçoit Bellerophon chez
lui : quel commandement il lui fait. VI.   220.
221. lui donne sa fille en mariage.   229
Jocaste, fille de Créon, épouse Laüus. VII. 182.
ses malheurs : sa mort.   187

Jodame, mere de Deucalion. III. 270

Jodamie, changée en pierre, honorée néanmoins comme Héroïne. VI. 166

Iolaüs, un des Argonautes & des Chasseurs de Calydon. VI. 389. rajeuni par Hébé. I. 132. VI. 339

Iolas, tué par Hercule. VI. 14

Iolas, un des Argonautes, Compagnon d'Hercule : remporte le prix à des Jeux funebres. VI. 383. 439. il épouse Mégare une des femmes d'Hercule. VII. 15

Iolchos, Ville de Thessalie : par qui bâtie. VI. 361

Iolé, fille d'Euryte Roi d'Œcalie, enlevée par Hercule. VII. 56

Iolées, fêtes de ce nom. I. 530

Ion, fils de Xutus & de Creuse : ses exploits, donne son nom à l'Ionie : sa mort. VI. 101. 102

Ionie. Voyez *Ion*.

Ioniens, de qui ils descendoient. VI. 27. 101. 102. *à la Note*. Chassés du Péloponese par les Héraclides. VII. 92

Josué, qu'il a été connu en plusieurs pays. I. 87. 88

Jou, véritable nom de Jupiter. III. 278. étymologie de ce nom. Les Celtes lui donnoient ce nom. *ibid.*

Jovialia, fêtes des Romains en l'honneur de Jupiter. I. 536

Jour, (le) sa naissance. I. 196

Joxides, Peuples de Carie : leur origine : vénération qu'ils ont pour les Asperges & les Roseaux. VIII. 101

Iphianasse, nom commun à la fille de Jephté & la fille d'Agamemnon. I. 92. Voyez *la Note*.

Iphiclus, pere de Protésilas, un des Argonautes. VI. 383. 385. 389. il remporte le prix à des Jeux funebres de Pélias. 439

Iphiclus, frere d'Hercule, un des Héros honorés dans la Grece. VI. 164

Iphiclus, autre Argonaute. 385. 389

274 **TABLE**

Iphigénie ou *Eryphile*, fille de Théfée & d'Hélene.
VII. 115. 116

Iphigénie, fille d'Agamemnon ; deftinée à être immolée à Diane. I. 92. VII. 247. & *fuiv.*

Iphimedée, Héroïne. VI. 164

Iphimédie, mere des deux Géants Aloïdes. III. 268.
V. 201. VI. 94. fut enlevée avec des Bacchantes. V. 205

Iphis, un des Argonautes. VI. 389

Iphis, qui changea de fexe. VIII. 64

Iphis, qui fe pendit de défefpoir. *ibid.*

Iphitus, qui renouvella les Jeux Olympiques. VII.
93. VIII. 123. Voyez *Olympiques.*

Ippia, furnom de Minerve. IV. 24

Irene, fille de Jupiter & de Thémis. I. 103

Iris, ou l'Arc-en-Ciel, Divinité Phyfique : étymologie de fon nom, I. 80. fon emploi. IV. 133.
& *fuiv.* fa généalogie. I. 80. 195

Irminful, Dieu des anciens Germains : c'étoit leur
Mercure. IV. 131. V. 554. fon Temple. Comme on le repréfentoit, fes fêtes. 555. 556. ce
Temple détruit par Charlemagne. 558

Iroquois, Peuples de l'Amérique. Leur idée fur la
formation du monde. I. 243

Ifchys, petit-fils d'Arcas. VI. 34

Ifées, fêtes en l'honneur d'Ifis. I. 530

Ifiaque, Table Ifiaque, monument d'antiquité,
pourquoi ainfi nommée. II. 406. explication de
cette Table & des figures qu'elle repréfente. *ibid.*
& *fuiv.* qu'Ifis y occupe la principale place. 408

Ifis, que les Egyptiens adoroient la Lune fous ce
nom. I. 29. 180. 324. que fignifie le nom
d'Ifis. 332. différens noms d'Ifis. 183. fables que
les Egyptiens débitoient fur Ifis. II. 293. & *fuiv.*
où ils faifoient habiter l'ame d'Ifis. 291. les Grecs
l'ont confondue avec Io. 288. & *fuiv.* véritable
Hiftoire d'Ifis. 299. 296. Tables votives confacrées à Ifis. 415. Qu'Ifis a été honorée dans les

Gaules. V. 490.

Ismene, fille d'Œdipe & de Jocaste. VII.   187

Isménus, Fleuve de Béotie, d'où il tira son nom.
IV.   193

Issé, fille de Macarée, aimée d'Apollon. IV. 168

Issédons, hommes qui n'avoient qu'un œil. I. 127.
   quels étoient ces Peuples, leurs Coutumes &
   leur Religion. III.   215

Istévons. Voyez *Ingévons*.

Isthme de Corinthe. Dispute entre Neptune & le
   Soleil pour la propriété de l'Isthme. IV.   20

Isthmiques, *Jeux Isthmiques*, par qui institués. V.
   185. VIII. 103. 141. par qui renouvellés. VII.
   109. VIII. 141. furent adoptés par les Romains :
   comment on les célébroit.   142. 143

Ithomate, surnom de Jupiter : où il étoit honoré
   sous ce nom. III.   351

Ithone, femme de Minos premier. Ses enfans. VI.
                                                246

Itobal, Roi de Tyr, pere de Jézabel. III.   38

Ithomées, fêtes en l'honneur de Jupiter I.   529

Ithyle, fils de Zéthus & d'Ædo, tué par sa mere.
   VIII.   10

Ityphallores, Ministres des fêtes Orgies. IV. 263

Ityphallus. Voyez *Phallus*.

Ithys, fils de Terée & de Progné, tué par sa mere : métamorphosé en Phaisan. VIII.   7

Juba, Roi de Mauritanie : honoré comme un Dieu
   dans ce pays. II.   442

Judaïsme, qui fut le Fondateur de cette Religion.
   I.   283

Jugatinus, Dieu du Mariage. I. 345. III. 401. &
   des Montagnes. IV.   458

Juges des Morts en Egypte. V.   6. 7

Juges de l'Enfer. D'où les Grecs ont pris l'idée de
   ces Juges. V. 6. 36. 45. quels étoient ces Juges.
   45. 68. pourquoi ils furent établis. 68. où étoit
   placé leur Tribunal. 69. partage des fonctions

entre ces Juges. VI. 256

Jule, fils d'Enée. Voyez *Ascagne.*

Jule, fils d'Ascagne, céde la Couronne à Sylvius, fils d'Enée. VII. 404. 405

Jumeaux. Voyez *Gémeaux.*

Juno Moneta. Voyez *Moneta.*

Junon, une des grandes Divinités d'Egypte. I. 182. sa généalogie. II. 288. ses différens noms. III. 374. 483. son mariage avec Jupiter : fable sur ce sujet. 375. son mauvais ménage avec Jupiter : ses intrigues. 377. 379. ses enfans. I. 203. III. 380. comme on la représentoit. 380. 381. Culte qu'on lui a rendu. 390. & *suiv.* cause de son aversion contre les Troyens. VII. 230. 233

Junon l'Assyrienne, ou Astarté. Voyez *Astarté.*

Junonia, fête de Junon à Rome. I. 537

Junons, espéce de Génies particuliers des femmes. I. 360. II. 255. III. 293

Jupiter, nom commun à plusieurs Dieux. I. 28. 77. III. 256. & *suiv.* qui étoit Jupiter le Laboureur. I. 163. Jupiter un des grands Dieux d'Egypte. I. 182. II. 288. sa généalogie suivant les Egyptiens. I. 182. suivant les Atlantides. 188. suivant les Grecs. I. 200. & *suiv.* III. 263. & *suiv.* ses femmes, ses enfans. I. 202. 203. III. 269. 270. sa mort : sort de ses descendans, & de son Empire. 281. & *suiv.* ses oracles. II. 8. 9. 36. ses différens noms. 358. & *suiv.* comme on le représentoit. 375. & *suiv.* Culte qu'on lui rendoit. 386. 387. en quel temps il a vécu. III. 261.

Jupiter Olympien, son Temple à Athenes. I. 395. III. 350. 362

Justice, (la) Divinité. I. 350. V. 237. comme on la représentoit. *ibid.* quelles Divinités présidoient à la Justice. I. 349. V. 237

Juturne, Déesse de la santé. I. 345. Déesse secourable. V. 333

Juventa, Déesse tutélaire des enfans. I. 346

Ixiona, son supplice dans le Tartare. V. 37. 38. sa généalogie. VI. 315. comme il fit périr Déionée son beau-pere. 317. son amour pour Junon : Jupiter le foudroye. 318. 319. en quel temps il vivoit. 322

Ixion, fils d'Alétés, Roi de Corinthe. VI. 323

K

KAABA, Temple de la Mecque. Statues qu'il y avoit autour de la Kaaba. II. 421

Kai-Souven, Prince de la Corée. I. 253

Kaivan, Dieu des Perses. III. 95

Kao-kiouli, Peuples Tartares : leur origine fabuleuse. I. 254

Καζαβάτης ou *Descensor*, surnom de Jupiter. III. 355

Kélibites, Nation Arabe : quel étoit leur grand Dieu. II. 421

Kink, nom de certains Livres Chinois. I. 227

Kioné, Nymphe aimée d'Apollon & de Mercure : son histoire & celle de Philamnon son fils. VIII. 46. & suiv.

Kiun ou *Rempham*, Divinité des Moabites. III. 94. 95

Kturzanam, surnom d'Hercule : ce qu'il signifie. V. 458

L

LABDACUS, pere de Laïus. VI. 133

Labradæus, surnom de Jupiter : comme on le représentoit. III. 360

Labyrinthe, celui d'Egypte. VI. 309. celui de Créte. 268. 276. 308. 310. état présent de celui de Créte. 310

Lacédémon, Roi des Lacédémoniens : Temple qu'il bâtit aux Graces. IV. 95

Lachesis, une des Parques. I. 197. 203. V. 147. Etymologie de son nom : son emploi. V. 147.

& suiv. comme on la représentóit.　155. 156

Lacinia, surnom de Junon : son Temple sous ce nom. III.　388

Laconie, Royaume par qui fondé : Rois qui y régnerent. VI. 71. les Héraclides s'en rendent les maîtres. 72. VII.　92. 93

Lacrau, Plaine près d'Arles, couverte de pierres : fable sur l'origine de ces pierres. VII. 68. utilité qu'on retire de cette Plaine.　69

Lacs en vénération chez les Gaulois : quels étoient les plus célebres. V.　378. 379

Lactum, nom de Pluton chez les Sarmates. III.　231

Lacturtia, Déesse des Bleds. I. 347. IV.　459

Ladon, Fleuve, pere de la Nymphe Syrinx. II. 367

Læneus, surnom donné à Bacchus. IV.　245

Laerte, pere d'Ulysse, sa généalogie. VI. 99. fut un des Argonautes. VI. 390, épouse Anticlie. Voyez *Anticlie.*

Laïs, fameuse Courtisane : sa mort. IV.　66

Laitues, Plantes employées dans la fête d'Adonis. III.　29. 30. 31

Laïus, fils de Labdacus, Roi de Thebes. VI. 133. comme il fut rétabli sur le Trône usurpé par son oncle : sa mort. VII.　182. *& suiv.*

Lamas, noms des Disciples de Fo chez les Orientaux. I. 237. comment se perpétue le grand Lamas.　256

Lamies, description de ces Monstres. Voyez *la Note.*

Lampes, fête des Lampes. I. 533. IV. 14. Lampes allumées à Saïs à la fête de Minerve. II.　403

Lampteries, autre fête en l'honneur de Bacchus. I.　533

Lance, Symbole de Mars chez les Sabins. IV. 42. 46. Culte rendu à la Lance. I.　366

Langues, nécessité de sçavoir les Langues anciennes. I. 49. III.　122

Laocoon, Prêtre d'Apollon & de Neptune à Troye. Son Hiftoire Tragique, repréfentée dans un ancien monument qui fubfifte encore, & qui eft un chef-d'œuvre de Sculpture. VII. 447. *& fuiv.*

Laodamas, fils d'Ethéocle Roi de Thebes, lui fuccéde. VII. 203. fa défaite par les Epigones. *ibid.*

Laodamie, Princeffe du Sang Royal d'Epire, fa mort violente : comme elle fut vengée. I. 429

Laodamie, femme de Protéfilas : fon deuil pour la mort de fon mari : fa mort. VII. 465

Laodamie, fille de Bellérophon, mere de Sarpedon : fa mort. VI. 232

Laodice, fille de Priam. VII. 269. 284. fa mort. 285. fon tombeau, *ibid.* Voyez *la Note.*

Laodicé, nom d'une Nymphe. IV. 365

Lac-kiun, Philofophe Chinois : fa naiffance. Secte dont il fut l'Auteur ; fa morale ; fon Apothéofe, honneur qu'on rend à fes defcendans. I. 233

Laomedon, Roi de Troye ; fa généalogie. VII. 302. trompe Neptune qui s'en venge. VI. 50. VII. 302. trompa auffi Hercule qui le tua. 51. explication de ces deux faits. 303. la deftruction de fon tombeau, qui étoit une des fatalités de Troye. 269

Laphiftius, un des Héros honorés dans la Gréce. VI. 164

Laphria, *Latria*, Héroïnes de la Gréce. VI. 166

Lapidation, (Fête de la) ce qui donna lieu à fon inftitution. V. 304. Voyez *Aunafia.*

Lapithes, leurs guerres avec les Centaures. VI. 314. *& fuiv.*

Lapis, furnom de Jupiter ; pourquoi. III. 347

Lara, Nymphe aimée de Mercure, qui la rend mere des Lares. IV. 488

Lardane, Nymphe aimée de Jupiter ; fes enfans. III. 270

Lares, les Dieux Lares, leurs fonctions, leurs différentes efpéces : étymologie de ce nom. IV.

487. *& suiv.* ces Dieux confondus avec les Dieux Manes. 489. V. 163. comme on les repréfentoit, leur culte. IV.   490. 491

Larifcola, furnom d'une famille d'Italie; d'où il eft tiré. IV.   156

Lariffæus, furnom de Jupiter. III.   351

Larix, Arbre, pourquoi il ne brûle pas au feu. IV.   157

Laronda. Voyez *Lara.*

Laterculus ou *Latéranus*, Dieu des Foyers. I. 348. V.   336

Latin, pays Latin, d'où vient ce nom. I. 102. VII. 403. Rois du pays Latin avant Enée. 406

Latines, (les Fêtes) où & comment on les célébroit. I.   544

Latinus, Roi du pays Latin, de qui il étoit fils, reçoit Enée. VII.   401

Latinus, fils de Circé & d'Ulyffe. I.   204

Latium, Contrée d'Italie, étymologie de ce nom. III.   411. 418

Latius, Héros Grec. VI.   164

Latmus, Montagne de Carie. IV. 219. Voyez *Endymion.*

Latobius, Dieu de la fanté, ou l'Efculape des Corinthiens. V.   575

Latone, mere d'Apollon & de Diane. I. 203. quelle étoit cette Déeffe chez les Egyptiens. II. 297. IV. 166. *& suiv.* chez les Grecs. I. 200. 203. III. 271. IV. 164. 165. elle eft aimée de Jupiter & perfécutée par Junon. IV. 165. 167. en quel endroit elle accoucha. 167. fe vengea de Niobé; pourquoi. IV.   189.

Laverné, Déeffe des Filoux. I.   345

Lavinie, fille de Latinus, fon mariage avec Enée VII. 401. 402. où elle accoucha de Sylvius.   404

Lavinium, Ville bâtie par Enée. VII. 401. prodige qui la lui fit fonder.   403

Laurentales, fêtes des Romains. I. 544

Laurier, Arbre confacré à Apollon ; pourquoi. I. 461. IV. 199. augure qu'on tiroit du Laurier. *ibid.* Métamorphofe de Daphné en Laurier. Voyez *Daphné*.

Léarque, fils d'Athamas & d'Ino , tué par fon pere. IV. 352

Lébadée, Ville de Béotîe. II. 30. comment l'Oracle de Truphonius y fut découvert. 34

Lectifterne, efpéce de fupplication publique ; en quoi elle confiftoit ; origine de ce mot. I. 515. 554. en quel temps elle a commencé , fi elle eft d'inftitution Romaine. 555. folemnité des jours deftinés à cette fête. 558

Léda, mere de Caftor & de Pollux. III. 270. VII. 126. fable des deux œufs dont elle accoucha. 126. 127

Leheven, Dieu des Gaulois. V. 499

Lélape, nom du Chien donné à Procris. VIII. 42

Léléges, Peuples de la Laconie. Il y avoit auffi dans l'Ionie des Peuples du même nom. VI. 106

Lélegie, ancien nom de la Laconie. VI. 71. 106

Lélex, Egyptien , devint Roi de Mégare. VI. 104. 105. autre Prince de ce nom , Grec d'origine, Roi de Laconie. 71. 106

Lélus & Politus, Dieux des Sarmates. C'étoit leur Caftor & Pollux. Leur nom fe prononce encore aujourd'hui chez eux en figne de joie. III. 232

Lemnos, Ifle où Vulcain établit des Forges. IV. 102. *& fuiv.* avanture des Argonautes dans cette Ifle. VI. 399. *& fuiv.*

Lémuria ou *Lémures*, efpece de Génies. I. 545. V. 163. 164

Lémuries, fêtes pour appaifer les mauvais Génies. I. 545

Léonidées, fêtes en l'honneur de Léonidas. I. 530

Léonthadome, nom d'une Nymphe. IV. 365

Léos, honoré comme un Héros ; pourquoi. VI.

Léro ou *Hiéro*, Ifle, comment elle fut remplie de
   Liévres. VIII.   89
Leftrigons, qui étoient ces Peuples. I. 102. VII. 372
Léthé, Fleuve d'Enfer. V. 5. 24. 45. d'où les Grecs
   ont pris cette idée.   62. 74
Léthée, femme d'Oléne changée en Rocher. VIII.
                                       67
Lettres, l'ufage des Lettres apporté en Grece par
   Cadmus. VI.   123. 124
Levana, Déeffe tutélaire des enfans. I. 346. V. 331
Léucé, Ifle du Pont-Euxin où Achille fut honoré.
   VII. 347. Fable qu'on débita fur cette Ifle.
                    347. 355. 458
Leucippe, fille de Theftor. Voyez *Theftor*.
Leucippus, fils d'Œnomaus, amoureux de Daph-
   né, fa mort. IV.   169. 170
Leucippus, ayeul maternel d'Efculape : fa généalo-
   gie. VI.   95
Leucothoé, furnom d'Ino en Italie. I. 26. IV. 352.
   fon Temple à Rome, l'entrée en étoit interdite
   aux femmes efclaves.   353
Leucothoé, fille d'Orchame, métamorphofée en
   l'Arbre qui porte l'encens. I. 56. IV. 172. 173
Lia, femme de Jacob : pourquoi elle donna le
   nom de Gad au fils de fa fervante. I. 293. V.
                                   255
Liæus, furnom de Bacchus. IV.   245
Liban & *Anti-Liban*, Montagnes : d'où elles ont
   pris leur nom. I.   157
Libations des Sacrifices. Ufage des Libations, de
   quelles liqueurs on fe fervoit. I.   465. 466
Liber, furnom du Soleil chez les Indiens. I. 429.
   & de Bacchus chez les Romains. 539. IV. 245
Liberales, fêtes des Romains en l'honneur de Bac-
   chus. I.   539
Liberté, (la) Divinité. I. 350. fes Temples à Ro-
   me. V.   230
Libéthre, Ville où naquit Orphée : quand elle fut

détruite. VII.   148. 149
Libitina, Déesse de la Mort. I.   347
Libon, premier Architecte du Temple de Jupiter
    Olympien. I.   397
Licurgue. Voyez *Lycurgue*.
Liens, quels étoient les Liens qui tenoient Saturne
    attaché dans sa prison. III.   290
Lierre, Plante consacrée à Bacchus : pourquoi.
    IV.   247. 253. 264
Liévre, Constellation, d'où elle a été formée.
    VIII.   89
Ligéa, nom d'une Nymphe. IV.   365
Ligula ou *Lingula*, instrument pour les Sacrifices.
    I.   485
Limentina, Déesse des Portes. I. 347. V.   337
Limnatides, fêtes de Diane. I.   530
Limnatis, surnom de Diane.   *ibid.*
Limnéria, nom d'une Nymphe. IV.   365
Limniades, Nymphes des Etangs & des Marais.
    IV.   358
Limyre, Fontaine qui rendoit des Oracles ; com-
    me elle les rendoit. II.   38
Linies, fêtes en l'honneur de Linus. I.   530
Linus, fils d'Apollon.   *ibid.*
Lion de la Forêt de Némée, tué par Hercule. I.
    199. ce Héros en porta toujours la peau : & les
    Séleucides, ainsi que les Héraclides, portoient
    souvent cette dépouille. VII.   16
Lipara, une des Isles Éoliennes. IV.   367. 373
Liparies, ancien nom des Isles Éoliennes : d'où
    ainsi nommées. IV.   373. *& suiv.*
Lisizona, Déesse du mariage chez les Grecs : sa
    fonction. III.   402
Lithomanthie, espéce de Divination. II.   122
Littorialis, surnom du Dieu Sylvanus. IV.   373
Livres des Bramines. Voyez *Brama*. Livres clas-
    siques des Chinois. I. 227. Livres Sybillins.
    Voyez *Sybillins*.

Loix, celles de Minos très-eſtimées des Anciens. VI. 250. ſi celles de Moïſe lui ont ſervi de modéle : parallele de ces deux Légiſlateurs. 251.252

Lotophages, Peuples d'Afrique, d'où ainſi nommés : avanture d'Ulyſſe chez eux. VII. 389

Lotus, Arbre conſacré à Apollon & à Venus. I. 461

Loup, (le) pourquoi cet Animal étoit en vénération chez les Égyptiens. II. 357. Dieux à qui il étoit conſacré. I. 460. Voyez *Typhon* & *Lycaon*.

Lucéries, fêtes des Romains : pourquoi ainſi nommées. I. 545

Lucérius, ſurnom de Jupiter ; pourquoi. III. 348

Lucifer, Etoile du matin, de qui on l'a fait naître. I. 199

Lucine, fille de Jupiter & de Junon. I. 203. III. 384. une des Divinités du Mariage & des femmes groſſes. I. 345. nom donné auſſi à Junon. III. 384. & à Diane. IV. 210

Lumiere Boréale, ce que c'eſt. II. 154. Voyez *Feux nocturnes*.

Lune, (la) ſon origine, ſuivant la Théogonie des Egyptiens. I. 176. ſa généalogie dans le ſyſtême des Grecs. I. 193. 199. ſous quels noms elle a été adorée. II. 180. 332. II. 276. III. 10. origine du culte qu'on lui a rendu. I. 324. & *ſuiv*. Culte que lui rendoient les Gaulois : Oracle qu'elle avoit chez eux. V. 488

Lunus, le Dieu Lunus, même Divinité que la Lune. III. 10. 108. 109. Ce Dieu confondu quelquefois avec la Nuit ; comme on le repréſentoit. V. 168. Ville où il étoit ſpécialement honoré. *ibid*.

Lupercales, fêtes des Grecs & des Romains en l'honneur de Pan. I. 539. leur inſtitution. VIII. 14. 16. par qui elles furent portées en Italie. 536. VIII. 15

Luperces, Prêtres du Dieu Pan. I. 518. 540

Luſitaniens, leurs ſacrifices & leurs préſages. V. 526

Luſtre, eſpace de cinq ans, d'où vient ce nom. II. 166

Lutte, (la) un des exercices dans les Jeux, en quoi elle conſiſtoit. VIII. 107. 109

Lycaon, Roi d'Arcadie, Culte qu'il fit rendre à Jupiter Lycéen. VI. 32. VIII. 15. ſa cruauté le fait changer en Loup. I. 116. 131. VIII. 15. il eſt cru être le premier qui ait ſacrifié des victimes humaines. I. 451. VIII. 14

Lychas, Domeſtique d'Hercule, ſa mort. VII. 56. 57

Lycaſte, pere de Minos ſecond. VI. 245. 261

Lycéus, ſurnom de Jupiter. III. 349. 359. VI. 32. VIII. 15

Lycimnius, fils d'Electrion, échappe ſeul du combat où tous ſes freres périſſent. VII. 5

Lychnomantie, ſorte de Divination. II. 122

Lyceſte, nom d'une Nymphe. IV. 365

Lycius, ſurnom d'Apollon. IV. 202

Lycomede, Roi de Scyros, fait périr Théſée. VII. 120. 121

Lycorée, Ville bâtie ſur le Parnaſſe, d'où elle avoit pris ſon nom. I. 104

Lycorias, nom d'une Nymphe. IV. 365

Lycorie, Province où s'établit Deucalion. VI. 72

Lycoſure, Ville d'Arcadie, par qui bâtie. VI. 32. VIII. 15

Lycurgue, fils de Dryas, puni par Bacchus. IV. 250. & ſuiv.

Lycurgue, Roi d'Arcadie, & pere d'Ancée, ſa généalogie. VI. 35

Lycurgue, pere d'Archémore. VI. 98

Lycurgies, fêtes en l'honneur de Lycurgue. I. 530

Lycus, frere de Nyctéus, uſurpe le Royaume de Thébes ſur Laïus. VI. 133. guerre qu'il eut contre le Roi de Sycione, ſa mort. 133. 134

Lycus , qui donna fon nom à la Lycie. VI. 261

Lyncée , fils d'Egyptus , fauvé du maffacre de fes freres par fa femme Hypermneftre. V. 198. VI. 49. fa fuite. V. 200. fuccéde à Danaüs au Royaume d'Argos. Durée de fon regne. VI. 49

Lyncée , un des Argonautes. Sa vue perçante. VI. 390. il eft tué par Caftor. VII. 131

Lyncus , Roi de Scythie , changé en Lynx , ou en Loup-Cervier ; pourquoi. V. 82. 101

Lyndia , furnom de Minerve. IV. 25

Lyon , Ville, d'où elle a pris fon *nom*. I. 103

Lyre d'Orphée. Voyez *Néanthus*.

Lyrneffe , Ville de Phrygie , patrie de Briféis , prife par Achille. VII. 254

Lyfidice , fille de Pélops , mere de Pithée. VI. 145

M.

MACEDO , Dieu des Egyptiens : comme on le repréfentoit. II. 357. 358

Machaon , fils d'Efculape Roi de Meffenie. V. 274. quelles Troupes il conduifoit au fiége de Troye. VII. 245. il y eft tué. 443. il reçoit les honneurs divins après fa mort : fon tombeau. V. 274

Madbachus & *Selamanes* , furnoms de Jupiter , ce qu'ils fignifient. III. 352. & *fuiv*.

Mæmactes , autre furnom de Jupiter. III. 359

Mages , Perfans , leurs fonctions dans les Sacrifices. III. 151. & *fuiv*. leur Doctrine conforme à celle des Druydes Gaulois. V. 372

Magiciens. Voyez *Magie*.

Magie , de l'origine de la Magie. II. 171. différentes efpeces de Magie : Magie naturelle. 172. Magie Mathématique. 173. quelle étoit la Magie Égyptienne. 174. définition de la Magie. 175. paroles myftérieufes qu'on y employoit. 177. 181. les grandes actions attribuées à l'effet de la Ma-

gie. 180. les Druydes étoient adonnés à la Magie. V. 394. 406. 426. & fur-tout les Druydeffes, dont il refte encore des traces parmi le bas-
Peuple.   426. 427
Magifme, Religion des Perfes : quel en étoit l'ob-
jet. I. 334. III. 148. qu'elle fubfifte encore en
Perfe.   *ibid.*
Magnés, fils d'Eole, s'établit dans la Magnéfie,
fes defcendans. VI.   92. 95
Magog, fecond fils de Japhet, où s'établirent fes
defcendans. III. 271. VI. 26. s'il eft le même
que Promethée : fignification de fon nom. III.
                                                    458
Magus. Voyez *Amynus.*
Magufan ou *Macufan*. Voyez *Hercule.*
Maïa, mere de Mercure, une des Pleïades. I. 24
188. 203. III.   271. 437
Maïames, fêtes des Romains. I.   546
Maillet, Inftrument pour les Sacrifices. I.   484
Maîtres, (les) fervoient leurs Valets à table dans
de certaines fêtes. I.   534. 536
Malachbelus. Voyez *Aglibolus.*
Maladies, (les) Déifiées. I.   288
Malpadie, fille de Staphile & de Chryfothemis,
fon Hiftoire, fous quel nom elle fut honorée.
V. 295. Voyez *Emithée.*
Mambré, le Chêne de Mambré, fous lequel Abra-
ham pria, caufe de la vénératiou des Payens
pour le Chêne. V.   385
Mamercus, nom de Mars chez les Sabins, donné
à une famille Romaine. IV.   42
Man ou *Mannus*, Dieu des Germains, fes enfans,
fes defcendans. V.   533. 569
Mana ou *Mania*, Déeffe des Romains qui préfidoit
aux Maladies des femmes, & à la naiffance des
enfans : pourquoi on lui offroit de jeunes Chiens.
V.   342
Manco-Guina-Capac. Ynça du Pérou ; qualité qu'il

prenoit; comment il humanifa les Péruviens.
I.   246

Manès, Héréfiarque, fon Dogme fur le bon & le mauvais principe. I.   312

Manes, les Dieux des Manes confondus quelquefois avec les Dieux Lares, culte de ces Dieux; fur quoi fondé. IV. 489. V.   162. *& fuiv.*

Mangelies, fêtes des Romains. I.   533

Mania, mere des Dieux Manes. IV.   489

Manitou, principale Divinité des Algonquins. I.   247

Manto, fille de Tiréfias, prédifoit l'avenir; elle eft métamorphofée en Fontaine; qualités des eaux de cette Fontaine. II. 35. fi c'eft la même que Daphné. IV.   171

Marbres de Paros ou d'Arondel, ce que c'eft, comment ils ont été trouvés & portés en Angleterre. VI.   61

Marcia, nom d'une Nymphe. IV.   365

Margiane, fes premiers Habitans. III.   271

Mariage, Dieux qui y préfidoient. I. 345. III. 397. *& fuiv.* Coutume des anciens dans leurs Mariages. VI.   317

Marnas, un des grands Dieux des Philiftins, étymologie de fon nom. III.   59

Marna, nom donné aux filles de Créte. Ce qu'il fignifie. III.   60

Maro, Dieu des Egyptiens de la feconde claffe. II.   289

Mars, un des douze grands Dieux des Egyptiens. II. 288. qu'il y a eu plufieurs Princes de ce nom, & que plufieurs Princes belliqueux l'ont pris. IV. 35. *& fuiv.* généalogie de Mars, fuivant les Grecs. I. 208. IV. 34. comment ils le nommoient. 34. 37. avanture du Mars Grec avec Alhirotius, dans laquelle il fut jugé par l'Aréopage. 38. 39. fes différens noms. 41. *& fuiv.* qu'il fut très-honoré à Rome. 43. comme on le repréfentoit.

repréſentoit. I. 366. IV. 46. V. 531. pourquoi ſes Temples bâtis hors des Villes. I. 378. 379. Mars , la grande Divinité des Gaulois. Voyez *Eſus.*

Marſyas, inventeur de la Flûte : ſa généalogie & ſon Hiſtoire : ſon amour pour Cybéle ; il eſt écorché vif par Apollon. IV. 179. & ſuiv. monumens qui le repréſentent. 181. 183. ce qui a fait dire qu'il a été écorché vif par Apollon. 184

Marſyas, Fleuve qui traverſoit la Ville de Céléne. IV. 181. 182

Martius, pourquoi on donnoit cette épithéte à Jupiter. III. 360

Marzane, nom que les Sarmates donnoient à Vénus. III. 231

Maſſagetes, ce que ces Peuples ſacrifioient au Soleil. I. 329. III. 235

Matrales, fêtes célébrées par les Dames Romaines. I. 547

Matronales, autre fête. ibid.

Maturne, Déeſſe des Bleds en maturité. IV. 459

Matuta, Déeſſe ; qui elle étoit. I. 26. 345. 347. Junon honorée ſous ce nom. III. 386

Maures, (les) quels Dieux ils adoroient. II. 441

Médailles, leur utilité. I. 49

Médecine, Dieux qui y préſidoient. I. 350. V. 266. & ſuiv.

Médecins, quelles Divinités ils invoquoient. I. 350

Médée, ſa généalogie. I. 204. ſon engagement avec Jaſon ; comment elle lui facilita la conquête de la Toiſon d'or. Son départ avec lui ; fictions qu'on a mêlées dans ce recit. VI. 414. & ſuiv. Elle eſt pourſuivie dans ſa fuite ; meurtre de ſon frere Abſyrthe. 422. Son arrivée avec Jaſon chez ſa tante Circé qui les expie, puis les chaſſe. 427. 428. Ses avantures après ſon arrivée dans la Gréce. 450. & ſuiv. Elle rajeunit

Eſon , & fait mourir Pélias. 454. *& ſuiv*. Sa retraite à Corinthe où elle eſt répudiée par Jaſon ; comment elle fait périr ſa rivale. 462. Son prétendu mariage avec Egée. 466. Que les Poëtes ont corrompu l'Hiſtoire de Médée. 423. 431. 450. 452. *& ſuiv*. Son véritable caractere. 471. 472. comment elle finit ſes jours : ſes enfans. 468. *& ſuiv*.

Médes , s'ils tirent leur origine de Médus, fils de Médée. I. 24. VI. 469. quand ils ont commencé à paroître. I.   24

Méditerranée , comment cette Mer s'eſt formée, ſuivant la fable. I. 48. 49. VII.   37

Méditrina , Déeſſe des Médecins. I. 350. V. 286

Méditrinales , fêtes des Romains. I.   549

Médius Fidius , ferment fait par Hercule. V.   229

Médus , fils de Médée. VI.   469

Méduſe , une des Gorgones : ſes parens & ſes enfans. I. 198. VI. 172. 173. ſes cheveux changés en Serpens. 173. 175. Perſée lui coupe la tête. 176. explication des fables ſur Méduſe. 177. *& ſuiv*.

Mégalaſclepia , fêtes d'Eſculape. I.   526

Mégalé , ſurnom de Junon. III.   374

Mégaléſes , fêtes Romaines. I.   536

Méganire , une des Héroïnes honorées dans la Gréce. VI.   166

Mégapente , fils de Prœtus Roi d'Argos , change de Royaume avec Perſée. VI. 214. pourquoi il céde dans la ſuite une partie de ſon Royaume à ſes beaux-freres.   216

Mégapenthe & *Nicoſtrate* , fils naturels de Ménélas , chaſſent Héléne. VII.   457

Mégare , fille de Créon , Roi de Thébes , mariée à Hercule qui tue ſes enfans , & la donne à une autre. VII.   14

Mégare , Ville de l'Attique ; ſon premier nom ; qui lui donna celui de Mégare. VI. 104. 266.

Apollon avoit aidé à la bâtir. 267

Mégaride, Territoire de Mégare. VI. 106

Mégére, une des Furies. V. 129

Mélampe, fils d'Amithaon. VI. 97. époufe une fille de Prœtus, pourquoi. 216

Mélampus, porta dans la Gréce les Myfteres de Bacchus. I. 119. III. 243

Mélanthe, élû Roi d'Athénes, pourquoi; ôte la vie à fon Concurrent. I. 524

Mélantho, une des Nymphes. IV. 365

Mélas, fils de Phryxus. VI. 360

Melchon, le même que *Moloch*. Ce qu'il fignifie. III. 78

Melcrates, furnom d'Hercule. VII. 83

Méléagre, fils d'Œnée Roi de Calydon. VI. 93. un des Argonautes. VI. 390. tue le fameux Sanglier de Calydon. VII. 163. Combat pour les Etoliens. *ibid. & fuiv.* fable du tifon fatal jetté au feu, qui lui caufa la mort. 168

Méléagrides, fœurs de Méléagre, changées en Oifeaux. VII. 171

Mélicerte, fils d'Athamas Roi de Thébes, changé en Dieu marin. IV. 352. Culte que les Grecs lui rendent. *ibid.* Jeux inftitués en fon honneur. 352. V. 185. Voyez *Ino*, *Palemon*.

Mélicertus, nom de l'Hercule Phénicien. I. 166

Méliffæus, furnom de Jupiter. III. 360

Méliffes, Nymphes qui nourrirent Jupiter. III. 263

Mélite, nom d'une Nymphe. IV. 365

Mellonia, Déeffe des Mouches à miel. I. 348. IV. 454

Méloboris, nom d'une Nymphe. IV. 365

Melpoméne, nom d'une Mufe: fignification de ce nom, fymbole qui la diftingue des autres. IV. 224

Memercus, fils de Médée, fa mort. VI. 363. 400

Memnefthe, nom d'une Nymphe. IV. 365

Memnon, Roi d'Ethiopie, fa généalogie. I. 204

292　　T A B L E

Memnon, parent de Priam, amene des Troupes à
　　son secours. VII. 252. 422. 423. qui est ce
　　Memnon. 428. sa mort & son tombeau. 429.
　　sa statue en Egypte ; merveille qu'on en publie ;
　　sentimens des Auteurs sur cette statue. 431. &
　　suiv. Histoire de Memnon, suivant M. Huet.
　　　　　　　　　　　　438. & *suiv*.

Memnon, surnom de la Ville de Suze. VI. 341

Memnomides, Oiseaux sortis des cendres de Mem-
　　non. VII. 430

Memnoniens, nom du Palais & des murs de Suze.
　　VII. 438

Memnonium, nom de la Citadelle de Suze. *ibid*.

Memphis, fils de Jupiter. III. 270

Memphis, Ville d'Egypte ; culte qu'on y rendoit
　　aux animaux. I. 355. II. 386. 392. Voyez *Apis*.

Memrumus, Dieu des Phéniciens, qui il étoit, ce
　　qu'il apprit aux hommés. I. 157

Ména, Déesse des femmes en couche. I. 345

Ménale, Ville d'Arcadie, son origine. VI. 33

Ménale, Montagne d'Arcadie où Pan étoit hono-
　　ré. I. 355

Ménalippe, Reine des Amazones, vaincue par
　　Hercule, comment elle se racheta. VII. 46

Ménalippus, son impiété dans le Temple de Dia-
　　ne ; comment punie. IV. 242

Mendaïens, ou Chrétiens de Saint Jean. I. 333

Mendés, le Pan des Egyptiens. II. 289. 366

Mendés, Ville d'Egypte où les Chévres & les Boucs
　　étoient en vénération ; pourquoi. I. 355. II.
　　　　　　　　　　　　356. 392

Mené, nom donné à la Lune. I. 186

Ménélas, Epoux d'Héléne, fille de Tyndare. VII.
　　115. 456. pendant son absence elle lui est enle-
　　vée. 233. 242. se réconcilie avec elle après la
　　prise de Troye. 456. 457

Ménéphon, changé en Bête brute. VIII. 73

Ménés, premier Roi d'Egypte après les Dieux &

les demi-Dieux. I. 386. II. 329. Opinion que
Menés est le même qu'Osiris. 316. Temple qu'il
fit bâtir. I. 386

Ménétius, fils de Japet, écrasé d'un coup de foudre. I. 201

Menæcée, fils de Créon Roi de Thébes, sa mort
pour la Patrie. VII. 204

Ménætius, pere de Patrocle : sa généalogie & ses
avantures. VI. 93

Ménipe, Idole des Indiens, a plusieurs têtes.I. 255

Mens, ou l'Intelligence, Divinité. V. 218

Menthe, fille changée en une plante de ce nom. V.
96

Méon. Voyez *Cybéle*.

Méphitis, Déesse de la mauvaise odeur. V. 338

Mer, (la) honorée comme une Divinité. I. 343.
IV. 272. 273. Voyez *Océan*, *Eau*, *Neptune*.
Pourquoi les Egyptiens avoient la Mer en hor-
reur. II. 329. IV. 273

Mers imaginées par les Bramines des Indes. I. 242

Méra, compagne de Diane, changée en Chienne.
VIII. 73

Mercure, sous quels noms il étoit connu en différens pays. I. 28. 76. 120. IV. 112. 120. qu'il
y a eu plusieurs Mercures. 113. & *suiv*. du
Mercure Egyptien. Voyez *Thot*. Le Mercure
des Grecs, sa généalogie. I. 203. IV. 112.
son Histoire. III. & *suiv*. qu'elle a été altérée
par les fables & les allégories. 122. son Caducée. 124. ses filouteries. 125. pourquoi on a
dit qu'il fut chassé du Ciel. 126. ses emplois ,
son culte , étymologie de son nom. 111. 127.
128. étoit aussi le Dieu des Filoux. I. 345. IV.
111. & celui des Marchands & des Voyageurs.
ibid. & 125. comme il étoit représenté. 130.
ses différens noms. 131. Mercure Trimegiste.
Voyez *Hermès*.

Mercurialia , fêtes de Mercure. I. 337

Mere des Dieux. Voyez *Grande Mere.*

Mérodach, un des Dieux de Babylone. III. 6. son nom joint à celui des Princes qui y régnerent depuis, pourquoi.   **7**

Mérope, une des Pléïades. I. 186. III. 437. 442. Voyez *Pléïades.* Pourquoi dit-on que cette Conftellation fe cache. I. 24. III.   **442**

Mérope, fille de Pandare. Voyez *Pandare.*

Mefraim, fils de Cham, s'établit en Egypte; pourquoi l'Egypte eft fouvent appellée *Terre de Mef-raïm.* I. 304. II. 436. 437. III. 258. il eft le mê-qu'Ofiris. II.   **316**

Meffagers des Dieux. I. 80. Voyez *la Note.*

Meftor, fils de Perfée, fes defcendans. Guerre pour fa fucceffion. VII.   **3. & fuiv.**

Métalarus ou *Mégalarus*, quel il étoit dans le fyftê-me des Chaldéens. I.   **148**

Métamorphofes, (les) fur quoi fondées. I. 130. & fuiv.

Métempfycofe, où cette doctrine a-t-elle pris naif-fance. I. 121. II. 393. 394. V. 12, 13. ce qu'elle enfeignoit. II. 394. V. 13. utilité qu'on en retiroit. II. 395. cette Doctrine répandue dans la Chine & dans les Indes. I. 232. 237. que les Gaulois ont cru la Métempfycofe; par qui ils en avoient été inftruits. V. 392. 400. 401.   **403. 404**

Métis, premiere femme de Jupiter, fable à fon fujet; ce que fignifie ce nom. I. 202. III. 264. IV.   **3**

Métis, nom d'une Nymphe. IV.   **365**

Metra, fille d'Erificthon, avoit le don de prendre toutes fortes de figures. VIII.   **74**

Meurtre, comment fe faifoit l'expiation de ce cri-me. II.   **161. 162**

Mexicains, fuperftition de ces Peuples. I. 246. 249   **251**

Mézence, Roi d'Etrurie, fait la guerre à Enée qui perd la vie dans un combat. VII.   **402**

Midas, fa généalogie, où il régna, fon Hiftoire. IV. 176. & *fuiv.* 48ì. & *fuiv.* ce qui fit débiter la fable, qu'il convertiffoit en or tout ce qu'il touchoit. 177. 482. comme il fut délivré de cette vertu. *ibid.* fa mort; époque de fon regne. 178. fondement de la fable des oreilles d'âne données à Midas par Apollon. I. 131. IV. 178. 484

Milan, Oifeau dont le vol étoit obfervé par les Augures. II. 134

Milet, pere de Caunus & de Biblis, d'où il étoit. VIII. 61. en quel temps il vivoit. 63

Milet, Ville de Carie, par qui fondée. VIII. 61

Militta. Voyez *Mylitta*.

Midon, puni pour le meurtre de Laodemie. I. 429

Mimallonides, furnom des Bacchantes. I. 505. Pourquoi on le leur donnoit. IV. 247

Minerve, cinq Déeffes de ce nom. IV. 2. fable fur fa naiffance. I. 30. 202. 203. différentes explications qu'on en donne. IV. 3. & *fuiv.* étymologie de fon nom. 7. 8. de la Minerve d'Egypte. 8. & *fuiv.* fes différens noms chez les Grecs. 12. fon culte dans la Lybie. IV. 11. à Saïs. IV. 8. à Athenes & à Rhodes. 12. & *fuiv.* différend de Minerve avec Neptune au fujet d'Athènes. 16. & *fuiv.* fon avanture avec Vulcain. 23. fes différens noms. *ibid.* & *fuiv.* comme on la repréfentoit. 25. & *fuiv.* Egide de Minerve. Voyez *Egide*.

Minétra, nom d'une Nymphe. IV. 365

Ming-Ti, Empereur de la Chine : Secte à laquelle il donna lieu. I. 235

Miniftres des Temples. Voyez *Prêtres*.

Minopene, nom d'une Nymphe. IV. 365

Minos, premier du nom : fa généalogie. III. 261. VI. 296. 244. VI. 100. III. eft le premier Juge des Enfers. V. 36. 42. 69. temps auquel il vivoit. VI. 244. 296. 297. fon Hiftoire. 244.

296 **TABLE**

& suiv. pourquoi le dit-on fils de Jupiter. 247. fa mort, fon Tombeau. 254

Minos fecond, petit fils du premier. VI. 245. 293. fon regne, fes exploits. 261. *& fuiv* Fable par où les Grecs ont voulu le rendre odieux. 268. *& fuiv.* 291. fa mort & fa fépulture. 290. 291

Minotaure, fable de ce Monftre, comme les Poëtes le dépeignent. VI. 268. *& fuiv.* origine de cette fable. 270. 271

Minutius, Dieu honoré à Rome. V. 335

Miphéletzeth, le même que Belphégor. Signification de ce nom. III. 86. 87

Mirthe ou *Myrte*, plante confacrée à Vénus. 461. IV. 64. 66. & aux Graces. 94.

Miféricorde, (la) Divinité. V. 218.

Mifor, pere de Thaaut ou Thot, qui eft l'Hermès des Grecs. I. 162

Mithras, Dieu des Perfes. I. 329. III. 49. 157. fon culte porté à Rome. 160. 161. comme on le repréfente. 161. *& fuiv.* pourquoi dit-on qu'il étoit né d'une pierre. 193. qu'il avoit volé des Bœufs. *ibid.* Myfteres de Mithras. 192. *& fuiv.* quelle étoit fa principale fête. 199. qu'il a été honoré dans les Gaules. V. 374. noms qu'on donnoit aux Prêtres & Prêtreffes de Mithras. 504. III. 194. 195

Mitra, nom de Vénus-Uranie chez les Perfes. III. 151

Mnafinoüs, un des Héros honorés dans la Gréce. VI. 164. fes Parens. VII. 141

Mnémofine, de qui elle étoit fille. I. 106. mere des neuf Mufes. 203. III. 270. 463. invention qu'on lui attribue. 464

Mneftée, Roi d'Athénes après Théfée, fa généalogie. VII. 119. 336. commande les Athéniens au fiége de Troye. 245. 295

Mnévis, Roi d'Egypte, attribuoit fes Loix à

Mercure. VI. 247
Moazim, Divinité dont parle le Prophéte Daniel. III. 99. 100
Mochtara, nom de Jupiter chez les Arabes. II. 241
Mœris, Roi d'Egyte, augmentation qu'il fit au Temple de Vulcain. I. 387
Moabites, leurs Divinités. I. 329. III. 2.
Moiſſons, Dieux des Moiſſons. I. 347
Moloch, la grande Divinité des Ammonites. I. 252. 328. III. 2. 75. ſacrifice qu'on lui offroit. I. 252. 329. c'eſt le Saturne de Carthage. II. 430. III. 76. comme il étoit repréſenté. III. 78
Moloſſes, Peuples de l'Epire. VII. 350
Moloſſie, nom d'une partie de l'Epire. VII. 350
Moloſſus, ſurnom de Jupiter. III. 351
Moloſſus, fils de Pyrrhus & d'Andromaque. VII. 287. 350
Molus, fils de Minos ſecond du nom. VI. 296
Moly, plante que Mercure donna à Ulyſſe, pourquoi. VII. 381
Momus, quel eſt ce Dieu, ſon origine, étymologie de ſon nom. I. 112. 197. 348. V. 265. 266
Monde, divers ſentimens ſur l'origine du Monde. I. 136. & ſuiv. 142. & ſuiv. ſentimens des Indiens & des Amériquains. 240. 143. partage du Monde entre les enfans de Saturne. 31. 32. III. 341. & ſuiv.
Monéta, Déeſſe de la Monnoye: ſon Temple à Rome, comme elle étoit repréſentée. I. 349. III. 387
Monnoye, Dieux qui préſidoient à la fabrique de la Monnoye. V. 343. & ſuiv. Voyez *Monéta*.
Montagnes, par qui formées. I. 196. Nymphes des Montagnes. IV. 358
Mopſus, un des Argonautes: ſa mort, ſon culte, ſon Oracle. II. 440. VI. 391
Mopſus, fils de Manto, Devin fameux durant le

fiége de Thèbes, fon culte, fon oracle. *ibid.*
étoit plus habile que Calchas, fa mort. VII.
468. 469
Morphée, enfant du fommell, fes fonctions: ce
que fon nom fignifie. V. 173
Mort, (la) Divinité, par qui engendrée. I. 197.
V. 168. 175. fous quel nom adorée à Cadis. V.
74. les Morts fubites & les Morts caufées par la
pefte, à qui attribuées. I. 22. IV. 186. 190
Morts, (les) ce qui s'obfervoit en Egypte envers
les Morts. V. 4. *& fuiv.* pourquoi ils embau-
moient les corps. 13. idée des Druydes fur la
deftinée de leurs Morts. V. 407. 408
Mofcovites, ce qu'ils pratiquent à l'égard de leurs
morts, pour qu'ils foient bien reçus en l'autre
monde. V. 51
Mot ou *Mod*, ce que c'étoit chez les Phéniciens:
explication de ce terme. I. 155
Mouches, (les) honorées dans l'Acarnanie. I. 356.
Dieu des Mouches ou Dieu-Mouche. I. 349. III.
90. Jupiter & Hercule appellés chaffe-Mouches.
91
Mouth, fils de Chronos. I. 168. Pluton adoré fous
ce nom: ce qu'il fignifie. V. 75. 525
Moyé, femme d'un Roi des Indes: fables qu'on
en a débitées. I. 236
Moyfe, s'il a été le modéle des Dieux des Payens.
I. 19. fon parallele avec Bacchus. IV. 240
Mundus, Chevalier Romain, fon avanture avec
Pauline. I. 129
Murcia, Déeffe de la Pareffe. I. 348. V. 225.
242. 335
Mufagetés, furnom d'Apollon & d'Hercule. IV.
224. VII. 76
Mufcarius, furnom de Jupiter. III. 346. 347
Mufées, fêtes en l'honneur des Mufes. I. 530
Mufes, leur généalogie. I. 103. III. 171. IV. 219.
leur nombre. I. 338. IV. 222. leur origine, leurs

noms, leurs fonctions, leurs symboles. *ibid. & suiv.* pourquoi on les met avec les Déesses Guerrieres, & on les représente avec des aîles. 225. 226. surnoms donnés aux Muses. 222. 227. leur défi avec les filles de Pierus. 226

Musica, surnom de Minerve. IV. 23

Musique, (la)son origine dans la Gréce. III. 3 ;9

Muyades. Voyez *Myagrus*.

Myagrus ou *Myagron*, Dieu des Mouches ou chasse-Mouches. I. 349. III. 90. le même nom donné à Hercule. 91

Mycenes, Royaume de Grece, sa fondation, ses Rois. VI. 50. VII. 4. 5. Atrée s'empare de ce Royaume. VII. 90. 313. ses successeurs. *ibid. & suiv.* fin de ce Royaume. 327

Mycone, une des Isles Cyclades : son union avec Délos. IV. 167

Mydas. Voyez *Midas*.

Mylitta, nom de Vénus-Uranie. III. 151. & de Diane, IV. 210

Myniens, Peuples, leur origine : ils sont chassés de Lesbos : où ils vont s'établir. VI. 4 ;7. 438. Voyez *Thera*.

Myrmidon, sa généalogie, ses descendans. VI. 93

Myrmidons, Peuple de Grece, leur origine fabuleuse. I. 121. VII. 344

Myrrha, changée en l'Arbre qui porte l'encens. I. 56. III. 13. 17. son crime. 13. *& suiv.*

Myrtile, Cocher d'Œnomaus, sa perfidie, sa punition. VII. 308

Mystéres de Bacchus. Voyez *Bacchus*. Mystéres Éleusins. Voyez *Eleusis*. De Cybéle. Voyez *Galles*. De Mithras. Voyez *Mithras*.

Mythologie, nécessité de la connoître. *Préface.* I. 1. 2. *& suiv.* que signifie ce mot. 5. Analyse des différens traités de Mythologie. 9. *& suiv.*

Mythologue, ce qu'il doit faire pour s'instruire exactement. 5. 7. *& suiv.* ce qu'il doit éviter. 14. *& suiv.*

N

NABAHAS., Dieu des Hévéens : que signifie ce mot. III.   96. 98

Nabo. Voyez *Nébo*.

Nænia, Déeffe des Funérailles. V.   175

Naharvales, Peuples de la Germanie : leur Religion. V.   538. 577

Naïades, Nymphes, leur deftination. IV. 284 358. leur culte, leurs fêtes.   291

Nanus, un des defcendans de Lycaon, Roi d'Arcadie. VI.   13

Napées., Nymphes., leurs fonctions , leur culte. IV.   291. 358

Narciffe , fon Hiftoire : il eft métamorphofé en fleur. VIII.   18

Narciffe, Plante confacrée à Proferpine. I. 461. VIII.   19

Nafamones , (les) quels Pays ils habitoient : leur Religion. II.   439

Nafcio , ou *Natio*, Déeffe invoquée pour les enfans. I. 346. V.   331

Natchez , Nation de la Louifiane : leur culte pour le feu. I.   248

Nature , (la) adorée comme une Divinité. I. 343

Navire Argo , (la) d'où elle fut ainfi nommée. VI. 367. *& fuiv.* ce qui a fait dire que ce Vaiffeau parloit & rendoit des oracles. I. 112. VI. 370. où il fut conftruit. *ibid.* fa forme. 371. fa deftinée après le retour des Argonautes. 440. Voyez *Argo*.

Nauplius , pere de Palamede., un des Argonautes : fa généalogie. VI. 392. fit périr la Flotte des Grecs au retour de Troye. I. 73. VII.   352

Nauficaa, fille d'Alcinoüs introduit Ulyffe chez fon pere. VII.   386

Naufinoüs & *Naufithoüs* , fils d'Ulyffe & de Calipfo. I.   204

Néanthus ,

Néanthus, mis en piéces par les Chiens : pourquoi. VII. 157

Nébo, Dieu des Babyloniens. III. 2. 8. ce que signifie ce nom. 98

Néceffité, (la) Déeffe. V. 242. 310

Néhallennia, Déeffe des Peuples des Germains : comme elle étoit repréfentée. V. 559. *& fuiv.*

Néith, nom de la Minerve d'Egypte. II. 288. III. 248. IV. 8

Nélée, frere de Pélias ; fa naiffance ; fe retire dans la Meffénie. VI. 96. 97. fes enfans, leur deftinée. 392. VII. 54. fut un des Argonautes. 392

Nembrod ou *Nemrot*, premier Roi des Chaldéens, en quel temps il vivoit. I. 137. 302. III. 3. s'il fut le premier Auteur de l'Idolâtrie I. 302. c'eft le Bélus des Affyriens. IV. 36. & l'Orion des Perfes. 37

Némée, Ville ; le Lion de la Forêt de Némée, tué par Hercule. VII. 16

Néméens, Jeux Néméens : leur inftitution : prix des Vainqueurs. VII. 196. VIII. 94. 103. 138. comme on les célébroit. 139

Néméfes, (les) la même chofe que la Déeffe Néméfis. V. 158. 161

Néméfis, Divinité de l'Enfer. V. 158. comme on la repréfentoit. 161. Culte qu'on lui rendoit, avec quelles Divinités on la confondoit. 160. 161. de qui elle fut engendrée. I. 197. V. 130

Néméftrinus, Dieu honoré chez les Romains. V. 335

Nemefées, fêtes des Morts. I. 533

Néocores, Miniftres des Temples : leurs fonctions. I. 495

Néomenies, fêtes de la nouvélle Lune. I. 533

Néoptoléme. Voyez *Pyrrhus.*

Néphelé, femme d'Athamas : fes enfans. VI. 98. 355. Fable de fon changement en Nuée ; pourquoi elle en prit la forme. 359. 360

Tom. VIII. S

Néphélim ou *Néphilim*, nom donné à des Géants : ce qu'il signifie. I. 211. 212. 291. III. 327. nom donné aussi aux Centaures. VI. 333

Néphté, femme de Tiphon, au nombre des Divinités des Egyptiens. II. 288. sa familiarité avec Osiris. 318

Neptune, étymologie de ce nom. IV. 299. que c'est des Lybiens que les Grecs en ont reçu le culte. I. 32. 189. IV. 301. sa généalogie. I. 166. 200. IV. 304. son Histoire. IV. 304. & *suiv.* comment il épousa Amphitrite. 309. pourquoi on a dit qu'il bâtit les murailles de Troye. 312. comme on le représente. 313. 314. 322. explication de ses différens symboles 321. ses différens noms. 314. & *suiv.* son culte a été très-étendu. 318. & *suiv.* ses différentes métamorphoses. 313. sa dispute avec Minerve pour nommer la Ville d'Athénes. IV. 16. & avec le Soleil pour l'Isthme de Corinthe. 20. plusieurs personnes qui ont porté le nom de Neptune ; temps auquel ils ont vécu. 307

Nere, (le) espace de temps dont les Chaldéens faisoient usage dans leur Chronologie. I. 148. *à la Note.*

Nérée ou *Néréus*, sa généalogie, ses enfans. I. 166. 198. IV. 326. son caractere : étymologie de son nom. 327. 330. il prédisoit l'avenir 328 : pourquoi il changeoit souvent de figures. 330

Néréides, quelles Divinités c'étoient. IV. 331. de qui on les fait naître. I. 196. leurs noms & leur nombre. IV. 327. comme on les représentoit. 333. culte qu'on leur rendoit. 335

Nergel, Dieu des Chutéens : quel étoit ce Dieu : signification de ce nom. III. 2. 197

Néron, Empereur, cas qu'il faisoit des Magiciens. II. 197. 180

Néso, nom d'une Nymphe. IV. 365

Nesrock, Dieu des Babyloniens. III. 2

Neſtor, ſa généalogie : comment il devint Roi de Meſſene. VI. 95. 97. VII. 54. 55. 132. Troupes qu'il conduiſit au ſiége de Troye. 244. ſe retira en Italie. 296. ſa longue vie, fable des Poëtes ſur cela. VI. 447

Neſſus, Centaure tué par Hercule ; ſa tunique. VII. 57

Neſv, Dieu des Arabes. II. 421

Nia, la Cerès des Sarmates. III. 231

Nibbas, Divinité des Syriens. III. 99

Nibéchan, Dieu des Hévéens. III. 2

Nicé, fille de Pallas & de Styx, conduite au ſecours de Jupiter. I. 199

Nielle, Déeſſe des Latins. IV. 458

Nil, Fleuve d'Egyte, mis au nombre des plus grands Dieux des Egyptiens : pourquoi. IV. 274. *& ſuiv.* fêtes en ſon honneur ; ſacrifices qu'on lui offroit. 276. *& ſuiv.* le Nil appellé Océan. 274. 294

Ninus, premier Roi des Aſſyriens. Idolâtrie qu'il introduiſit. I. 303

Niobé, fille de Tantale, ſon hiſtoire, ſes enfans, ſa métamorphoſe en Rocher. I. 22. IV. 187. *& ſuiv.*

Niobé, fille de Phoronée, la premiere mortelle aimée de Jupiter : enfant qu'elle eut de lui. III. 261. 270. IV. 187

Niſa, Ville voiſine d'Athénes. VI. 263

Niſæa & *Niſe*, noms des Nymphes. IV. 365

Niſus, Roi de Niſa, ſa généalogie, il eſt métamorphoſé en Epervier. VI. 263. *& ſuiv.*

Niſyros, Iſle, comment elle fut formée. III. 268

Nitocris, Reine d'Egypte, ſignification de ſon nom. IV. 8. 9

Nixii-Dii, Dieux des femmes en couche. I. 345. V. 330

Nodotus, Dieu qui préſidoit aux Bleds. I. 347. IV. 459

304   **T A B L E**

Noé, s'il est le même que Bacchus. IV. 239. c'est le Xixutrus des Chaldéens. I. 148. si le partage du monde entre les enfans de Saturne est imaginé sur celui que firent les enfans de Noé. I. 32. III.   342

Nombril, Conte sur le Nombril des hommes. I.   143

Nome, terme Egyptien, ce qu'il signifie. II. 288. à la Note.   *ibid.*

Nomius, surnom de Mercure. IV.   131

Noms, la pluralité ou l'unité des noms, source de Fables. I. 76. 77. origine des noms des pays. 101. & de ceux des Dieux chez les Grecs. II. 281

Nondina, Déesse tutélaire des enfans. I. 346. V.   331

Notus, le Vent Notus, de qui on le faisoit naître. I.   202

Novemsilés, quels étoient ces Dieux à Rome. V.   333

Nuctulius, Dieu de la Nuit, comme il est représenté. V.   169

Nuée, quelle étoit cette Nuée qui eut des enfans d'Ixion. VI.   319. 327

Nuit, (la) par qui engendrée : son union avec l'Erebe : ses enfans. I. 195. 196. IV. 217. V. 166. comme on la représentoit.   167

Numa, Pompilius défend les statues des Dieux. I. 364. ses Livres brûlés ; pourquoi. 365. ses réglemens sur la Religion. II. 181. de qui il disoit qu'il recevoit les Loix qu'il faisoit. VI.   248

Numéria, Déesse de l'Arithmétique. V.   336

Numitor, Roi d'Albe, pere de Rhéa-Sylvia. I. 129. grand-pere de Romulus. VII.   405

Nyctéus, pere d'Antiope : son aversion pour elle : sa mort. VI. 133. 137. Alliance des Maisons de Cadmus & de Nyctéus.   143

Nyctilées, fêtes en l'honneur de Bacchus. I.   537

Nyctileius, surnom de Bacchus. IV. 266

Nyctimene, fille d'Epopée, Roi de Lesbos, changée en Hibou. VIII. 66

Nyctimus, fils de Lycaon, Roi d'Arcadie : son successeur. VI. 32. 34

Nyctis, mere de Laïus. VI. 133

Nymphes, leur origine. I. 196. IV. 358. 359. leur nombre & leurs différentes espéces : noms qui les distinguent. 285 3. 58. 364. combien de temps elles vivoient. 362. Culte qu'on leur rendoit. 272. victimes qu'on leur immoloit. 291. 359

Nysa, Ville où Bacchus fut élevé. IV. 232

Nysa, Montagne. IV. 237. 238. 241

O

OANNÉS ou *Oés*, ce qu'il étoit dans la Théogonie des Chaldéens, étymologie de son nom. I. 144. & suiv.

Obole, qu'on mettoit dans la bouche des morts. V. 49

Occasion, Divinité chez les Grecs & chez les Romains. V. 232

Océan, regardé comme un Dieu & le pere des Dieux. I. 184. IV. 271. 293. 294. de qui il étoit fils. I. 196. III. 285. IV. 265. enfans qu'il eut de Thétis. I. 199. IV. 285. 293. 298. fréquens voyages des Dieux chez l'Océan. 296. 297. comme on le représentoit. 296. étymologie de son nom. 293

Océanides, filles de l'Océan ; leur nombre. IV. 285

Octavie, au nombre des Héroïnes ; son Temple célebre. VI. 166

Ocypeté, une des Harpyes. I. 198. VI. 405. Voyez *Harpyes*.

Ocyroé, nom d'une Nymphe. IV. 365

Odin, Roi de Thrace, le Mars Hyperboréen. IV. 36

Odiſſée d'Homere : Analyſe de ce Poëme. I. 68

Œagre, pere d'Orphée. IV. 180. VII. 143

Œbale, pere d'Icarius. VIII. 83

Œbalus, un des Héros de la Grece. VI. 160

Œbazus. Voyez *Pleſtorus.*

Œdipe, fils de Laïus, ſa généalogie, ſon hiſtoire ſuivant les Poëtes. VII. 182. *& ſuiv.* ſa véritable hiſtoire. 188. condamné au Tartare. V. 206

Œnée, Roi de Phocide, fils de Céphale. VI. 99. VIII. 42

Œnée, de la famille des Eolides, pere de Méléagre. VI. 37. VII. 162. *& ſuiv.* devint Roi de Calydon. Voyez *Calydon.* Ses enfans. 171. 172. Sa mort, ſon tombeau. 172. 363

Œnée, Bourg ſur les confins de l'Attique, où fut aſſaſſiné Androgée. VI. 262

Œnéus, fils naturel de Pandion : un des Héros de la Grece. VI. 160

Œno, fille d'Anius, changée en Pigeon. VII. 418

Œnoé, Reine des Pygmées, changée en Grue. VIII. 37

Œnoé, nom donné au lieu de la ſépulture d'Œnée, Roi de Calydon. VII. 363

Œnomaüs, Roi de Piſe, pere d'Hippodamie, ſa mort. VI. 144. VII. 307. 308

Œnone, Bergere du Mont Ida, aimée de Pâris. VII. 451. mort de ſon fils. 452. ſcience d'Œnone. *ibid.* ſa mort. 454

Œnophorie, fête des Egyptiens. I. 534

Œnopion, fils d'Ariadne & de Théſée. VI. 281. VII. 122

Œnotriens, Peuples d'Italie. III. 418. 428

Œnotrus, fils de Lycaon, Roi d'Arcadie, s'établit en Italie. VI. 34

Oës, *Œn.* Voyez *Oannès.*

Œonus, oncle d'Hercule : ſa mort vengée par ſon neveu. VII. 55

Œta, Montagne, ſa ſituation. VI. 25

Œuf primitif, source de tous les êtres. I. 145.
178. 194. Fable de l'*Œuf* d'Osiris & de Typhon.
310. Fable de l'*Œuf Anguinum* des Druydes,
sa vertu. V.   360. 408. *& suiv.*
Offa, Instrument des Sacrifices. I.   485
Og, Roi de Basan, sa taille énorme. II. 313. III.
309. s'il est le même que Typhon. II.   313
Ogénus, Dieu des Vieillards. V.   239
Ogga ou *Onka*, nom de la Minerve d'Egypte, étymologie de ce nom. IV.   9
Ogmios ou *Ogmius*, nom de l'Hercule Gaulois.
V. 452. comme ils représentoient ce Dieu. 453.
                                          & suiv.
Ogoa, Dieu honoré dans la Carie. V.   297
Ogyges, en quel temps il vivoit. VI. 16. 58. sa
femme, ses enfans. 17. 54. 56. Phénoméne
arrivé dans le Ciel sous son regne. 60. Déluge
arrivé de son Temps. I. 105. VI.   58. 59
Ogygie, Isle où régnoit Calypso. VII. 384. où on
la plaçoit.   385
Oiclès, pere d'Amphiaraüs. VII.   205
Oilée, pere d'Ajax. VI. 382. s'il a été un des Argonautes.   393
Oinotrus, fils de Lycaon, Roi d'Arcadie. VI. 12.
Oiseaux, dont on tiroit des Augures & des Auspices. II. 123. 129. 134. Oiseaux sacrés des Egyp-
tiens. II. 374. Oiseaux de l'Isle d'Arécie, dont
les Argonautes furent attaqués. VI. 412. Oi-
seaux du Lac Stymphale. Voyez *Stymphale*. Oi-
seaux de Diomede. VII. 364. Oiseaux sortis des
Cendres de Memnon. VII.   430
Oisons, consacrés à Junon. III.   392
Okki ou *Areskoui*, premier Dieu des Hurons.
I.   247
Olaïmi, Montagne de la Floride, où les Peuples
vont sacrifier au Soleil. I.   250
Olène, changé en Rocher : pourquoi. VIII.   67
Olivier, à qui il étoit consacré. I. 461. Olivier

que Minerve fit fortir de terre. IV.   17

Olympe, Montagne de Theffalie, prife pour le Ciel. III. 280. 327. les Géants y affiégent Jupiter.   266. 305

Olympiades, utilité de l'établiffement des Olympiades. I. 105. 108. quand on a commencé à compter par Olympiades. 109. VI. 60. VIII. 124. quelle fut la premiere Olympiade. *ibid.* temps d'une Olympiade à l'autre. VIII. 98. 122

Olympie, Ville où Saturne avoit un Temple dès l'âge d'or. VIII.   120

Olympiques, (Jeux) par qui & en quel temps inftitués. I. 108. III. 340. VIII. 119. 120. quand renouvellés. VIII. 121. & *fuiv.* combien ils devinrent célébres. 96. Honneurs qu'on y rendoit aux Vainqueurs. 97. peine contre ceux qui ufoient de fraude pour être déclarés Vainqueurs. 128. 129. il étoit défendu aux femmes d'y affifter. 127. & à tous ceux qui n'étoient pas defcendans de Hellen.   131

Omanus, ou *Amanus*, Dieu de Cappadoce : quelle Divinité il repréfentoit. III.   206. 207. 208

Ombres, les Ombres diftinguées des ames, ce qu'on entendoit par ce mot. I. 248. II. 185. deftinée de l'Ombre après la mort. VI. 21. & *fuiv.* Ombres errantes fur les bords du Cocyte. 35. 62. origine de cette idée.   63

Omorca, qui étoit cette femme dans le fyftême des Chaldéens. I.   140. 142

Omphale, Reine de Lydie, femme d'Hercule qui filoit auprès d'elle. VII.   63

Onarus, Prêtre de Bacchus, qui ravit Ariadne. VI.   280

Ontogonie. Voyez *Éternité.*

Onuava, Divinité Gauloife : defcription de fa tête. V.   494

Opalies, fête en l'honneur d'Ops. I. 549. IV. 408

Opas, nom de Vulcain chez les Egyptiens. IV. 99

Opis, nom d'une Nymphe. IV. 365

Ops, nom sous lequel on adora la Terre : ce qu'il signifie. I. 343. IV. 396. V. 237. Ops , Déesse des Richesses. I. 347. Ops , la même que Cybéle. Voyez *Opalies*.

Ops, Divinité du secours, quelle elle étoit, victime qu'on lui immoloit. V. 237

Optimus Maximus, noms de Jupiter. III. 345

Ora , enfant qu'elle eut de Jupiter. III. 270

Oracles , ce qu'on entend par ce mot. II. 2. que toutes les Nations Idolâtres ont eu leurs Oracles. 3. si les Oracles n'étoient que l'effet des fourberies des Prêtres. 4. 45. quels étoient les Dieux à Oracles. 8. *& suiv.* Oracle de Dodone. 9. de Jupiter Ammon , de Jupiter Phlius. 14. *& suiv.* d'Apollon à Héliopolis. 16. Oracle de Delphes. 17. *& suiv.* Oracle de Trophonius. 27. *& suiv.* autres Oracles. 34, *& suiv.* Oracles rendus par les Sorts. 50. Oracle du Bœuf Apis. 37. 398. Oracles des Egyptiens. 334. 335

Orateurs , Divinités qu'ils invoquoient. I. 350

Orbona , Déesse honorée à Rome : quel étoit son emploi. I. 346. V. 241

Orchoméne , pere des Orchoméniens , sa généalogie. VI. 33

Orchonoé , fille de Pélée , aimée d'Hercule. VII. 64

Orcus , de qui il nâquit. I. 199

Ordrysus , en honneur chez les Thraces. III. 235

Oréades , quelles Nymphes c'étoient. IV. 359.

Oreilles , Jupiter représenté sans Oreilles en Créte, & à Lacédémone avec quatre Oreilles. III. 364 Présages qu'on tiroit du bourdonnement d'Oreilles. II. 145. Oreilles d'âne. Voyez *Midas*.

Oreste , fils d'Agamemnon. VI. 71. son histoire. VII. 317. *& suiv.*

Oresthéus , fils de Lycaon, Fondateur d'une Ville de son nom. VI. 34

Orgiaftes, nom des femmes qui préfidoient aux Orgies. I.   497

Orgies, fêtes de Bacchus. I. 499. 505. 537. leur origine. IV. 259. comme on les célébroit. IV. 262. & *fuiv*. quand furent-elles fupprimées. 267. comme elles étoient célébrées par les femmes Gauloifes. V.   483

Orgiophantes, noms des hommes qui préfidoient aux Orgies. I.   497

Orientaux, leur Génie porté à la fiction. I. 45. leur coutume de donner à la même perfonne plufieurs noms ; fource de plufieurs fables. 76

Orion, nom de Mars chez les Parthes. IV. 37

Orion, fils d'Hariétus, fables débitées à fon fujet. VIII. 52. forme une Conftellation dans le Ciel.   89

Orinthye, fille d'Erecthée Roi d'Athénes : enlevée par Borée Roi de Thrace. VI. 383. fes enfans. VII.   158

Orithye, nom d'une Nymphe. IV.   366

Ornithomantie, efpece de Divination. II.   122

Oromafe, Divinité des Perfes. I. 311. III. 149. fon origine, fon culte. III.   159

Oropiens, Peuples de l'Attique. VII.   211

Orphée, fa généalogie. IV. 180. VII. 143. fon hiftoire mêlée de fables. VII. 140. & *fuiv*. fa mort. 147. fes ouvrages. 150. fa Cofmogonie. I. 191. & *fuiv*. inventions qu'on lui attribue. VII. 144. culte que lui rendoient les Thraces. III. 234. pourquoi dit-on qu'il charmoit les Tigres & les Lions. I. 132. VII.   152

Orthione, furnom de Diane. IV.   210

Orthona, Divinité adorée à Athénes. V.   302

Orus, Dieu d'Egypte. I. 29. 183. II. 288. 289. fa naiffance. II. 294. 348. fes guerres avec Typhon qu'il fait périr. 307. 317. 349. fa mort : il eft reffufcité, & devient immortel. 349. comme il étoit repréfenté dans la Table Ifiaque.   351

Oscilla, quelles sortes de Victimes c'étoient. I. 455

Osiris, Dieu des Egyptiens. I. 29. est le Bacchus des Grecs. 118. 182. le Soleil adoré sous le nom d'Osiris. 180. II. 276. 295. signification de ce nom. II. 295. plusieurs noms donnés à Osiris. I. 183. ce qu'on a prétendu que signifioient les persécutions de Typhon envers Osiris. 311. Osiris adoré dans toute l'Egypte. II. 283. 288. Histoire d'Osiris. 292. & *suiv.* 336. & *suiv.* Culte qu'on lui a rendu. 329. & *suiv.* Idée qu'avoient de ce Dieu ceux qui avoient reçu son culte. 339. 340

Osochor ou *Chon*, nom de l'Hercule Egyptien. VII. 2. 82

Ossa, Montagne de Thessalie. III. 266

Ossilago, Déesse tutélaire des enfans. I. 346. 348. V. 332

Otiartes, qui il étoit, suivant la Théogonie des Chaldéens. I. 148

Otus. Voyez *Ephialte*.

Oxilus, Étolien, comment il devint, selon quelques Auteurs, Chef des Héraclides qui rentrerent dans le Péloponese. VII. 92

P

PACTOLE, Fleuve de Lydie qui rouloit de l'or dans son sable. IV. 177. 483. Voyez *Midas*.

Pæan, Cantique en l'honneur de Minerve. IV. 16

Pagéens, Peuples désignés sous le nom de Pygmées. VIII. 19

Paix, (la) Divinité. I. 350. V. 223. distinguée de la Concorde : son Temple à Rome : comme on la représentoit. 224. 225

Palæstés, surnom de Jupiter. III. 360

Palaméde, invente le jeu de Dés au siége de Troye. VII. 259. comment Ulysse le fit périr. 366

Palémon, quel étoit ce Dieu chez les Grecs. I. 27. Voyez *Portumnus*.

Palès, Déeffe des Bergers. I. 548. IV. 450. fon culte : fa fête. *ibid. & fuiv.*

Palet, un des exercices dans les Jeux. VIII. 107

Palices, qui étoient ces Dieux : leur origine : leur Culte. III. 140. 141. Baffins qui étoient auprès de leur Temple : vertu de l'eau qui étoit dedans. 144

Palilies, quelle fête c'étoit. I. 548. IV. 450

Palladium, ftatue de Pallas, fon hiftoire. VII. 263. 361. 366. 393

Pallantides, (les) fils de Pallas frere d'Egée : confpirent contre Egée. VII. 96. font défaits par Théfée. 106. obligent Théfée d'abandonner Athénes. 120

Pallas, Déeffe. Voyez *Minerve*.

Pallas, fils de Créïus, fes enfans. I. 199

Pallas, un des Géants qui firent la guerre à Jupiter : écorché par Minerve. III. 269

Pallas, frere d'Egée. VI. 264. Voyez *Pallantides*.

Pallas, fils d'Evandre : la grandeur de fon corps. III. 319

Pallas, fils de Lycaon, fondateur d'une Ville appellée Pallantium. VI. 32. un des Héros honorés dans la Grece. 161

Palmier, Arbre confacré aux Mufes. I. 461

Palmyre. Voyez *Tadmor*.

Pallor. Voyez *Crainte*, *Pavor*.

Pan, un des huit grands Dieux des Egyptiens. II. 364. c'eft en Egypte qu'il faut chercher l'origine du Dieu Pan. 355. fon hiftoire fuivant les Grecs. 366. 367. Flûte qu'il inventa. 367. fon culte. 366. 368. origine de la *Terreur Panique.* 369. s'il eft le même que Faunus & Sylvanus. 370. fignification de fon nom. *ibid.* Ce qu'adoroient les Egyptiens fous le nom de Pan. 371. de la voix qui annonça la mort du grand Pan. 372

372. que plusieurs ont porté le nom de Pan.
367. 368

Panacée, une des Divinités de la Médecine. V.
274. 286

Panathenées, fêtes distinguées en grandes & petites. IV. 14. & *suiv.* VII. 107

Pancrace, un des exercices des Jeux : ce que c'est. VIII. 109

Pancratis, fille d'Aloëus & d'Iphimédie : ses avantures. V. 205

Panda, Déesse honorée chez les Romains. V. 336

Pandare, fils de Mérops : son histoire & celle de ses filles. VIII. 10

Pandarée d'Ephese : son histoire & celle de ses filles. VIII. 12

Pandion, second du nom, Roi d'Athénes, pere de Philoméle & de Progné. VI. 70. VIII. 5. & *suiv.*

Pandore & sa Boîte. III. 448

Pandrose, fille de Cécrops : son Temple à Athénes près de celui de Minerve. VI. 69. 70

Pangée, Montagne de Thrace où Cadmus trouva une mine d'or. III. 339

Panomphæus, surnom de Jupiter. III. 359

Panope & *Panopéa*, deux Nymphes. IV. 366

Paon, Oiseau consacré à Junon. I. 460. III. 392. Voyez *Argus*.

Panthées, figures ainsi nommées. II. 347

Panthéon, Temple bâti à Rome en l'honneur de tous les Dieux : sa description. I. 405

Pantibibla, Ville de Chaldée. I. 146. *à la Note.*

Paphos, Ville fondée par Paphus dans l'Isle de Chypre. VII. 413. 414. *à la Note.*

Paphus, Fable de sa naissance. *ibid.* 413

Pappée, nom donné à Jupiter par les Scythes. III. 259

Paprémis, Ville d'Egypte : singularité de la fête qu'on y célébroit en l'honneur de Mars. II. 403

Parasites, Ministres des Temples : leur rang,

leurs fonctions. I.   491. 492

Parasites. Voyez *Néron.*

Páris, fils de Priam : sa naissance : ses amours pour Œnone. VII. 451. son Jugement entre les trois Déesses : fondement de cette fiction. 231. *& suiv.* comment Priam le reconnut pour son fils. 452. comment il enleva Héléne. 453. son avanture en Egypte. IV. 348. il blesse Achille. VII. 345. sa mort. 285. 513. 514. son portrait.   514

Parnasse, Montagne de Béotie ; séjour des Muses. IV. 225. 228. d'où elle a tiré son nom. I. 103

Parnassides, surnom des Muses. IV.   228

Parques, (les) leur généalogie. I. 197. 203. V. 143. origine de ce nom. V. 142. 144. leurs fonctions & leur pouvoir. I. 345. V. 147. *& suiv.* leurs noms ; ce qu'ils signifient. 147. 152. Culte qu'on leur rendoit. 153. 154. comme on les repréfentoit.   155. 156

Partage du Monde entre les enfans de Saturne. I. 31. 32. 33. III.   341

Parthénie, fille de Staphilé & de Chryfothémis : son histoire. V.   295

Parthénopée, fils d'Atalante, un des Chefs de l'Armée des Argiens devant Thébes : sa mort, son portrait. VII.   120

Parthénos ou *Parthénia*, surnom de Minerve. IV. 13. 24. nom aussi donné à Junon ; pourquoi. III.   389

Parthes, (les) leur Religion. III.   214

Parties du Corps, Divinités qui préfidoient à chacune. I.   351

Partunda, Déesse honorée à Rome, son ministere. V.   330

Pasiphaé, femme de Minos Roi de Créte, mere du Minotaure, fondement de cette fable. I. 51. 74. VI. 268. *& suiv.* pourquoi elle a passé pour fille du Soleil.   273

Pasithoé, nom d'une Nymphe. IV.   366

Pasoémon, fils d'Hercule & d'Orchonoé. VII. 64

Pataïques ou *Pataïques*, quels étoient ces Dieux, leur origine, étymologie de leurs noms. III. 137. & *suiv.*

Patenlia ou *Patiléna*, Déeſſe des Bleds. I. 347. IV. 459

Patellarii Dii, Dieux honorés par les Romains. V. 333

Pater, ſurnom de Jupiter. III. 345

Patere, Inſtrument des Sacrifices. I. 483

Patriarches : ſi leur Hiſtoire a donné lieu à l'Hiſtoire des Argonautes. I. 19. VI. 353. ſi les Dieux du Paganiſme ſont tirés de leur Hiſtoire. I. 19. 29. 32. 33. 101. 102. III. 287. 458. 459. IV. 128. 237

Patrocle, ami d'Achille : ſa généalogie. VI. 94. ſa mort. VII. 274

Patroüs, ſtatue de Jupiter-Patroüs, qui avoit trois yeux : ce qu'on a voulu marquer par-là. III. 343

Patulcius. Voyez *Cluſius*.

Paventia : Déeſſe tutélaire des enfans. I. 346. V. 331

Pauline. Voyez *Mundus*.

Pavor & *Pallor*, Dieux de la Crainte. I. 349

Pauſanias, comment il meurt de faim. I. 428. ſtatues que les Lacédémoniens lui élévent pour expier leur cruauté. I. 429

Pauſanies, fêtes en l'honneur de Pauſanias. I. 530

Pauvreté, (la) Déeſſe. I. 350. ſon culte joint à celui des Arts. V. 312

Péchiniens, Peuples déſignés ſous le nom de Pygmées. VIII. 34. 36

Pécunia, Déeſſe honorée à Rome. V. 344

Pégaſe, (le Cheval) ſon origine. I. 198. VI. 173. fables qu'on a débité ſur ce Cheval aîlé, explication de ces fables. 174. 177. 195

Pégaſe, Cap de la Magnéſie où s'embarquerent les

Argonautes pour la Colchide. VI. 370

Pégomantie, forte de Divination. II. 118

Peintres, qu'ils ont inventé & produit bien des fables dans le monde. I. 65. 75. 352

Pélafges, Peuples les plus anciens de la Gréce ; leur origine. VI. 28. 29. c'eft eux qui porterent dans la Gréce le Culte & les Myfteres des Cabires, & les noms des Dieux. III. 123. 239. & *fuiv.*

Pélafgus, Roi d'Arcadie, pere de Lycaon. VI. 30. fes qualités du corps & de l'efprit : ce qu'il apprit aux Arcadiens. 31. fes defcendans. 32. & *fuiv.*

Pelafgus, fils de Jupiter & de Niobé. III. 270. VI. 31

Pélée, pere d'Achille ; fa généalogie. VI. 93. VII. 103. 335. époufe Thétis. 231. fon hiftoire. 335. & *fuiv.*

Pélias, frere de Nélée, fa Naiffance, fon Hiftoire. VI. 96. 361. & *fuiv.* s'il eft vrai qu'il fut égorgé par fes filles. 459. 460

Pélion, Montagne de Theffalie. Voyez *Offa.*

Pellené, furnom de Diane. IV. 213

Pellonia, Déeffe invoquée à Rome. I. 348. V. 335

Pélopée, fille de Thyefte : comment elle devient mere d'Egyfte, fa mort. VII. 312. 313

Pélopias, fête de Pélops. I. 530

Péloponefe, prefqu'Ifle de la Gréce. VI. 144. Amphitryon, pere d'Hercule, en eft dépoffédé. VII. 11. comment les Héraclides s'y rétabliffent. 90. & *fuiv.*

Pélops, fils de Tantale, Roi de Lydie. VI. 144. fable du repas donné aux Dieux par Tantale, & de l'épaule d'ivoire de Pélops. 195. 196. le Palladium fait des os de Pélops. 197. VII. 264. fon hiftoire. VI. 144. VII. 309. & *fuiv.* fes enfans, fa mort. 312

Pélories, quelles étoient ces fêtes. I. 534. VI. 80

Péloris, nom d'une Nymphe. IV. 366

Pénates, Dieux des Foyers. I. 348. qu'il faut les distinguer des Lares : combien de fortes de Pénates. IV. 487. 493. leur origine, leurs ftatues, 495. 496. Sacrifices qu'on leur faifoit. 497. vénération des Romains pour ces Dieux ; d'où ils les avoient reçus. 499. & *fuiv.*

Pénée, fils de l'Océan & de Thétis : fa poftérité. VI. 316

Pénée, Fleuve de Theffalie : culte que lui rendoient les Theffaliens. IV. 279. Fleuves qu'il reçoit ; fon canal formé par Neptune. VI. 77

Pénélope, idée qu'en donnent les Poëtes. I. 67. fa généalogie ; comme elle devint mere de Pan. II. 366. fon mariage avec Ulyffe. VII. 390. fi elle a été véritablement un modéle de la fidélité conjugale. 491

Pénia, Déeffe de la Pauvreté. I. 348. & mere de l'Amour. IV. 74

Péninus ou *Pénin*, Dieu des Habitans des Alpes Pennines ; ce qu'il repréfentoit. V. 471. 473

Péntatlë, nom donné à certains exercices dans les Jeux. VIII. 107

Penteteris, ou le *Luftre*, fa figure portée en proceffion ; comment repréfentée. V. 217

Penthée, fils de Cadmus déchiré par les Bacchantes. IV. 234. 258. VI. 128

Péphredo, fille de Phorcys. I. 198. VI. 172

Péplus de Minerve, ce que c'eft. IV. 16

Pérafies. Voyez *Caftaballes.*

Perdix ou *Perdrix*. Voyez *Talus.*

Pergamus, fils de Pyrrhus & d'Andromaque ; fonde en Afie la Ville de Pergame. VII. 287

Perhébes, Peuples de Theffalie d'où fortit Janus. III. 416. 428

Péribée, époufe Œnée, Roi de Calydon ; fa généalogie : fes enfans. VI. 92. 93. VII. 171. 172

Péribée, jeune Efclave Athénienne envoyée en

318   T A B L E

Crête, & délivrée par Thésée. VI.   283

Périclyméne, fils de Nélée, prenoit toutes sortes de figures : comme il fut tué par Hercule. I. 131. VI. 292. VII.   54

Périéres, fils d'Eole. VI. 92. devint Roi de Messéne : ses descendans.   95

Périgone, fille de Sinius : ses avantures. VII. 100. 101

Périlaüs, Tyran d'Argos. VI.   169

Périméde, fille d'Eole, femme d'Acheloüs : ses enfans. VI.   92. 93

Périphétés, Brigand tué par Thésée. VII.   99

Péristére, Nymphe métamorphosée en Colombe. IV.   64.

Pérone, fille de Nélée, femme de Bias, leurs descendans. VI.   97. 98

Pérou, Peuples du Pérou, leur opinion touchant l'origine du monde. I.   243. 244

Persa, nom d'une Nymphe. IV.   366

Persé, fils de Créïus, ses enfans. I.   199

Persée, fils de Jupiter & de Danaé. III. 270. VI. 49. 167. sa naissance. 168. 169. fable de Méduse & des Gorgones. 171. & *suiv.* comme il délivre Androméde. 204. où se passa cet événement, comme il faut l'entendre. 205. & *suiv.* il tue par mégarde son grand-pere Acrisius : il bâtit la Ville de Mycenes. 213. 214. Culte qu'on lui rendit après sa mort. 214. 215. en quel temps il vivoit.   236. & *suiv.*

Perséis, nom d'une Nymphe. IV. 366. enfans qu'elle eut du Soleil. I.   203

Perséphone, fille de Chronos, morte Vierge. I. 164

Perses, (les) leur Religion : changemens qui s'y sont introduits successivement. III. 148. & *suiv.*

Pertunda, Déesse honorée à Rome. I.   345

Péta, Déesse des Romains. V.   342

Pétilie, Ville de la Calabre, par qui bâtie. VII. 471

Peuplier, Arbre consacré à Hercule. VII.   71

Phaëton, fils du Soleil & de Clymene. Son His-

toire. IV. 146. & *suiv.* Monumens qui repréfen-
tent fon Hiftoire. 153

Phaëton, fils de l'Aurore & de Céphale. I. 204. ou
petit-fils, felon quelques Auteurs. IV. 149

Phallophores, Miniftres des Orgies. IV. 263

Phallus, ce que c'étoit : fon origine chez les Egyptiens, ce qu'il fignifioit. II. 307. 330. IV. 260.
fon origine chez les Grecs. IV. 244. 260

Phanée, pere d'Acmon, dont defcendoit Jupiter.
III. 272

Phanée ou *Phanæus*, furnom d'Apollon. IV. 202

Phantafe, nom d'un des Songes. V. 173

Pharfis, Peuples d'Afie chez qui regne encore le
Sabifme. I. 333

Phaye, nom d'une Laye dangereufe tuée par Théfée. VII. 101

Phéaciens, Peuples qui habitoient l'Ifle de Corcyre : leurs mœurs lorfqu'Ulyffe y aborda. VII.
386

Phédre, fille de Minos, femme de Théfée : fon
Hiftoire. VI. 300. & *fuiv.*

Phénicie, les Dieux de Phénicie, les mêmes que
ceux de l'Egypte. I. 175. que c'eft dans ces deux
pays que l'Idolâtrie a pris naiffance. 304. & que
de la Phénicie elle s'eft répandue dans le monde.
306. ce que porterent dans la Gréce les Colonies forties de Phénicie. I. 83. III. 112. 245.
& *fuiv.*

Phéniciens, (les) qu'ils ont exercé les premiers le
Commerce & la Navigation. I. 17. leur Cofmogonie & Théogonie. 151. & *fuiv.* modéle de
celle des Grecs. 173

Phénix, fils d'Agénor, & frere de Cadmus. VI.
112. où il s'établit. 115

Phénix, Oifeau confacré au Soleil. I. 460

Phéor ou *Chamos*, Dieu des Moabites. III. 2

Phéréphata, nom de Proferpine : ce qu'il fignifie.
V. 79

Phérufa, nom d'une Nymphe. IV. 566

Phévénia. Voyez *Callipatire*.

Phérés, fils de Créthée, oncle de Jafon : fes enfans. VI. 98. 361. 364

Phérés, fils de Médée & de Jafon : s'il fut égorgé par fa mere. VI. 463

Phialus, fils de Bucolion, donna fon nom à la Ville de Phialie. VI. 33

Phigalus, bâtit la Ville de Phigalie. VI. 32

Philacus, dont les Bœufs étoient gardés par des Dogues. VI. 98

Philammon, fils de Kioné. Voyez *Kioné*.

Philée, fils de Jupiter & de Garamantis. III. 270

Philénes, deux freres mis au rang des Dieux par les Carthaginois ; pourquoi. II. 433

Philéto, une des Hyades. III. 445

Philippe, Roi de Macédoine : fa Chapelle : fa ftatue. VI. 162

Philiftins, leurs Divinités. III. 2. 55

Philis, fille de Lycurgue Roi des Dauliens : fa métamorphofe en Amandier. VIII. 77

Philyre, mere du Centaure Chiron. VI. 323. changée en Tilleul. VIII. 74

Philoctéte, compagnon d'Hercule : un des Argonautes. VI. 393. un des Chefs des Grecs au fiége de Troye. VII. 245. fut abandonné dans l'Ifle de Lemnos, puis ramené par Ulyffe devant Troye. 262. 366. 470. fe retira dans la Calabre après le fiége de Troye. 471

Philoméle, furnommée Thétis, fille d'Actor, femme de Pélée & mere d'Achille. VI. 93. VII. 234

Philoméle, fille de Pandion : fon Hiftoire & fa métamorphofe en Roffignol. VIII. 5. & fuiv.

Philomélus, fils de Cérès & de Jafion ; fon caractere. V. 122

Philofophes, leurs fubtilités pour maintenir l'Idolâtrie. I. 2. II. 267. III. 247. leur idée de la nature des Dieux. II. 194. 258. 268. & fuiv.

DES MATIERES. 321

Philosophie, l'ignorance de la Philosophie, source de fables. I. 77. 81. & l'origine des Dieux Physiques & Astronomiques. *ibid.*

Phinée, fils de Phénix, Roi de Salmydesse, pourquoi il fut aveuglé, puis tourmenté par les Harpies. VI. 404. 405. les Argonautes l'en délivrerent. 406

Phinée, parent d'Androméde, pétrifié par Persée, pourquoi. VI. 204. 211

Phla, Isle du Lac Triton, par qui habitée. VI. 434

Phlégéton ou *Pyriphlégétons*, un des Fleuves d'Enfer. V. 36. 59

Phlégon, un des Chevaux du Soleil. IV. 146

Phlégyas, son supplice au Tartare. V. 189. son Histoire. 190. VII. 189

Phlias, un des Argonautes : sa généalogie. VI. 386. 387

Phliasie, pays à qui Phlias donna son nom, où il est situé. VI. 386

Phlox. Voyez *Phos.*

Phobétor, un de Songes. Signification de son nom. V. 173

Phocide, contrée de la Gréce. VII. 339

Phocus, fils d'Æaque. I. 204. VI. 335. tué par Télamon son frere. VI. 335

Phœbades, Prêtresses d'Apollon à Rome. I. 518

Phœbé, fille du Ciel & de la Terre. I. 196. ses enfans. 200. IV. 201

Phœbé, nom d'une Nymphe. IV. 366

Phœbéa, fille de Leucippus, & sœur d'Hilare : enlévement de ces deux sœurs sur le point de leur mariage : qui elles épouserent : combat à ce sujet. VII. 131

Phœbus, surnom d'Apollon. IV. 201

Pholoé, nom d'une Nymphe. IV. 366

Pholus, un des Centaures qu'Hercule extermina. VI. 337. sa mort regretée par Hercule même. 340

Phorbas, un des descendans d'Inachus. VI. 40

Phorbas, Brigand tué par Apollon : explication de cette avanture. IV. 198

Phorcys ou **P**horcus, fa généalogie, fes enfans. I. 196. IV. 350. devint un Dieu de la Mer. 350

Phoronée, fils d'Inachus, Roi d'Argos. VI. 40. 42

Phos, **P**ur & **P**hlox, ce qu'ils étoient chez les Phéniciens. I. 156

Phraftor, Roi d'Argos, fa généalogie. VI. 12

Phrontis, un des fils de Phryxus. VI. 360

Phryxus, fils d'Athamas & de Nephelé : fon Hiftoire. VI. 98. 355. & fuiv. comme il fut tranfporté dans la Colchide. 358. fa mort, fes enfans. 360

Phta, Dieu des Égyptiens, le Vulcain des Grecs. I. 178. II. 289

Phtiotide, d'où le pays ainfi nommé tira ce nom, fa fituation, comme on l'appelloit auparavant. VI. 76

Phylacus, un des Héros de la Gréce. VI. 162

Phyllidocé, nom d'une Nymphe. IV. 366

Phyllire, Nymphe aimée de Saturne, mere du Centaure Chiron. VI. 323. VIII. 74

Picumnus, quelle forte de Divinité c'étoit. I. 346. fa généalogie. IV. 457

Picus, fils de Stercès Roi des Aborigenes. III. 430 fuccéda à Janus. IV. 473. fon Hiftoire, fa métamorphofe en Pivert. ibid. explication de cette métamorphofe. 474

Piélus, fils de Pyrrhus & d'Andromaque ; regna en Epire. VII. 287

Piérie, Contrée de la Macédoine, où les Mufes étoient honorées. IV. 222. 228

Piérides, furnom des Mufes. IV. 220. 228

Piérides, filles de Piérus : défi qu'elles firent aux Mufes : leur métamorphofe en Pies. IV. 226

Pierre, avalée par Saturne. I. 201. III. 264. devint l'objet d'un Culte religieux. I. 356. III. 301. comme elle étoit nommée des Latins : explica-

tion de cette fable. *ibid. & suiv.*

Pierres Bétiles. Voyez *Bétiles.*

Pierre de touche. Voyez *Battus.*

Pierres brutes adorées comme des Divinités. I. 338

Piérus, fils de Magnès, régna dans la Piérie, qu'il nomma de son nom. VI. 95

Piérus, pere des Piérides, quel on a dit qu'il étoit. *ibid.*

Piété, (la) Divinité. I. 350. V. 218

Pilumnus, quel Dieu c'étoit. I. 346. sa généalogie. III. 270. IV. 457

Pinariens, Sacrificateurs d'Hercule en Italie : en quel temps leur Sacerdoce fut aboli. I. 414. 511. VII. 30

Pirithoüs, sa généalogie. VI. 317. ses noces troublées par les Centaures. 335. entreprend avec Thésée d'enlever Proserpine ; sa mort. 347. VII. 113. 114. & suiv. comment il étoit devenu ami de Thésée. 111

Pisitide, fille d'Eole, mariée à Myrmidon : ses enfans. VI. 92. 93

Pistor, surnom de Jupiter. III. 347

Pithée, Roi de Trézéne ; sa généalogie. VI. 145. VII. 96. *à la Note.* Prend soin de l'éducation de Thésée son petit-fils. 97

Pitho, Déesse des Orateurs. I. 350. surnom de Diane, à quelle occasion. IV. 213. c'étoit la Déesse de la persuasion ; ses Temples. V. 238

Pitho, nom d'une Nymphe. IV. 366

Pivert, Oiseau consacré à Mars. I. 460

Planétes, (les) adorées chez les Egyptiens. I. 180. leur origine, suivant les Grecs. 196. leur culte chez les Perses & autres Peuples. 310. 320. & suiv. 332. II. 275. de qui elles sont la demeure. II. 290. III. 243

Platane, à qui cet Arbre étoit consacré I. 461

Plantes, celles qui étoient spécialement consa-

. crées aux Dieux. I. 460. 461

P*léiades*, (les) Conftellation ; filles d'Atlas. I. 24. 188. III. 438. 442

P*leftorus*, honoré chez les Thraces comme un Héros. III. 235

P*leureufes* à gages, en ufage chez les Amériquains comme chez les Romains. I. 248

P*leuron*, fils d'Endymion : fes ancêtres, fes defcendans. VI. 92. 93

P*léxaura*, nom d'une Nymphe. IV. 366

P*léxippe*, fils de Phinée : fon pere lui fait crever les yeux, & en eft puni. VI. 404. 405

P*léxippe*, frere d'Althée. Voyez *Toxée*.

P*lione*, nom d'une Nymphe. IV. 366

P*lifthéne*, frere d'Atrée : s'il étoit le pere d'Agamemnon & de Ménélas. VII. 314

P*lotæ*, Ifles de la Mer d'Ionie, nommées dans la fuite les Strophades. VI. 406

P*luie d'or*, fondement de la fable du changement de Jupiter en pluie d'or, pour tromper Danaé. 133. Voyez P*rœtus*.

P*luies* de pierres, de cendres, de feu, de fang, &c. Ce que c'étoit que ces pluies. II. 152. 154. 155

P*luton*, fils de Saturne & de Rhéa. I. 200. III. 263. quel pays lui échut en partage. I. 34. III. 279. 341. V. 71. pourquoi il paffa pour le Dieu des Richeffes. III. 343. V. 72. 73. pourquoi en a-t'on fait le Dieu de l'Enfer. 73. les différens noms qu'il a eu. 75. fon Culte : comme on le repréfentoit. 76. enleve Proferpine. 77. pourquoi on haïffoit Pluton & les Dieux infernaux : pourquoi on les honoroit. 177. Culte que lui rendoient les Gaulois ; furquoi étoit fondé ce Culte. 481

P*lutus*, Dieu des Richeffes : de qui il étoit fils. I. 204. V. 120. fon origine. 122. pourquoi on le dit aveugle & boiteux. 123

P*luvius*, furnom de Jupiter : comme on repréfentoit

toit ce Jupiter. III. 348
Plyntéries, fêtes de Minerve : comme on les
célébroit. I. 534
Podalire, frere de Machaon : son Histoire. V. 274
Podarce, premier nom de Priam. VII. 51. Voyez
Priam.
Poësie (la) ancienne dans l'Orient. I. 124. 125.
son origine dans la Gréce. III. 339. où l'on dis-
putoit le prix de la Poësie. IV. 15. VIII. 107. 153
Poëtes, (les) ont été regardés comme les premiers
Historiens. I. 37. Auteurs de la plûpart des fa-
bles. 65. leur Théologie. I. 260. II. 259. *& suiv.*
Pogwid, Dieu des Sarmates. III. 231
Poissons, (les) honorés en plusieurs endroits. I. 356.
III. 50. il y en avoit de consacrés à quelques
Divinités. I. 460. pourquoi les Syriens s'absté-
noient de manger du poisson. II. 393. III. 51. 52
Poissons, signe du Zodiaque, de qui on l'a dit
formé. I. 342. VIII. 89
Polémocrate, fils de Machaon, Héros honoré dans
la Gréce. VI. 158
Polidora, nom d'une Nymphe. IV. 366
Poligone, fils de Protée, tué par Hercule. IV. 339
Poliso, une des Hyades. III. 445
Poliuchos, ou *Poliade*, nom de Minerve. IV. 24
Polybotés, un des Géants qui firent la guerre aux
Dieux. Isle qui fut formée de son corps. III. 268
Polydecte, Roi de l'Isle de Sériphe, sa généalogie,
reçut favorablement Danaé ; prit soin de Persée.
VI. 95. 170. il est pétrifié par Persée : pourquoi.
174. 200
Polydore, fils de Cadmus & d'Harmonie. I. 204.
est chassé du Royaume de Thébes ; pourquoi.
VI. 133. ses descendans. *ibid. &* 134
Polydore, fils de Priam & d'Hécube. VII. 284. en-
voyé encore enfant chez Polymnestor, Roi de
Thrace, qui le fit mourir. 291. 292
Polydore, fille de Méléagre & de Cléopatre. VII.

173. Voyez *Protéfilas*

Polydore, fils d'Alcaméne Roi de Sparte ; un des Héros de la Gréce. VI. 162

Polydore, fille de Pélée & d'Antigone ; mere de Mnefthée. VII. 336

Polymnie, une des Mufes : fignification de ce mot ; comme on la repréfente. IV. 224

Polymneftor, Roi de Thrace : fon avarice. VII. 291. 292

Polynice, fils d'Œdipe & de Jocafte, un des Illuftres condamnés au Tartare. V. 206. Voyez *Ethéocle*.

Polyphême, un des Cyclopes de la Sicile : fon avanture avec Ulyffe. VII. 367. 371. qui étoit ce Cyclope. 371. fon amour pour Galathée. 372

Polytechne, gendre de Pandarée. Voyez *Pandarée*.

Polythéifme, par qui introduit. I. 192

Polyxene, fille de Priam. VII. 284. facrifiée aux manes d'Achille. 286. pourquoi & par qui. 344. & fuiv. 467

Pomme d'or, jettée par la Difcorde. I. 268. Pommes d'or du Jardin des Hefpérides. I. 52. III. 446. ce que c'étoit que ces Pommes. ibid.

Pomone, Déeffe des Jardins & des Vergers. I. 345. 348. les amours de Pomone & de Vertumne : ce qu'ils fignifient. IV. 441. 442. comme on la repréfentoit : d'où elle avoit pris fon nom. 444

Pontifes des Grecs. 489. ceux des Romains : leur prééminence fur les autres Prêtres, leurs fonctions. I. 509

Pontus, qui il étoit fuivant les Phéniciens. I. 166. fuivant les Grecs. 198

Populifugies, fêtes Romaines : pourquoi inftituées. I. 546

Populonia, Divinité Champêtre. I. 348. IV. 460. V. 336

Porevith, Dieu des Germains : comme il eft repréfenté. V. 573

Porphyrion, un des Géants qui firent la guerre aux Dieux, sa mort III. 267. voulut faire violence à Junon en préfence de Jupiter. 268

Portes, Dieux des Portes. I. 346. III. 427. V. 337

Portugal, origine de ce nom. I. 103

Portumnus ou *Portunus*, c'eft le Palémon des Grecs, & le Mélicerte des Phéniciens. I. 26. IV. 352. il eft changé en Dieu marin. *ibid.*

Porus, Dieu des Richeffes, pere de l'amour. IV. 74

Poféidon, furnom de Neptune, fon étymologie. I. 166. III. 343. IV. 301

Pofidonies, fêtes en l'honneur de Neptune. I. 530

Poftverta, Déeffe Romaine. I. 345. V. 330

Pothos, fils de Chronos & d'Aftarté. I. 165

Poticiens, Voyez *Pinariens*.

Potina, Déeffe tutélaire des enfans. I. 346. V. 351

Potniades, qui étoient ces Déeffes Grecques ; origine de ce nom. V. 305

Poulets facrés, comme on en tiroit des Augures : confiance des Romains pour ces Augures. II. 37. 135. 136

Pourpre, par qui a été inventé l'art de teindre en Pourpre. VII. 65. 66

Prædator, furnom de Jupiter. III. 349

Praxidiciennes, quelles étoient ces Déeffes. VI. 58

Préféricule, Vafe pour les Sacrifices. I. 483

Préma, Déeffe invoquée dans les Mariages. III. 402. V. 332

Préneste, Ville d'Italie : comment on y confultoit les Sorts. II. 51

Préfages, de combien d'efpéces. II. 144. fuperftition des Payens à cet égard. 147. 148

Prêtres des Dieux, auteurs de plufieurs fables. I. 78. leurs impoftures. 129. 130. 286. comme ils fe préparoient aux Sacrifices. I. 473. 474. comment on les choififfoit. 490. Prêtres des Grecs : les Princes des Prêtres de Delphes. 494.

& suiv. trois fortes de Prêtres communs aux Grecs & aux Romains. 499. Prêtres particuliers aux Romains, leurs priviléges. 506. *& suiv.* établissement de plusieurs Ordres de Prêtres à Rome. V. 320. usage des Prêtres d'Egypte. II. 280

Prêtresses, femmes qui présidoient à la Religion : en grande vénération chez les Grecs. I. 493. 497. & chez les Romains. 504. 513.   517

Preugone, un des Héros de la Gréce. VI.   164

Priape, Dieu des Jardins. I. 249. IV. 446. son origine : fables qu'on a débitées sur ce Dieu : son Culte, comme on le représentoit. 448. *& suiv.*

Priam, fils de Laomédon, quel étoit son premier nom, origine de celui-ci. VII. 51. origine de la haine qui étoit entre sa famille & celle d'Agamemnon. 239. son Histoire pendant la guerre des Grecs. 243. 251. son entrevue avec Achille au Camp des Grecs. 276. 344. 345. sa mort & le sort funeste de sa nombreuse famille. 383. *& suiv.*   348

Prieres, (les) Divinités ; comme on les représente. V. 311. 312. fable d'Até sœur de ces Déesses. I. 53. Voyez *Até.*

Principes, opinion des deux Principes, ancienneté de cette opinion. I. 308. 311. inventeurs de cette opinion. II.   293. 294.

Proao, Dieu des Germains, ses fonctions, sa statue. V.   572

Procas, Roi d'Albe, pere de Numitor & d'Aumulius. VII.   405

Processions, celles qu'on faisoit en l'honneur d'Isis & d'Osiris. II. 399. *& suiv.* en l'honneur de Mars à Paprémis. 403. en l'honneur de Jupiter à Héliopolis. *ibid.* Processions des Hébreux imitées de celles des Egyptiens. 404. pratique des mêmes cérémonies chez d'autres Peuples. *ibid.* & 405. Processions en usage chez les Germains & chez les Gaulois.   405. 406

Procris, femme de Céphale ; son Histoire ; son mari la tue par mégarde. IV. 40. de qui elle étoit fille. VIII.   40. *& suiv.* 43

Procyon, nom d'une Constellation. VIII.   90

Prodice, l'une des Hyades. III.   445

Prodiges (les) , ceux qui sont regardés comme les plus mauvais de tous les présages. II. 148. deux classes de prodiges. 149. *& suiv.* comme on doit regarder ceux auxquels on ne peut donner une cause naturelle. 155. effet que produisoient les prodiges sur les esprits.   156

Prodomées, Dieux des Mégariens. V.   305

Proérosie, fête de Cérès dans l'Attique. V.   104

Prœtides, filles de Prœtus , qui se croyoient changées en Vache ; fondement de cette fable. VI.   215. 216

Prœtus, sa généalogie. VI. 49. c'est le Jupiter amoureux de Danaé. I. 51. III. 261. VI. 168. sa mort.   213

Profanus, surnom de Mercure. IV.   132

Progné, fille de Pandion , son Histoire, sa métamorphose en Hirondelle. VIII.   5. *& suiv.*

Promethée, pourquoi on a dit qu'il forma l'homme. I. 84. 85. III. 453. il inventa l'art de faire des statues. *ibid. &* I. 367. de qui il étoit fils. III. 446. comme il trompe Jupiter. 447. comme il dérobe le feu du Ciel. 448. supplice auquel il est condamné. 449. Hercule l'en délivre. *ibid.* VII. 39. explication des fables qu'on a mêlées dans l'Histoire de Promethée. III. 450. *& suiv.* Culte qu'on lui a rendu après sa mort.   461

Promethée, un des Dieux des Egyptiens, dans quelle classe. II.   289

Promethée, fêtes des Lampes. Voyez *Lampes.*

Promethées, fêtes en l'honneur de Promethée. I.   530

Pronuba , surnom de Junon. III. 385.   396

Propétides , femmes débauchées de l'Isle de Chy-

pre. VIII.   68

Prophétes, quelle sorte de Ministres c'étoit dans les Temples. I.   491
Prorsa, Déesse, par qui invoquée. I. 345. V. 330
Pro/clystius, surnom de Neptune, ce qu'il signifie. IV.   21. 316
Proserpine, fille de Jupiter & de Cérès. I. 203. III. 270. enlevée par Pluton. V. 79. & *suiv*. explication de cette fable. 86. & *suiv*. elle fut en vénération chez les Gaulois. V.   485
Protée, Dieu Marin; pourquoi on a dit qu'il prenoit différentes formes. I. 44. IV. 335. & *suiv*. explication de cette fable. 339. & *suiv*. pourquoi on le dit fils de Neptune. 347. étymologie de ce nom, en quel temps il a vécu.   349
Protésilas, fils d'Iphiclus, tué le premier à la descente des Grecs sur le rivage de Troye. VI. 383. VII. 173. 252. son Histoire.   464
Protésilées, fêtes en l'honneur de Protésilas. I. 530
Protogénie, aimée de Jupiter: ses enfans. III. 270
Protogone, nom du premier homme dans le systême des Phéniciens: sa postérité. I. 156. & *suiv*.
Providence, (la) Divinité: comme elle étoit représentée. V.   236
Psalachante, Nymphe amoureuse de Bacchus, sa mort, sa métamorphose en une Plante de son nom. VI.   284
Psamathé, femme d'Æaque. I. 204. sa généalogie, son fils. *ibid*. VII.   335
Psamméticus, Roi d'Egypte, rétabli sur son Trône par des hommes d'airain sortis de la Mer. VI.   118
Psaphon, Dieu adoré dans la Lybie; à quel stratagême il dut sa Divinité. V.   297
Psyché, sa naissance, ses amours avec Cupidon; ses avantures; elle est enlevée dans le Ciel. IV. 80. & *suiv*. comme on l'a représentée.   89
Psycomantie, sorte de Divination. II.   122

Ptéras, Architecte du Templé de Delphes; origine de son nom. I.   117

Ptérélas, fils de Taphius, ses ancêtres. VI. 51. VII. 4. mort de ses enfans. 5. sa mort causée par la trahison de sa fille.   6

Ptolomée-Philadelphe, mis au rang des Héros Eponymes. VI.   165

Pudeur, (la) Divinité : son Temple à Rome. I. 350. Voyez **P**udicité.

Pudicité, (la) ses Temples & ses Autels à Rome: V. 231. on distinguoit la Pudicité des Patriciennes & des Plébéïennes ; origine de cette distinction. I. 350. V.   231. 232

Pugilat, un des exercices pratiqués dans les Jeux des Grecs & des Romains, ce que c'étoit. VIII.   107. 108

Purs, les Dieux Purs honorés par les Arcadiens. V.   307

Puta, Déesse honorée à Rome. V.   342

Pygas, Reine des Pygmées, métamorphosée en Grue; pourquoi. VIII.   37

Pygmalion, Roi de Tyr, frere d'Elise ou Didon ; son avarice, sa cruauté. VII.   413

Pygmalion, Roi de Chypre, qui devint amoureux d'une belle statue. *ibid. à la Note.*

Pygmées, ce que les Poëtes & les Historiens ont raconté de leur existence, de leur taille, de leurs mœurs, de leurs combats avec les Grues. VIII. 24. *& suiv.* explication de ces fables : quels Peuples on a voulu désigner sous ce nom. 28. *& suiv.* qui sont les Pygmées dont parle le Prophéte Ezéchiel.   38

Pylade, cousin d'Oreste, & son ami intime : sa généalogie. VI. 318. 326. généreux combat d'amitié entre ces deux amis. 323. il épouse la sœur d'Oreste, enfans qu'il en eut. 325. sés ancêtres.   326

Pyrame & Thisbé, leurs amours, leur mort. VIII.   20

Pyrenée, Tyran de Phocide qui persécute les Muses. IV. 225

Pyrénées, (les Monts) d'où ils ont pris leur nom. I. 103

Pyryphlégéton, Fleuve d'Epire, dont on a fait un Fleuve d'Enfer : étymologie de ce nom. V. 59. 62

Pyromantie, sorte de Divination. II. 120

Pyroüs, nom d'un des Chevaux du Soleil. IV. 146.

Pyrrha, femme de Deucalion : sa généalogie. VI. 89

Pyrrhus, fils d'Achille, conduit au siége de Troye, quoique très-jeune; pourquoi. VI 448. VII. 262. comment il s'y distingua. 283. 347. enfans qu'il eut d'Andromaque. 287. il épouse Hermione déja fiancée à Oreste, qui le fait massacrer à Delphes. 335. 348. 447. où regnerent ses descendans. 287. 350

Pyrrisoüs, premier nom d'Achille, ce qu'il signifie. VII. 341

Pythagore, sa Doctrine de la Métempsycose: où il avoit pris cette idée. I. 121. II. 393. V. 11. Voyez *Métempsicose*. De qui il disoit avoir appris ce qu'il enseignoit. VI. 248

Pythie, Prêtresse d'Apollon à Delphes. II. 21. comme on la choisissoit, comme elle rendoit ses Oracles. 22. & *suiv.* ses réponses mises en vers; raillerie sur cela. 26. 60. cause de la décadence de l'Oracle. 60

Pythiens, Jeux Pythiens ou Pythiques : leur établissement; prix du vainqueur en ces Jeux; quels en étoient les exercices. IV. 203. VIII. 133. & *suiv.* en quel temps ils étoient célébrés. 137. sous quel nom les Romains les adopterent. 137

Pythius, surnom d'Apollon. IV. 203

Python, Serpent: de qui les Poëtes le font naître. II. 309. 322. il est défait par Apollon: origine des Jeux Pythiens. IV. 185. 203. que le Ty-

phon des Egyptiens eſt le modèle de la fable de
Python. II. 309. 322
Pytocamptès, Bandit tué par Théſée. **V.** 185

Q.

QUADRATUS, ſurnom de Mercure. IV. 132
Querron, Lac d'Egypte, d'où les Grecs ont formé
leur Achéron. V. 44. 45
Quies, Déeſſe des Romains, ſes Temples. V. 225. 334
Quindécimvirs, Miniſtres établis pour la garde des
Livres Sybillins. I. 516. 517. II. 85. 86
Quinquatries, fête des Ecoliers à Rome. I. 548
Quirinales, fêtes célébrées à Rome. I. 549. & V. 351
Quirinus, nom donné à Mars : différence du nom
Quirinus, & du nom *Gradivus*. IV. 41
Quirinus, nom donné auſſi à Romulus ; pourquoi.
I. 549. IV. 41. V. 320. 351

R.

RABDOMANTIE, eſpéce de Divination.
II. 117
Rachel. Voyez *Théraphimes*.
Rameau d'or, avec lequel Enée paſſa au Royaume
de Pluton. V. 35. 47. 63. comme Enée le trou-
va : ce qu'on doit penſer de cette fiction. 64. 65
Reconnoiſſance, (la) des Peuples à l'égard de leurs
Bienfaiteurs ; ſource de pluſieurs fables. I. 84. &
ſuiv.
Régifuge, fête ainſi nommée par les Romains ;
pourquoi. I. 549
Réidan, Fleuve de Pruſſe. IV. 167. Voyez *Cygnus*
& les *Héliades*.
Reine, la Reine par excellence, la même que Rhéa

& Pandore. I. 185. fon Hiftoire fuivant les Atlantides. 186

Reine (la) des Sacrifices à Athenes. I. 493. à
Rome. I. 514

Religion, combien on diftingue d'anciennes Religions. I. 282. que le fond de toutes les Religions a toujours été le même. 297. Religion des
premiers Idolâtres. I. 337. & *fuiv.* celle des
Grecs, la plus monftrueufe de toutes les Religions. 344. celle des Romains. Voyez *Romains.*
Quelle étoit la Religion des Sçavans du Paganifme. 299. Voyez *Idolâtrie & Théogonie.*

Remmon, Dieu des Syriens. III. 2

Rempham. Voyez *Kiun.*

Rémus, frere de Romulus. I. 129. IV. 37

Renard qui caufoit du ravage autour de Thébes,
changé en Pierre. VIII. 42

Renommée, (la) Divinité, fon Culte, fon origine,
fon portrait. V. 243. & *fuiv.*

Rethée, Promontoire près duquel fut dreffé le Tombeau d'Ajax. VII. 358

Rhadamanthe, fils de Jupiter & d'Europe. III. 270.
V. 36. 69. 70. un des Juges d'Enfer. VI. 255.
fon Hiftoire. 258. & *fuiv.* qu'il y a eu plufieurs
perfonnes de ce nom. 260

Rhadine, Héroïne, par qui honorée. VI. 166

Rhamnus, Bourg de l'Attique. Culte de Néméfis
établi dans ce Bourg. V. 160

Rhamnufia, furnom de la Déeffe Néméfis. *ibid.*

Rhamfinite, Roi d'Egypte, ce qu'il fit pour le
Temple de Vulcain à Memphis. I. 387. fa defcente aux Enfers. V. 67

Rhapfodes, qui étoient les Rhapfodes. IV. 16

Rhéa, une des huit grandes Divinités des Egyptiens. I. 182. II. 288. fes enfans. Son Hiftoire
fuivant les Grecs. I. 200. III. 263. 264. 275.
comme elle accoucha de Jupiter. 263. la Terre
adorée fous le nom de Rhéa. I. 343. IV. 396.

Rhéa-Sylvia, mere de Rémus & de Romulus. I. 129. quel étoit le Dieu Mars qui l'en rendit mere. IV. 37. VII. 405

Rhée, fille d'Uranus, devient Concubine de Chronos; ses enfans. I. 165

Rhéo, fille de Staphilus, mere d'Anius; comme elle en devint mere. VII. 418

Rhésus, Roi de Thrace, vient au secours de Troye. VII. 252. il est tué avant que d'entrer dans Troye, & ses Chevaux sont enlevés, pourquoi. 266. 267

Rhin, (le) Fleuve en vénération aux Gaulois; pourquoi. V. 379. comme ils éprouvoient la fidélité de leurs femmes par ce Fleuve. 427

Rhodea, Nymphe. IV. 366

Rhodes, Isle, d'où elle a pris son nom. I. 103. Culte qu'elle rendoit à Minerve. IV. 12. fable de la pluye d'or tombée dans cette Isle : pourquoi Minerve la quitta pour se retirer à Athénes, 13. métamorphose des Rhodiens en Rochers. VIII. 72. 73

Rhodope. Voyez *Hemus*.

Rhoio, fille de Staphile & de Chrysothémis. V. 295

Richesses, Divinités qui y présidoient. I. 347

Ridiculus, Divinité Romaine, son origine. V. 339.

Risus, le Dieu Risus, ou le Rire, Divinité; sa Fête gaie. V. 310

Robigalia, fêtes ainsi nommées. I. 546. IV. 455

Robigus, Dieu des Bleds. Etymologie de son nom. I. 347. IV. 455

Rodigast, Divinité des Germains : comme ils le représentoient. V. 573

Roi, surnom donné à Jupiter. III. 345

Roi Sacrificateur, quand & pourquoi il fut établi. I. 510. quel jour il prenoit la fuite. 549

Romains, leur Religion. I. 215. 505. qu'ils ajou-

terent plusieurs Divinités à celles des autres Peuples. 344. & suiv. 352

Rome, ce qu'elle fut d'abord pour la Religion. I. 505. mise au rang des Divinités; son Culte, comme on la repréſentoit. V. 347

Romulus, ſa naiſſance. I. 129. ſoin qu'il prit de la Religion. V. 314. & suiv. fut mis au rang des Dieux; son Culte, son Temple, son Pontife, 320. 349. & suiv. fête instituée en ſon honneur. Sous quel nom il fut honoré. 350. 351

Roſe, Fleur conſacrée à Vénus, pourquoi. IV. 63

Roſeau, (le) pourquoi conſacré à Pan. I. 461

Rotonde, nom moderne du Panthéon qui ſubſiſte encore à Rome: deſcription de ce Temple, à qui il étoit autrefois dédié, par qui bâti. I. 405. ce qui en a été diſſipé. 407

Routren, un des principaux Dieux des Indes Orientales. I. 20

Rumilia, Déeſſe, pourquoi on l'invoquoit. I. 345

Rumina, Déeſſe; pourquoi on l'invoquoit. I. 346 347. V. 331. 332

Runcine, Déeſſe de la Moiſſon. IV. 459

Ruſina ou *Rutina*, Déeſſe des Campagnes. IV. 458. V. 342

S.

SABASIES, fêtes ainſi nommées. I. 534

Sabbat, aller la nuit au Sabbat; origine de cette idée. V. 426. 427

Sabéens, Nation Arabe. Sacrifice qu'elle faiſoit tous les jours au Soleil. II. 423. 427. 428

Sabiſme, quelle ſorte de Religion c'étoit; objet de ſon culte. I. 282. 310. 332. III. 4

Sacæ ou *Saques*, nom des Scythes. III. 272

Sacea ou *Sakea*, fête célébrée par les Perſes & les Babyloniens. III. 203. 204

Sacrifice, ce que c'eſt. Simplicité des premiers Sacrifices.

crifices. I. 445. quand commencerent les Sacrifices fanglans. 447. & fuiv. & les Sacrifices barbares de victimes-humaines. 451. & fuiv. quels
furent d'abord les Miniftres des Sacrifices. 455.
différentes fortes de Sacrifices. 463. 469. des
formules de Prieres qu'on y faifoit. 481. Inftru-
mens des Sacrifices. 482. & fuiv. des Miniftres
des Sacrifices. Voyez *Prêtres*. Ce qu'on entendoit par les Sacrifices des Morts, dont parle
l'Ecriture. III. 85

Sadid, fils de Chronos qui le fit mourir. I. 164

Sagaritis, nom d'une Nymphe. IV.. 366

Sageffe, (la) érigée en Divinité. I. 352

Sagittaire, (le) Conftellation ; comme elle fut
formée. VI. 339. VIII. 89

Sain, Ifle de Sain, fituée fur la côte de Bretagne :
quelle Divinité y étoit adorée : réputation des
Druydeffes de cette Ifle. V. 419. 488

Sais, Ville d'Egypte, d'où elle a tiré fon nom. I.
103. quels animaux y étoient honorés. I. 155.
II. 283. Temple fingulier qu'y fit bâtir Amafis. 388. fête qu'on y célébroit en l'honneur de
Minerve. II. 403

Saifons, par qui elles furent enfantées. I. 203

Salacer, Divinité de Rome. V. 339

Salacia, Déeffe des Tempêtes. I. 349. femme de
Neptune. IV. 311

Salamine, Ville de Chypre : fon ancien nom :
quels Sacrifices on y offroit. VI. 66

Salente, Ville d'Italie : par qui bâtie. VII. 474.
476

Saliens, Prêtres de Mars à Rome, par qui inftitués, & pourquoi. IV. 44. 45

Salmacis, fa paffion pour Hermaphrodite : Fondement de cette fable : Fontaine de même nom.
VIII. 22. 23

Salmonée, fils d'Eole. VI. 92. condamné au Tartare ; pourquoi. V. 37

338   TABLE

Salus, Déeffe de la Santé, fon Culte à Rome, & fes Prêtres. V.   288

Samos, Ifle: Culte qu'on y rendoit à Junon. III.   374. 388. 391

Samothées, nom des Druydes. V.   391

Samothrace, Ifle ; quels Dieux y étoient honorés. III. 111. 112. célébrité des Myfteres de Samothrace. VII.   128. 130

Salmydeffe, Ville de Thrace. Voyez *Phinée*.

Sanchoniathon, ancien Hiftorien des Phéniciens, en quel temps il a vécu. I. 99. 151. fragment de fon Hiftoire. 151. & *fuiv*. pourquoi il n'a parlé que des defcendans de Caïn.   172

Sangaris, nom d'une Nymphe. IV.   166

Sanglier d'Erymanthe. Voyez *Erymanthe*.

Sængus ou *Sanctus*, furnom donné à Jupiter par les Sabins. I. 359. III.   358

Santé, (la) mife au nombre des Déeffes. V. 288. 289. Voyez *Salus*.

Saques. Voyez *Sacæ*.

Sares, ufage de compter les années par Sares: combien le Sare en marquoit. I. 148. *à la Note*.

Saron, Dieu des Mariniers. IV. 350. fon Hiftoire.   *ibid.*

Sarpédon, fils de Jupiter & de Laodamie. VI. 332. Troupes qu'il commandoit au fiége de Troye.   239. 261

Sarpédon, fils de Jupiter & d'Europe. VI. 111. 244. fon Hiftoire.   246. 260. 261

Sarronides, Miniftres de la Religion chez les Gaulois, leurs fonctions. V.   390. 391

Sarug, pere d'Abraham. Voyez *Abraham*.

Saturnales, fêtes des Romains : comment on les célébroit. I. 536. III. 408. pourquoi inftituées,   *ibid.* & 292

Saturne, étymologie de ce nom. III. 409. fa généalogie fuivant la tradition des Atlantides. I. 187. III. 273. 406. fuivant les Grecs. I. 196.

III. 406. son Histoire. I. 187. III. 273. 286. 403. & *suiv.* temps auquel il a vécu. 469. pourquoi on dit qu'il dévoroit ses enfans. I. 200. III. 263. 275. 299. 409. qu'il étoit lié avec des liens de laine dans sa prison. 290. qu'il fut précipité par Jupiter dans le fond du Tartare. 293. Culte rendu à Saturne. 412. & *suiv.* V. 481. c'étoit un des grands Dieux des Egyptiens. I. 188. II. 288. comme on le représentoit. III. 414. 415

Saturne, Planéte ; ce que les Philosophes en ont dit. III. 409. 410

Saturnie, ancien nom de l'Italie. III. 408

Satyres, Dieux de la Campagne : comme on les représentoit. IV. 460. 461. 467. leur origine. 461. s'ils étoient des hommes. Histoires de plusieurs Satyres. 463. & *suiv.* étymologie de ce nom. 467. regrets des Satyres sur la mort d'Osiris. II. 369. 371

Saut, (le) exercice du Pentatle. VIII. 107. en quoi il consistoit. 109

Schytinide, Nymphe aimée de Jupiter ; ses enfans. III. 270

Scie, qui fut l'Inventeur de cet Instrument, & quel en fut le modéle. VI. 307

Sciomantie, sorte de Divination. II. 122

Sciron, Brigand tué par Thésée ; ses méchancetés, sa mémoire justifiée par les Mégariens. VII. 102

Sculpteurs, (les) qu'ils ont donné origine à plusieurs fables & à plusieurs Divinités. I. 75. 295. 339. 352

Sculpture, antiquité de cet art : Ouvriers qui s'y rendirent fameux en Gréce. I. 430. & *suiv.*

Scuvac, Dieu des Arabes. II. 421

Scylla, fille de Nisus, qui trahit son pere, & fut changée en Alouette. VI. 264

Scylla & *Charybde*, Monstres fabuleux ; origine de cette fable. I. 51. 127. VII. 371

Scythes, Peuples du Nord, leur Religion. I. 337.
III. 215. *& suiv.* Monumens de leur Religion.
223. leur origine ; Pays qu'ils habiterent. III.
                            271

Scythisme, quelle Religion c'étoit. I.   282
Sebasius, surnom de Jupiter. III.   350
Sécespita, Instrument pour les Sacrifices. I. 474.
                            484
Ségétia, Déesse des Bleds. I. 347. IV. 454
Séia, Déesse des Sémailles. I. 347. IV. 454. en
quoi elle différoit de Segetia.   455
Sel, par qui l'usage en fut trouvé. I. 162 le Sel em-
ployé dans les Sacrifices. 447. 450. 451. 470
Sélage, Plante, autrement la Pulsatille, supersti-
tion des Druydes pour la cueillir. V.   406
Sélamanès. Voyez *Madbacus.*
Séléné, fille d'Hypérion & de Rhéa ; sa mort, son
culte sous le nom de la Lune. I.   186. 187
Sem, fils de Noé ; s'il a conservé de son vivant le
culte du vrai Dieu. I. 291. 296. d'où ses descen-
dans reçurent l'Idolâtrie.   306
Sémailles, les Féries de la Sémaille, fêtes en l'hon-
neur de la Terre. IV.   398
Sémelé, fille de Cadmus & d'Harmonie. I. 203.
VI. 127. mere de Bacchus, sa mort. IV. 229.
230. 240. VI. 127. 129. fut mise parmi les Dées-
ses ; sous quel nom.   251
Sémiramis, sa naissance, étymologie de son nom.
III. 51. sa mort, sa métamorphose en Colombe.
                            52
Semnothées, nom des Druydes. V.   391
Sémixas, chef des Anges rebelles. I.   211
Sémonie, Déesse des Romains. V.   333
Sénani, nom donné aux Druydes. V.   391
Sennaar, la Plaine de Sennaar, où se fit la pre-
miere dispersion des Peuples après le Déluge.
II.   274
Sentinus, Divinité qui donnoit le sentiment. V.
                            330

Sénuius, Dieu qui préfidoit à la vieilleſſe. I. 348

Septimonium, fête Romaine. I. 546

Sérapis, un des grands Dieux d'Egypte ; s'il eſt le même qu'Oſiris. II. 289. 343. 344. origine de ce Dieu. 343. 345. Loi qui défendoit de dire que Sérapis avoit été un homme mortel. 352. qu'il eſt le même que Pluton. 348

Sérihphe, Iſle, les Habitans de cette Iſle pétrifiés par la tête de Médufe. VI. 174. fondement de cette fable. 200

Sermens, l'origine des Sermens. II. 168. la forme & la cérémonie des Sermens, l'ufage qu'on en faifoit, & l'horreur qu'on avoit du parjure. 169. quel Dieu préfidoit au Serment. 170. du Serment des Dieux par le Styx. I. 200. II. 169. V. 60

Serpent, (le) Symbole de la Divinité chez les Égyptiens. I. 179. en vénération en pluſieurs pays. 356. Serpens tués par Hercule au berceau. VII. 15. A qui les Serpens étoient confacrés. I. 460

Serpent, Conſtellation : de quel Dieu on en fait la demeure. I. 342. VIII. 88

Serpentaire, Conſtellation : de qui elle a été formée. ibid.

Séfac, Divinité nommée dans le Prophéte Jérémie. III. 203. 204

Séfak, Dieu des Babyloniens. III. 2

Seth, un des noms de Typhon. II. 288

Sévere, Empereur, où il fut honoré d'un culte divin. II. 440. 441

Sybilles, s'il y a eu des Sybilles. II. 67. 74. leur nombre. 68. & *fuiv.* ſi elles avoient le don de prédire l'avenir. 76. & *fuiv.* recueil des vers Sibyllins. 81. & *fuiv.* comment elles rendoient leurs Oracles : longue vie qu'on leur attribuoit. 99. du culte rendu aux Sybilles. 107

Sicharbas, ou *Sichée*, mari de Didon, affaffiné par

Pygmalion. VII.　413

Sicile, pourquoi cette Ifle étoit confacrée à Cérès & à Proferpine. V.　78. 104

Sicyon, Roi de Sicyone ; à qui il donna fon nom. VI.　46

Sicyone, Ville & Royaume du Péloponèfe, fa fituation. VI. 40. en quel temps fut fondé ce Royaume : fuite de fes Rois. 43. & *fuiv.* par qui réuni au Royaume d'Argos.　47

Sidon, fille de Pontus, la premiere qui compofa des Odes. I.　166

Sidoniens, quelle étoit leur principale Divinité. III.　2. 10

Sigalion, Dieu du Silence. I.　348

Silene, pere nourricier de Bacchus : différens portraits qu'en ont fait les anciens ; fon Hiftoire : explication des fables qui y font mêlées. IV. 476. & *fuiv.* culte qu'on lui rendit.　487

Silenes. Voyez *Satyres*.

Simpulum ou *Simpuvium*, Inftrument des Sacrifices. I.　484

Singe, (le) en vénération parmi les Egyptiens. II.　377

Sinius, Géant furnommé le Ployeur de Pins : fa mort. VII.　100

Sinon, Grec : fon artifice pour furprendre les Troyens. VII.　280

Sippara, Ville du Soleil. I.　149

Sirénes, origine de ce nom. I. 112. qui étoient les Sirénes : idée qu'en donnent les Poëtes. IV. 378. & *fuiv.* explication des fables qu'on a débité fur leur fujet. 382. 383. y a-t'il jamais eu des Sirénes. 383. qui font les Sirénes dont parle Ifaïe.　386

Sifyphe, fils d'Eole. VI. 92. bâtit la Ville de Corinthe : fes enfans.　94

Sifyphe fecond, defcendant d'Eolus, fucceffeur de Médée au Royaume de Corinthe. V. 180. fon

Hiftoire : fables débitées à fon fujet : fon fupplice dans le Tartare. 38. 180. & *fuiv.* fes defcendans. 185. fa piété envers Mélicerte.   *ibid.*

Six, le nombre de fix en vénération chez les Druydes. V.   116

Siwa, Déeffe des Germains, comme elle eft repréfentée. V.   574

Smynthien, nom donné à Apollon. IV.   204

Smyt, l'un des noms de Typhon. II.   288

Sogdiane, pays d'Afie occupé par les Scythes. III.
                                               272

Sohail, Dieu des Arabes. II.   421

Soleil, (le) la grande Divinité des Phéniciens. I.
   156. des Egyptiens. 180. des Atlantides. 186.
   des Amériquains, qui lui facrifioient leurs enfans. 252. que l'Idolâtrie a commencé par le
   Culte du Soleil. 319. & *fuiv.* coutume chez les
   Payens de fe tourner vers le Soleil levant pour
   prier, & de diriger de ce côté-là l'ouverture de
   leurs Temples. 326. fondement du Culte du Soleil. 78. 287. 328. fous quels noms il fut adoré chez les différens Peuples. 329. 343. comme on le repréfentoit. IV. 142. & *fuiv.* Apollon
   confondu avec le Soleil. 137. & *fuiv.* de qui
   les Grecs le faifoient fils. I. 199. Princes qui
   prenoient la qualité de fils du Soleil. I. 246. 252.
   330. 331. que cet Aftre a été la Divinité de
   prefque toutes les Nations. II.   275

Solymes, Peuples de Lycie, à qui Bellerophon
   fit la guerre. VI.   229

Sommeil, (le) par qui il fut engendré. I. 197.
   V. 170. pourquoi on l'invoquoit : comme il
   étoit repréfenté. 170. 171. les Songes enfans du
   Sommeil : où étoit le domicile du Sommeil. 173.
   174. qu'étoit le Sommeil éternel.   169. 174

Somnialis, furnom donné à Hercule. II. 36. VII.
                                               80

Somniales Dii, Dieux qui préfidoient aux Son-

ges. VII.   80
Songes, (les) par qui engendrés. I. 197. V. 173.
   deux fortes de Songes. 172. Oracles qui fe ren-
   doient par les Songes. II. 36. 49. noms des
   Songes. V.   173
Soranus, Dieu des Sabins, le même que Pluton.
   I. 76. V.   75
Sorcieres qui attiroient la Lune fur la Terre : ori-
   gine de cette fable. I. 78. 79. Voyez *la Note.*
   V.   54
Sorts, Oracles qui fe rendoient par les Sorts : ce
   que c'étoit : où étoient les plus célébres. II.
                                              50. & *fuiv.*
Sofe, ancien ufage de compter par Sofes. I. 148.
   à la Note.
Sofipolis, Dieu des Eléens : fon Hiftoire. V. 292
Sofpita, Déeffe des femmes en couche. I.   345
Sphinge, fille naturelle de Laïus, fon Hiftoire.
   VII.   185
Sphinx, de qui on fait naitre ce Monftre. I. 199.
   Hiftoire du Sphinx d'Œdipe : explication de la
   fable. VII. 183. 184. comme on repréfente le
   Sphinx d'Egypte : qu'il eft différent de celui
   de Thébes. 187. *à la Note.* Des Sphinx placés à
   l'entrée des Temples. Voyez *Temples.*
Spineufe, Dieu des Romains. IV.   458
Spio, nom d'une Nymphe. IV.   466
Stade, lieu où fe donnoient les Jeux Olympiques,
   fon étendue : combats qui s'y faifoient. VIII.
                                              115. 125
Staphilé, Nymphe métamorphofée en vigne. IV.
                                              253
Stata, Déeffe des Romains. V.   339
Statanus & *Statilinus*, Dieux des enfans. I. 346.
   V.   331
Stator, furnom de Jupiter. III.   346
Statues : que les Egyptiens ont poffédé de temps
   immémorial l'art de faire des Statues. I. 431.

DES MATIERES. 345

qui fut le premier qui s'appliqua à perfectionner les Statues appellées Hermès. 432. de quelle matiere étoient les Statues. 445. des Statues Colossales. 437. & suiv. les Statues chargées des Symboles des Dieux. 442. ce qui porta à adorer des Statues. 295. 338. Statues proscrites à Rome dans les commencemens : quand y furent-elles introduites. I. 364. 436. 506. Statues du Temple de Babylone. 383. 438. Statue de Jupiter-Ammon, comme elle rendoit ses Oracles. II. 15. 16

Sténo, nom d'une des Gorgones. I. 198

Semmuius, honoré comme un Héros. VI. 164

Sténélus, Roi d'Argos. VI. 40

Sténélus, Roi de Mycenes. VI. 52. sa généalogie. VII. 3. comment il devint Roi de Mycenes. 6

Sténias, surnom de Minerve. IV. 24

Sténobée, femme de Prœtus ; veut faire périr Bellérophon. VI. 53. 219

Stercès, Roi d'Italie, pere de Picus, nommé Saturne après sa mort. III. 430. 431

Sterculius, surnom de Saturne : pourquoi. IV. 457

Stercutius, Dieu de l'ordure. I. 349

Sterquilinus, surnom du Dieu Pilumnus. IV. 457

Stibia, fille de Penée, aimée d'Apollon, ses enfans. VI. 316

Strenua, Déesse, quelle elle étoit. V. 225. 242. 335

Strophius, Roi de Phocide, pere de Pylade. VII. 318. sa généalogie. 326

Sthymphale, fils d'Elatus, ses ancêtres. VI. 34. donna son nom à une Fontaine, & une Ville qu'il bâtit. 35

Stymphale, Lac d'Arcadie : fable des Oiseaux Stymphalides. VII. 17

Styx, Fontaine d'Arcadie, dont l'eau est mortelle : origine de la fable qui en fait un Fleuve d'Enfer. V. 59. ce que signifie Styx. 46. 62. Histoire fa-

buleu'e du Styx. 59. 60. pourquoi le Serment fait par le Styx devoit-il être inviolable, punition des parjures. I. 100. II. 169. V. 60

Styx, nom d'une Nymphe. IV. 366

Suada, Déeffe des Orateurs. I. 350. V. 238

Suantowith, Dieu des Germains ; comme on le repréfentoit. V. 573

Succot Bénoth, Dieu des Babyloniens. III. 2. 97. fignification de ces termes. 97

Sueves, Peuples de Germanie. V. 535. leur Religion. *ibid. &* 565. 569

Sumanus, nom de Pluton chez les Latins. I. 76. V. 75. origine de ce nom. *ibid. à la Note. &* 162

Sumès, nom que les Carthaginois donnoient à Mercure. II. 434. IV. 131

Superftitions que l'Idolâtrie autorifoit. II. 1. *& fuiv.* fuperftitions des Druydes. V. 405. *& fuiv.* des Gaulois. 424. des Germains. 545

Supplications publiques & particulieres, en quelles occafions elles fe faifoient. I. 553

Sûreté, (la) Divinité des Grecs & des Romains : comme elle étoit repréfentée. Dieux qui procuroient la fûreté. V. 236

Syca, Nymphe aimée de Bacchüs, métamorphofée en Figuier. IV. 253

Sydic, furnommé le Libre, pere des Diofcures. I. 162. 165. cru le même que Sem fils de Noé, ou Uranus. 166

Syléianus, l'un des Dieux des Gaulois. V. 495

Sylvain, Divinité ennemie des Enfans. I. 346. comme on le repréfentoit. IV. 472

Sylvanus, origine de ce Dieu : comme on le repréfente. IV. 472. fon Culte très-célébre à Rome & dans les Gaules. 473. on le confond avec Pan. II. 370. IV. 472

Sylvius, fils pofthume d'Enée, Roi d'Albe. VII. 404. durée de fon regne. 405

Symplégades, Voyez *Cyanées*.

Syrinx, Nymphe changée en Roseau. I. 461. 367

T.

TAAUT ou *Thaut*. Voyez *Thot*.

Tabernacle, (le) bâti par Moïse, premier Temple & le modele de ceux qui ont été après élevés à la Divinité. I. 369

Table Iliaque. Voyez *Iliaque*.

Table Isiaque. Voyez *Isiaque*.

Tadmor ou *Tamor*, ou *Palmyre*, étymologie de ce nom: Dieux qui y étoient adorés. Temple de Bélus qui y étoit. III. 102. *& suiv.*

Tagès, celui qui enseigna le premier aux Etruriens la science des Aruspices. Son Histoire. II. 125. 138. 139

Talapoins, nom des Disciples de Fo chez les Siamois. I. 237

Talaüs, fils de Bias Roi d'Argos, & son successeur. VI. 50

Talismans, fort en usage chez les Anciens, & dont les Orientaux sont encore entêtés. III. 66. 67

Talus, neveu de Dédale, & son éleve dans la Statuaire: instrumens qu'il inventa; son habileté excite la jalousie de Dédale qui le fait périr. IV. 40 VI. 306. il est métamorphosé en Perdrix. VI. 308

Tanaïs, Divinité particuliere aux Arméniens. V. 302

Tanga-Tanga, Idole du Pérou, ce que signifie son nom. I. 20

Tantale, idée fausse qu'en ont donné les Poëtes. I. 67. sa généalogie. V. 192. sa guerre avec Tros, Roi de Troye. V. 197. sujet de cette guerre. VII. 239. 240. pourquoi on a dit qu'il est condamné au Tartare. V. 38. 193. *& suiv.* explication de cette fable. 196

Tantale, fils de Thyeſte, premier mari de Cly-
temneſtre. VII. 315

Tao-ſé, ſa Secte introduite dans la Chine. I. 233

Taranus, nom de Jupiter chez les Gaulois. III.
354

Taras, fils de Neptune, fondateur de Tarente :
comme il eſt repréſenté. IV. 325

Taraxippus, Génie dont la figure étoit placée dans
le ſtade d'Olympie : pourquoi. V. 506. honoré
comme un Dieu par les Eléens. IV. 320

Tartaq, Dieu des Hévéens, & des Syriens, ſa
fête. III. 2. 96, 98

Tartare, ſon origine. III. 294. & ſuiv. V. 15. 74.
où les Poëtes l'ont placé. V. 16. ceux qui ſont
condamnés au Tartare, y demeuroient ſans fin.
25. Deſcription du Tartare, & des peines qu'y
ſouffrent ceux qui y ont été condamnés. 36. &
ſuiv. 179. & ſuiv.

Tarteſſe, Fleuve d'Eſpagne. III. 295. V. 15.
Pluton établi aux environs de ce Fleuve, a
donné origine au Tartare. 72. 74

Taureaux aux pieds d'airain, domptés par Jaſon.
VI. 416. Taureau qui enleve Europe. Voyez
Europe. Taureau de *Paſiphaé*. Métamorphoſe de
Jupiter en Taureau. VI. 108

Tauride ou *Cherſoneſe Taurique*, où elle eſt ſi-
tuée. Religion de ſes Peuples. III. 224

Taurobole, ſorte de ſacrifice : ſa deſcription. I. 477.
& ſuiv.

Tauros Trigaranus, explication de ces mots d'un
bas-relief découvert dans la Cathédrale de Paris.
V. 447. & ſuiv.

Taurus, Prince qui enleva Europe. VI. 169

Taurus, jeune Seigneur de la Cour de Minos,
ſon intrigue avec Paſiphaé. VI. 271

Taygette, fille d'Atlas, l'une des Pléiades. I. 188.
III. 437. Voyez *Pléiade*.

Tchu-Mong, ſa naiſſance & ſes avantures. I. 254
Tébrus,

Tébrus, honoré comme un Héros. VI. 165

Téchnitès, fa généalogie fuivant les Phéniciens. I. 158

Tégéate, fils de Lycaon, qui fonda la Ville de Tégée. VI. 33

Tégée, Ville d'Arcadie. *ibid.*

Télamon, pere d'Ajax, fut un des Argonautes. VI. 375. 448. fa généalogie. VII. 103. 135. il eft banni de fa Patrie; où il fe retira. 335. 336. il acquiert le Royaume de Mégare. 340. venge fur Ulyffe la mort de fon fils Ajax. 367

Telchines, Habitans de la Ville de Talife; pourquoi on leur donna ce nom. VIII. 73

Telchiniens, forte de Prêtres de Cybele. III. 129. s'il faut les confondre avec les Cabires. 128

Téléboëns, Peuples de la Colonie qui fut conduite dans l'Ifle de Taphos. Ce qu'il fignifie. VII. 4

Téléchus, fils d'Archélaüs, honoré comme un Héros. VI. 165

Télégone, fils de Protée, tué par Hercule. IV. 339

Télégone, fils d'Ulyffe & de Circé. VII. 280. comme il tua fon Pere. 387. 388

Télémaque, fils d'Ulyffe & de Pénélope. fon Hiftoire. VII. 388

Téléphe, fils d'Hercule & d'Augé. VI. 64. pourquoi & comment il fut attiré au fiége de Troye; fon Hiftoire. VII. 269. 270

Téléphus, reçoit les honneurs du facrifice à Pergame. VI. 162

Télefphore, un des Dieux des Médecins. I. 350

Tellumo, quel Dieu c'étoit. IV. 396

Tellus, un des noms de la Terre. I. 343. IV. 396

Téménès, un des Héraclides: quelle Ville il eut pour fa part dans le Péloponefe. VII. 92

Témérus, Brigand tué par Théfée; d'où vient le Proverbe du *mal Témérien*. VII. 104

Téméfius, de Clafomene, honoré comme un Héros chez les Thraces. III. 234

Tempête, Divinité chez les Romains. V.   241

Temples, origine des Temples. I. 368. & *suiv.* différens noms donnés aux Temples, leur étymologie. 372. comme étoient partagés les Temples des Anciens. 373. 374. confécration des Temples. 375. 376. Refpect que les Payens avoient pour les Temples. 379. Defcription de quelques-uns des plus célébres. Temple de Bélus. 381. & *suiv.* Temple de Vulcain à Memphis. 386. Temple de Diane à Ephefe. 390. Temple de Jupiter Olympien. 395. Temple d'Apollon à Delphes. 402. Temples de Rome. 405. & *suiv.* Temples des anciens Gaulois. V. 374. 380. & *suiv.* 485. Temple des Amériquains. I.   248

Temps, (le) Divinité ; comme on le repréfentoit. V. 216. les parties du Temps, comment divifées. 217. Divifion des Temps. I. 105. 148. VI. 2. durée des Temps Héroïques. VI.   16

Ténare, Promontoire où étoit, felon les Poëtes, la porte de l'Enfer. V. 21. 53. VII.   42

Ténès, grande Divinité de l'Ifle de Ténédos. V.   307

Térée, mari de Progné. Voyez *Progné & Philomele.*

Terme, Dieu des Champs & des Bornes. I. 348. 357. IV. 427. fon Culte. IV. 430. la vénération pour ce Dieu augmentée par un événement. 431

Terminalia, fête Romaine. I.   546

Terpfichore, une des neuf Mufes : fes attributs, ce que fon nom fignifie. IV.   224

Terre, (la) fon origine fuivant les Chaldéens. I. 140. fuivant les Grecs. 195. la Terre adorée fous différens noms. I. 343. IV. 395. le Culte de la Terre très-ancien.   418. & *suiv.*

Terreur panique, ce que c'eft ; fon origine. II.   369

Teffa, Dieu des Sarmates ; quel il étoit. III.   231

Tête des victimes en abomination en Egypte. II.   282

Téthis, fille du Ciel & de la Terre. I. 196. ſes enfans. 199. IV. 285. 298. femme de l'Océan. IV.
285. 298. ſervice qu'elle rendit à Jupiter. 295

Teucer, beau-pere de Dardanus, quitte l'Iſle de
Créte, & vient s'établir dans la petite Phrygie.
VII. 301

Teuctame, fils de Dorus, le premier des Grecs
qui fut Roi de Créte, ſes deſcendans. VI. 100

Teutame, Roi de Suze, reçoit chez lui Tithon,
& lui procure un établiſſement. VII. 427. en-
voye du ſecours à Priam. 437. 439

Teutatès. Voyez *Theutat*.

Teuthis, Village d'Arcadie; ſtatue de Minerve
qu'on y voyoit. IV. 27

Teuthis, Chef des Arcadiens pour le ſiége de
Troye : fable de la bleſſure qu'il fit à Minerve.
IV. 27

Thalaſſius, Dieu du Mariage. I. 345

Thaleſſa, nom d'une Nymphe. IV. 366

Thalia. Idem. *ibid.*

Thalie, une des trois Graces. I. 203. Voyez *Graces*.

Thalie, mere des Dieux Palices. III. 141. 270

Thalie, une des neuf Muſes; ſes attributs, ce que
ſon nom ſignifie. IV. 224

Thamamiſadès, nom de Neptune chez les Scythes.
IV. 309

Thamiras, fils de Philammon, célébre Poëte &
Muſicien. Son avanture avec les Muſes. VIII.
49. *& ſuiv.*

Thamus, ſa relation ſur la mort du grand Pan.
II. 372

Thaon, un des Géants qui firent la guerre à Jupiter : ſa mort. III. 269

Thaphius, ſa généalogie; donne ſon nom à l'Iſle de
Céphalénie, ſes deſcendans. VI. 51. VII. 4

Thargélies, quelles fêtes c'étoient. I. 534

Tharſes, fils de Javan, fonda la Ville de Tharſe
en Cilicie. VI. 26. 28

Thafe, nom d'une Ifle & d'une Ville où Hercule étoit particulierement honoré. II. 285. VII. 74

Thafius, furnom d'Hercule, fous lequel il étoit honoré par les Tyriens & par les Thafiens. VII. 3. 74

Thaumas, pere d'Iris. I. 80. 198

Thaut. Voyez *Thot.*

Théa, fille du Ciel & de la Terre ; fes enfans. I. 196. 199

Théagene de Thafe ; pourquoi il reçut des honneurs divins. VI. 160

Thébé, fille de Jupiter & de Jodame, femme d'Ogygès : fes enfans. VI. 58

Thebes, Ville d'Egypte : Animaux qui y étoient en vénération. I. 355

Thebes, Ville de Béotie, bâtie par Cadmus. VI. 116. pourquoi dit-on que fes murailles furent bâties au fon de la lyre d'Amphion. I. 131. VI. 134. Hiftoire des deux guerres de Thébes. VII. 181. *& fuiv.* Epoque de ces deux guerres. 224

Thélefphore, Dieu de la Médecine, comme on le repréfente. V. 286. 287

Thelfinie, fille d'Ogygès. Voyez *Praxidiciennes.*

Thémis, fille du Ciel & la Terre. I. 196. III. 463. fes enfans. I. 203. III. 465. elle préfidoit à la Juftice. Voyez *Juftice.* Son Hiftoire. 464. Culte qu'on lui a rendu. 467. fes Oracles. 466. cette Divinité inconnue en Egypte. III. 241

Thémis. Voyez *Carmenta.*

Théogonies, des Chaldéens. I. 337. *& fuiv.* des Phéniciens. 151. des Egyptiens. 175. des Atlantides. 184. différentes Théogonies des Grecs. 190. celle qu'on attribue à Orphée. 191. celle d'Héfiode. 195. celle d'Ariftophane. 205. celle d'Ovide. 217. réflexions fur les Théogonies des Grecs. 220. Théogonies des Chinois & des Indiens. 226. des Bramines des Indes. 240. des

Amériquains. 243

Théologie (la) *Payenne*, fur-tout celle des Poëtes. I. 258. *& fuiv.* II. 259. *& fuiv.*

Théoné, fille de Theftor. Voyez *Theftor*.

Théophane, métamorphofée en Brebis par Neptune. VI. 358

Théopfie, ou Apparition des Dieux. III. 355

Théoria, Ambaffade ainfi nommée : fignification de ce mot. VI. 287

Théra, Ifle où les Myniens vinrent s'établir. VI. 438

Théraphims, honorés par les Chaldéens & les Phéniciens. III 2. 62. Théraphims de Laban dérobés par Rachel. 63 ce que c'étoit que les Théraphims; idée qu'on en avoit, leur forme, à quoi on s'en fervoit, leur antiquité & leur origine. 63. *& fuiv.* IV. 503

Théro, nom d'une Nymphe, & celui de la Nourrice du Mars Hyperboréen. IV. 36

Théron, Roi d'Efpagne, entreprend de piller le Temple d'Hercule près de Cadis : comme il en eft empêché. VII. 38

Therfandre, fils de Polynice, mis fur le Thrône de Thébes. VII. 204. fa mort : monument élevé en fon honneur. *ibid.*

Théfée, fa généalogie, fa naiffance, fon éducation. VII. 96. 97. fes premieres avantures. 99. *& fuiv.* il fe fait reconnoître à Athenes. 104. 105. fon voyage en Créte pour délivrer Athenes du tribut qu'elle payoit à Minos ; fes exploits en cette Ifle. VI. 274. *& fuiv.* il abandonne la belle Ariane. 279. fon retour caufe la mort de fon pere. 280. Danfe qu'il inftitue dans l'Ifle de Délos. 285. il réunit en un feul corps de Ville tous les Habitans de l'Attique. VII. 106. 107. il renouvelle les Jeux Ifthmiques. 109. fes autres expéditions. 111. 112. il enleve la belle Hélene. 113. *& fuiv.* fes mal-

heurs. 119. ſes enfans, ſes femmes, ſa mort.
121. 122. ſon Apothéoſe : Culte qu'on lui a
rendu. 123. 124. s'il fut du nombre des Argonautes. VI. 394. & ſuiv. VII. 104. 105. pourquoi condamné au Tartare ; ſa peine. V.   38

Théſéides, fêtes de Théſée. I.   531

Theſmophore, ſurnom de Cérès. V.   86

Theſmophories, fêtes en l'honneur de Cérès. I. 535.
V. 93. célébrées à Athénes & à Eleuſis. 105.
    106

Theſmophoros, ſurnom d'Iſis. I.   183

Theſpia, Ville de Béotie. IV.   228

Theſpiades, ſurnom des Muſes.   *ibid.*

Theſpie, nom d'une Nymphe. IV.   366

Theſprotie, ſituation de ce pays. III.   295

Theſſalie, fables débitées ſur ce pays. I. 78. 79.
V.   54

Theſſaliens, les premiers Grecs qui dompterent
les Chevaux. VI.   330

Theſthor, pere de Calchas, un des Argonautes. VI.
394. 449. ſon avanture & celle de ſes filles à la
Cour du Roi de Carie. VIII.   34. & ſuiv.

Thétis, femme de Pélée ; enfant qu'elle eut de lui.
I. 204. ſon mariage avec Pélée. VII. 231. 338.
& ſuiv. comme elle rendit Achille invulnéra-
ble. 340. 341. voulut l'empêcher d'aller à la
guerre de Troye.   342. 343

Theurgie, eſpéce de Magie ; en quoi elle conſiſtoit :
eſtime qu'en faiſoient les Sçavans. II. 175. 176.
179. & ſuiv. conditions rigoureuſes pour y être
initié. 176. 179. pouvoir qu'on lui attribuoit.
    180. 244. 249

Theutat ou *Teutates*, Dieu des Gaulois ; ce qu'il
étoit chez les autres Peuples. I. 28. 76. 120.
IV. 132. c'eſt le Mercure des Gaulois. V. 464.
il étoit auſſi honoré chez les Eſpagnols.   *ibid.*

Thiades ou *Thyades*, nom des Bacchantes. I. 505.
IV.   247

Tiphis, Pilote du Vaiſſeau des Argonautes. VI.
373. 378. ſa mort. *ibid.*

Thiras, un des deſcendans de Japhet, où il s'établit. VI. 28

Thirée, fils d'Œnée Roi de Calydon & d'Althée.
VII. 171

Thisbé. Voyez *Pyrame.*

Thoas, ſurnommé Cyneas, mari de la Venus
mere d'Enée. IV. 54. 102

Thoas, Roi de Lemnos: comme il fut ſauvé du
maſſacre de tous les hommes de l'Iſle. VI. 399.
il régna dans l'Iſle de Chio. VII. 196

Thoas, Roi de la Tauride. VII. 323

Thoé, nom d'une Nymphe. IV. 366

Thorébia. Idem. *ibid.*

Thornax, Montagne; pourquoi ſurnommée le
Mont du Coucou. III. 375

Thot ou *Thaut*, Dieu des Egyptiens. I. 28. 76.
120. 162. III. 248. regardé comme l'inventeur
des premieres Lettres. I. 152. 162. ſa généalogie. 162. Chronos lui donne toute l'Egypte.
169. que c'eſt le plus ancien Mercure. IV. 113.
ſes talens, Arts qu'il inventa. *ibid.* & 114. Livres qu'il compoſa. 116

Thraces, d'où ils ont tiré leur nom. I. 103. Dieux
qu'ils adoroient. III. 234. 235

Thyades. Voyez *Thiades.*

Thyca, nom d'une Nymphe. IV. 366

Tyché. Idem. *ibid.*

Thyella. Idem. *ibid.*

Thyeſte, condamné au Tartare. V. 38. VI. 144.
VII. 311. ſon hiſtoire, ſa généalogie. 312.
& ſuiv.

Thymée, Roi d'Athénes, dépoſé de la Royauté;
pourquoi. I. 524

Thyonéus, ſurnom de Bacchus. IV. 246

Thyoné, nom de Semelé, lorſqu'elle fut miſe au
nombre des Déeſſes. IV. 248

Thyrée, Ville fondée fur le Golphe de même nom, au pays d'Argos, fondée par Thyréate. VI. 33

Thyro, nom d'une Nymphe. IV. 366

Thyrfe, efpéce d'armure qu'on donne à Bacchus & aux Bacchantes. IV. 248. 254. 257

Thyrfée, Ville de Gréce fondée par Hypfus. VI. 33

Tichon, Dieu adoré à Athénes. V. 302

Tien, nom que donnent les Chinois à leur grand Dieu, ce qu'il fignifie en leur Langue. I. 228

Timor. Voyez *Pavor*.

Tiphis. Voyez *Typhis*.

Tiréfias, célébre Devin; fon Hiftoire mêlée de fables. VII. 201. 221. & *fuiv*. Ulyffe va confulter l'ombre de Tiréfias aux Enfers. V. 18. 22

Tifamene, fils de Therfandre Roi de Thébes, defcendant d'Œdipe. VII. 104

Tifiphone, une des Furies. V. 129. 132

Titaia. Voyez *Titée*.

Titan, fils aîné d'Uranus, frere de Saturne, à quelle condition il lui céda l'Empire. III. 263

Titan, nom du Soleil. I. 343

Titanides, nom donné aux fept filles de Chronos. I. 165

Titanies, fêtes des Titans. I. 530

Titans, leur origine felon les Atlantides. I. 185. felon les Grecs. 196. III. 273. leur Hiftoire. I. 33. 185. 199. III. 263. 273. & *fuiv*. 341. pourquoi dit-on qu'ils furent relegués dans le Tartare. 296. 297. s'il faut les diftinguer des Géants. III. 273. 330. les Titans connus des Orientaux. 403. 404. en quel temps ont vécu les Titans, qu'on leur a rendu les honneurs Divins. 468. & *fuiv*.

Titée, le premier & le plus ancien nom qu'ait porté la Terre. IV. 395. Rhéa fouvent confondue avec Titée. 396

Titée, femme d'Uranus, fes enfans, fon Apo-

théofe. I. 185. III. 273

T*iton*, enfans qu'il eut de l'Aurore. I. 204. fa généalogie, fon Hiftoire. VII. 426. 438. il fut changé en Cigale. 428. 434

T*itye*, fils de la Terre; fon énorme grandeur, fa mort, fon fupplice dans le Tartare. V. 37. 186

T*lépoleme*, fils d'Hercule & d'Aftioche. VII. 64.

T*molus*, Juge entre Apollon & Pan. IV. 176. fon Hiftoire. Montagne qui porta fon nom. 178

T*ochnus*, Fondateur de la Ville de Trochnie. Sa généalogie. VI. 33

T*oifon d'or*, fable de la Toifon d'or. I. 50. VI. 350. & *fuiv*. ce que c'étoit que cette Toifon d'or. 420. 421. Voyez *Jafon*, *Argonautes*.

T*ombeaux* des grands Hommes devenus des Temples publics. I. 339. ce que les Anciens entendoient par les Tombeaux des Héros. VI. 154

T*orcularis*. Voyez *Læneus*.

T*orédie*, Nymphe aimée de Jupiter, fon enfant. III. 270

T*ortue*, Fables qu'on en a débitées, vénération des Troglodytes pour cet animal. I. 239. 244. Nymphe changée en Tortue: que c'eft le fymbole du filence. III. 376. 377

T*oforthrus*. Voyez *Efculape*.

T*our*, (le) Inftrument de Méchanique: par qui inventé. VI. 307

T*out-Puiffant*, nom de Jupiter. III. 346

T*oxée*, frere d'Althée, tué par Méléagre; vengeance d'Althée. VII. 164. & *fuiv*.

T*oxée*, fils d'Œnée Roi de Calydon qui le fit mourir. VII. 171

T*ranquillité*, (la) Divinité: fon Temple à Rome. V. 225

T*rapézéus*, fils de Lycaon. VI. 33

T*répied* de Jafon: fable fur ce trépied. VI. 433. & *fuiv*. Voyez *Euritus*.

Trépieds qui étoient dans les Temples : leur usage : de combien de sortes. I. 486, Trépied du Temple de Delphes. II. 22

Très-haut, nom donné à Acmon lors de son Apothéose. III. 273

Tressaillement, présage qu'on tiroit du tressaillement de quelque partie du corps. II. 145

Triceps, surnom de Mercure. IV. 132

Tricolonus, duquel viennent les Tricolons. VI. 33

Triclaria, surnom de Diane : Temple de Diane Triclaria. IV. 212

Trident de Neptune forgé par les Cyclopes. III. 265. IV. 313. volé par Mercure encore enfant. IV. 125

Triétérides, fêtes de Bacchus. I. 532. IV. 257

Trinité, s'il y a des vestiges de ce Mystere dans les Divinités Payennes. I. 20

Triformis, surnom de Diane : ce qu'il signifioit. IV. 209

Trigla, Divinité des Germains : comme elle est représentée : son Culte. V. 573. 577

Triptoléme, instruit par Cérès sur l'Agriculture : son Histoire, fables qu'on y a mêlées. V. 98. 99. 101

Trismégiste. Voyez *Mercure Trismégiste*.

Triton qui apparut aux Argonautes. VI. 433. 434. Triton fils de Neptune & d'Amphitrite. I. 201. IV. 332. relation de plusieurs Tritons vûs & pêchés. 332. comme ils sont représentés. *ibid.*

Troglodites, respect qu'ils avoient pour la Tortue : pourquoi ils avoient en horreur les Hélinophages. I. 239

Troïle, fils de Priam ; sa vie étoit une des Fatalités de Troye. VII. 268. il est tué par Achille. 285

Trompette, son usage dans les Sacrifices. I. 485

Tropæchus, surnom de Jupiter. III. 349

Trophonies, fête de Trophonius. I. 531

Trophonius, sa naissance, ses talens, sa mort, son Oracle. II. 27. & *suiv.*

Trophonius, surnom de Jupiter. III. 351

Tros, Roi de Troye, cause de la guerre qu'il eut avec Tantale. V. 198. VI. 144. sa généalogie, ses descendans. VII. 302

Troye, les murailles bâties par les Dieux. I. 72. VII. 302. cette Ville prise deux fois. I. 106. origine de la guerre de Troye. I. 267. 268. VII. 230. & *suiv.* Histoire du siége de Troye. VII. 251. & *suiv.* Fatalités attachées à la Ville de Troye. 260. prise de cette Ville. 278. & *suiv.* époque de cet événement. 297. Histoire de cette Ville. 300. & *suiv.*

Truye blanche, qui montre à Enée le lieu où il doit s'établir dans l'Italie. VII. 420

Tubalcain, dont il est parlé dans l'Ecriture-Sainte, le plus ancien des Vulcains, & l'original de tous les autres. IV. 100. 110

Tubilustres, fêtes instituées chez les Romains, pourquoi. I. 547

Tuiston, Dieu des anciens Germains : son origine, son Histoire, son Culte. V. 533. 568. & *suiv.*

Turnus, Roi des Rutules, & rival d'Enée, lui déclare la guerre. VII. 402

Tutilina ou *Tutélina*, Déesse des Bleds. I. 347. IV. 455

Tutéle, Déesse adorée à Bordeaux. Temple qu'elle y avoit. V. 498. 499

Tybérinus, Roi d'Albe, sa généalogie, sa mort. VII. 405

Tybre, Fleuve du Pays Latin : origine de ce nom. *ibid.*

Tychon, Divinité honorée à Athénes. V. 302

Tydée, fils d'Onée, & pere de Diomede. VI. 93. VII. 172. il périt dans la premiere guerre de Thébes. 195. & *suiv.* son éloge. 221

Tyllinus, Dieu particulier à la Ville de Bresse.

Defcription de fa ftatue. V. 359

Tyndare, Roi de Sparte, fa généalogie & fes enfans. VI. 71. VII. 126

Tyndarides, nom de Caftor & Pollux. VII. 129. fêtes des Tyndarides à Rome. 133

Typhon, frere d'Ofiris, un des grands Dieux d'Egypte. I. 182. fon Hiftoire. II. 308. *& fuiv.* fa mort. 317. *& fuiv.*

Typhon, Monftre imaginé par les Grecs. I. 199. 202. II. 309. 310. fait la guerre aux Dieux. 311. 312. explication des fables débitées fur Typhon. 320. *& fuiv.* comment il périt. 325. *& fuiv.* fes enfans. I. 199. 202. comme il eft repréfenté. II. 321

Tyro, fille de Salmonée, fes avantures & fes enfans. VI. 96. 97. 361

V.

VACANA, Déeffe chez les Romains. V. 336

Vagitanus, Dieu invoqué pour les enfans. I. 346. V. 331

Vaifon, Ville mife au nombre des Divinités par les Gaulois. V. 496

Vaiffeaux d'Enée changés en Nymphes de la Mer. Origine de cette fable. I. 25. 72. Vaiffeau des Argonautes; pourquoi on a dit qu'il parloit. I. 112. Vaiffeau conftruit par Xixutrus pour fe fauver du Déluge. I. 149. Vaiffeau de Théfée; ce qu'il devint. VI. 287. différente forme des Vaiffeaux des Grecs. 377. Vaiffeaux des Grecs pour le fiége de Troye. VII. 244. Ufage de donner des noms aux Vaiffeaux. III. 140

Vallonia, Déeffe qui préfidoit aux Vallées. I. 349. IV. 458. V. 341

Vandales, Peuples de l'ancienne Germanie : leur origine, leur Religion. V. 535. 569. 577

Vanité, (la) fource de fables. I. 56. 86

Vautour,

Vautour, Oiseau consacré à Mars & à Junon. I. 460. III. 392. il servoit aussi pour les Augures. II. 134. Apollon surnommé *Vulturius*, ou Apollon aux Vautours. IV. 200

Veau d'or, objet de l'Idolâtrie des Hébreux ; imité de celle du Bœuf Apis. II. 396. 404

Velleda, femme déifiée chez les Germains. V. 554

Véilo, mot trouvé sur un bas-relief : ce qu'il signifie. V. 434. 437

Véjovis ou *Véjupiter*, comme Jupiter étoit représenté sous ce nom : Culte qu'on lui rendoit alors. III. 373

Vénasins, Peuples de Cappadoce : leur Religion. III. 213. *à la Note.*

Vénitiens, de qui ils descendent. VII. 394. 395

Vents, sous quels noms ils furent adorés. I. 343. quel étoit le Dieu des Vents. I. 55. 79. 112. IV. 367. Vents fils des Dieux. I. 199. 202. Culte qu'on a rendu aux Vents. IV. 372. 376. comme on les représentoit. 377. Fable des Vents donnés à Ulysse enfermés dans une peau. I. 55. IV. 368

Vénus, sa naissance suivant les Egyptiens. I. 182. suivant les Grecs. 117. 196. III. 271. IV. 50. 51. 52. *& suiv.* combien on comptoit de Vénus. 56. *& suiv.* étymologie de ce nom ; origine de la Fable de Vénus. *ibid.* explication des Fables débitées sur Vénus. 58. *& suiv.* son Culte. Oiseaux, Plantes & Fleurs qui lui étoient consacrés. 63. 64. ses différens noms. 65. *& suiv.* comme on la représentoit. 68. son mariage avec Vulcain, ses galanteries avec Mars & Mercure. I. 203. IV. 51. 59. pouvoir de sa ceinture. 59. son commerce avec Anchise. I. 204. IV. 62. les Gaulois la mettoient au nombre des Déesses de l'Enfer. V. 482

Vénus-Uranie. Voyez *Uranie.*

Vénus, Planéte, honorée en différens pays. I. 29.

362 **TABLE**

a donné son origine à la Vénus des Grecs. IV.
56

Vergilies, nom des Pléïades. III. 442

Vergobrets, sorte de Magistrats chez les Gaulois.
V. 397

Vérité, (la) Divinité ; son origine, sa généalogie.
V. 221. 222. pourquoi on dit qu'elle est cachée
au fond d'un puits. 223. que la vérité a eu souvent besoin d'ornemens pour paroître. I. 56. 69

Vers Sibyllins. Voyez *Sibylles*.

Verseau, Signe du Zodiaque : origine qu'on lui
donne. I. 342. VII. 240

Versotina, Divinité des Maures. II. 442

Vertu, Divinité ; son Temple ; comme elle étoit
représentée. V. 219

Vertumne, Dieu des Vergers & des Jardins. I. 348.
il épouse Pomone. IV. 442. étymologie de son
nom : son Histoire, son Culte, son Temple &
sa statue à Rome. Comme on le représentoit.
ibid. & suiv.

Verveine, Plante, son usage chez les Druydes.
V. 406

Vesne ou *Vichnou*. Voyez *Vichnou*.

Vesper, nom de la Planéte Vénus. IV. 157

Vesta, une des grandes Divinités des Egyptiens.
I. 182. II. 288. Vesta, fille de Saturne & de
Rhéa. I. 200. III. 263. Deux Vesta, l'une
prise pour la Terre. IV. 396. l'autre Vesta,
symbole du feu. 426. Culte de Vesta comme
symbole du feu. I. 343. IV. 422. origine de ce
Culte, par qui il fut apporté en Italie. 426. étymologie du nom de Vesta. 426

Vestales, leur institution, leurs fonctions, leurs
loix. IV. 423. Temple des Vestales à Rome.
424. Vestales de l'Amérique. I. 248. 249

Vétula, Déesse qui présidoit à la Joie. I. 348

Vialis, surnom de Mercure. IV. 132

Vichnou ou *Vesne*, Dieu des Indes Orientales. I.

20. 239. 241. Tradition des Brachmanes fur ce
Dieu métamorphofé en Tortue. 239

Victimes, quand commença l'ufage de facrifier des
Victimes vivantes. I. 447. *& fuiv.* & la fuperftition des Victimes humaines. 451. *& fuiv.* V.
410. choix qu'on faifoit des Victimes. I. 456.
& fuiv. quelles Victimes étoient agréables aux
Divinités à qui on les facrifioit. 458. *& fuiv.*
comme on les préparoit. 462. quelles Victimes
on offroit aux Dieux des Enfers. V. 177. Voyez
Sacrifices.

Victoire, (la) Divinité. I. Temples bâtis en fon
honneur: comme elle étoit repréfentée. IV. 47.
fes différens noms. 48

Victor ou *le Victorieux*, furnom donné à Jupiter :
pourquoi. III. 346

Vie, (la) Divinité. I. 349

Vieille d'or, (la) Déeffe adorée par les Peuples
qui habitoient près du Fleuve Obi : fon Oracle,
comment ils la confultoient. III. 253

Vieilleffe, par qui engendrée. I. 197. Divinité qui
y préfidoit 348

Vierge, (la) Signe du Zodiaque : par qui habité,
dit-on. I. 342. VIII. 89

Villes, cérémonies pratiquées à la fondation des
Villes. I. 564. Villes d'Egypte qui portoient les
noms des animaux qu'on y honoroit. II. 378.
Villes mifes au nombre des Divinités. V. 309.
347. 497. 577. fondement du Culte qu'on rendoit à ces Villes. 497

Vin, (le) employé dans les Sacrifices. I. 447. 464.
que les Egyptiens & plufieurs autres Peuples
n'en connoiffoient pas l'ufage. 466

Vinales, fêtes ainfi nommées : motifs de leur inftitution. I. 552

Violence, Divinité, Compagne inféparable de
Jupiter : de qui on l'a fait naître. I. 199. fon
Temple à Corinthe. V. 242. 310

Virginicuris, Déesse du Mariage. V. 332

Viriplaca, quelle Déesse c'étoit. V. 337

Vitulus & *Viturnus*, Divinités qui préfidoient à la vie. I. 349. V. 330

Ulyffe, fa généalogie. VII. 365. fon Hiftoire & fes avantures. 466. & *fuiv.* fon féjour dans l'Ifle de Circé. 378. & *fuiv.* & dans l'Ifle de Calypfo. 384. & *fuiv.* fon retour à Ithaque. 387. fon avanture dans l'Ifle des Sirenes. IV. 379. 384. fon voyage aux Enfers. V. 18. 27. 28. il reçut les honneurs Héroïques après fa mort. VII. 390. Voyez *Pénélope.*

Univers, comme il fut formé fuivant les Chaldéens. I. 140. fuivant les Phéniciens. 154. fuivant les Egyptiens. 176. fuivant les Grecs. 192. & *fuiv.* fuivant Moïfe. 223. Voyez *les Théogonies.*

Vœux, ufage de faire des Vœux en particulier : ce qui s'y pratiquoit. I. 562. 563.

Voiles des Vaiffeaux : à qui on en attribue l'invention. VI. 288. 305

Voltumna ou *Vulturna*, Divinité d'Etrurie. IV. 446

Volupta, Déeffe des plaifirs. I. 348. de qui elle naquit. IV. 88. fon Temple & fa fête à Rome. V. 233

Volutina, Déeffe des Latins. IV. 459

Voyageurs, (les) Auteurs de plufieurs fables. I. 63

Voie de Lait, comment on dit qu'elle fut formée. VII. 33

Ur, Ville de Chaldée, ancienneté de l'Idolâtrie dans cette Ville. I. 294. 302. VII. 4. regardée comme la Métropole du Sabifme. I. 334

Uranie, Déeffe des Arabes ; la *Célefte* des Maures. II. 417. 418. honorée auffi chez les Perfes. III. 151

Uranie, une des neuf Mufes : fes attributs. IV. 224

Uranus, grande Divinité des Phéniciens. I. 159.

163. son Histoire. 163. & *suiv.* ce qu'il étoit suivant les Atlantides. I. 184. 185. signification de ce nom. III. 273. 274

Urcéolus, Instrument dont on se servoit dans les Sacrifices. I. 486

Urotal, Dieu des Arabes. II. 276. 418

Usoüs, un des descendans de Caïn. II. 276. 418.

Vulcain, un des Dieux des Egyptiens. I. 181. qu'il y a eu plusieurs Vulcains. IV. 199. & *suiv.* quel a été le Vulcain d'Egypte, nom qu'on lui donnoit. 101. étymologies du nom de Vulcain. 101. du Vulcain des Grecs, de qui ils l'ont fait naître. I. 203. IV. 99. son Histoire, & les fables qu'ils en ont débitées. IV. 101. & *suiv.* ses enfans; noms qu'on lui a donné. 106. Animaux qui lui étoient consacrés. 107. Culte que rendoient à Vulcain les Egyptiens. 106. son Temple à Memphis. I. 386. & *suiv.* IV. 107. son Culte à Rome. 107. pourquoi ses Temples hors des Villes. I. 378. 379. Fêtes en son honneur. IV. 108. Voyez *Epheslies* & *Vulcanales.* Comme il est représenté. 109. du Culte que lui rendoient les Gaulois. V. 439. 440

Vulcanales, fêtes en l'honneur de Vulcain. I. 547

Vulcanie. Voyez *Ephesliée.*

Vulcanies, nom des Isles Eolies, où étoient établies les forges de Vulcain. IV. 105

Vuod, Dieu des Arabes. II. 421

Vulturius, surnom donné à Apollon. IV. 200

X.

XANTHE, chef des Béotiens: comme il fut tué. I. 524

Xanthe, Fleuve de la Troade; il poursuit Achille. I. 71

Xantho, nom d'une Nymphe. IV. 366

Xenius, surnom de Jupiter: ce qu'il signifie. III. 360.

Xiphée, pere adoptif de Janus. III. 417

Xixutrus ou *Sifutrus*, ce qu'il étoit fuivant les Chaldéens. I. 148. s'il eft le même que Noé. *ibid.* comme il fe garantit du Déluge : fon Apothéofe. 149. 150

Xutus, petit-fils de Deucalion. VI. 92. fon Hiftoire. 100

Y.

*Y*NCAS du Pérou. Magnificence de leurs Temples. I. 248. les Yncas prennent la qualité de fils du Soleil. 330

Yphiclès, fils d'Amphitryon & d'Alcmene, Jumeau d'Hercule. VII. 9

Yphtimé, Nymphe, mere des Satyres. IV. 460

Z

*Z*AMOLXIS, Légiflateur des Scythes & des Gétes, & leur Dieu. III. 219. V. 299. fon Hiftoire : en quel temps il vivoit. 299. & fuiv. à qui il attribuoit fes Loix. VI. 248

Zan, furnom de Jupiter : ce qu'il fignifie. III. 281. 377

Zarax, grand Muficien, qui donna fon nom à la Ville de Zaraxa ; honoré comme un Héros. VI. 165

Zelpha, Servante de Lia. Voyez *Gad*.

Zélus, fils de Styx : pourquoi Jupiter le retint auprès de lui. I. 199. 200

Zéomébuch, le Dieu Noir, ou le mauvais Génie chez les Vandales. V. 577

Zéphyre, (Vent) de qui il étoit iffu. I. 200. quel Culte on lui rendoit. IV. 371

Zératucht ou *Zerducht*, furnom de Zoroaftre. I. 309

Zétés ou *Zéthus*, frere d'Amphion & fils d'Antiope. III. 270. VI. 134. Voyez *Amphion*.

Zéthés. Voyez *Calaïs.*

Zéus Arotrius, Jupiter le Laboureur. I.   163

Zéus Bélus, fils de Chronos, ou Saturne. I. 165

Zéus-Michius, nom donné à Chryſot ou Vulcain, lors de ſon Apothéoſe. Ce qu'il ſignifie. I. 158

Zéus, nom donné à Jupiter par les Grecs. III.   343

Zéuxo, nom d'une Nymphe. IV.   366
Zéxo. Idem.   *ibid.*

Zicuonia, nom que les Sarmates donnoient à Diane. III.   231

Zoara, nom donné aux premiers Cippes qu'on adora ; pourquoi. I.   338

Zodiaque, comme les Egyptiens repréſentoient les douze Signes du Zodiaque. II.   389

Zogonoi, quels Dieux c'étoient chez les Grecs : ce que ce mot ſignifie. V.   304.

Zones, Diviſion qu'en fait Ovide. I.   219

Zophéʒénim, ce que ſignifie ce mot dans la Théogonie des Phéniciens. I.   155

Zoroaſtre, Légiſlateur des anciens Perſes ; qui il étoit ; ſa Doctrine. I. 309. s'il eſt l'Auteur de l'Idolâtrie du Sabiſme. 333. 334. s'il eſt le premier Inventeur de la Magie. II. 172. Loi de Zoroaſtre pour le Culte de Mithras. III. 149. 194. ſon Livre ſur le Culte du feu. IV. 426. à quelle Divinité il attribuoit ſes Loix. VI. 248

Fin de la Table des Matieres.